U0462665

聚焦三农：农业与农村经济发展系列研究（典藏版）

基于农户行为逻辑的区域反贫困理论与实证研究

颜廷武 著

科学出版社

北 京

内 容 简 介

中国既往的区域反贫困战略，无论是理论研究还是实践探索，其基本思路更多地致力于通过区域经济增长来带动区域层面贫困状况的缓解与消除，这在贫困人口众多且呈大面积分布的情况下，无疑是可取的，也是有效的。在中国贫困人口及其分布发生较大变化的 21 世纪，基于中国反贫困的历程和现状，区域反贫困亟须从区域微观单元即家庭层面来寻求突破。

本书可供农业经济管理相关专业研究人员、政府相关部门决策人员、高等院校相关专业师生等参考阅读。

图书在版编目(CIP)数据

基于农户行为逻辑的区域反贫困理论与实证研究／颜廷武著.—北京：科学出版社，2015.1（2017.3 重印）

（聚焦三农：农业与农村经济发展系列研究：典藏版）

ISBN 978-7-03-043153-0

Ⅰ.①基… Ⅱ.①颜… Ⅲ.①农村–贫困问题–研究–中国 Ⅳ.①F323.8

中国版本图书馆 CIP 数据核字（2014）第 170323 号

责任编辑：林 剑／责任校对：张凤琴
责任印制：徐晓晨／封面设计：耕者工作室

科 学 出 版 社 出版
北京东黄城根北街 16 号
邮政编码：100717
http://www.sciencep.com

北京京华虎彩印刷有限公司 印刷
科学出版社发行 各地新华书店经销

*

2015 年 1 月第 一 版 开本：720×1000 1/16
2015 年 1 月第一次印刷 印张：17 1/4
2017 年 3 月印 刷 字数：333 000
定价：128.00 元
（如有印装质量问题，我社负责调换）

总　序

　　农业是国民经济中最重要的产业部门，其经济管理问题错综复杂。农业经济管理学科肩负着研究农业经济管理发展规律并寻求解决方略的责任和使命，在众多的学科中具有相对独立而特殊的作用和地位。

　　华中农业大学农业经济管理学科是国家重点学科，挂靠在华中农业大学经济管理学院和土地管理学院。长期以来，学科点坚持以学科建设为龙头，以人才培养为根本，以科学研究和服务于农业经济发展为己任，紧紧围绕农民、农业和农村发展中出现的重点、热点和难点问题开展理论与实践研究，21 世纪以来，先后承担完成国家自然科学基金项目 23 项，国家哲学社会科学基金项目 23 项，产出了一大批优秀的研究成果，获得省部级以上优秀科研成果奖励 35 项，丰富了我国农业经济理论，并为农业和农村经济发展作出了贡献。

　　近年来，学科点加大了资源整合力度，进一步凝练了学科方向，集中围绕"农业经济理论与政策"、"农产品贸易与营销"、"土地资源与经济"和"农业产业与农村发展"等研究领域开展了系统和深入的研究，尤其是将农业经济理论与农民、农业和农村实际紧密联系，开展跨学科交叉研究。依托挂靠在经济管理学院和土地管理学院的国家现代农业柑橘产业技术体系产业经济功能研究室、国家现代农业油菜产业技术体系产业经济功能研究室、国家现代农业大宗蔬菜产业技术体系产业经济功能研究室和国家现代农业食用菌产业技术体系产业经济功能研究室等四个国家现代农业产业技术体系产业经济功能研究室，形成了较为稳定的产业经济研究团队和研究特色。

为了更好地总结和展示我们在农业经济管理领域的研究成果，出版了这套农业经济管理国家重点学科《农业与农村经济发展系列研究》丛书。丛书当中既包含宏观经济政策分析的研究，也包含产业、企业、市场和区域等微观层面的研究。其中，一部分是国家自然科学基金和国家哲学社会科学基金项目的结题成果，一部分是区域经济或产业经济发展的研究报告，还有一部分是青年学者的理论探索，每一本著作都倾注了作者的心血。

本丛书的出版，一是希望能为本学科的发展奉献一份绵薄之力；二是希望求教于农业经济管理学科同行，以使本学科的研究更加规范；三是对作者辛勤工作的肯定，同时也是对关心和支持本学科发展的各级领导和同行的感谢。

李崇光

2010 年 4 月

前　言

在我国，区域经济发展不平衡问题由来已久，尤其是中西部地区相比于东部沿海地区，无论是地区经济总量，还是经济增长速度，抑或居民收入水平，几乎全面处于落后态势。如何缩小或扭转这种区域经济之间的发展差距，向来是党和政府及理论工作者关注的重要课题。在20世纪末21世纪初，国家先后提出了旨在缩减这种区域发展差距的重大战略：西部大开发和中部崛起战略。两大战略经过十年左右的深入实施，在很大程度上改变了中西部地区贫困和落后的发展面貌，并有力地推动了国家整体经济发展水平的较快提升。但不可否认的是，至今，我国区域经济发展的东中西差距并未就此根本扭转。随之而来的是，中西部地区区域整体层面的贫困与落后状况，越来越显著地体现在区域内部个体层面即家庭单元，特别是中西部地区农业和农村经济赖以存在和发展的基础——农户家庭层面的贫困与落后。区域贫困与家庭贫困更多在中西部地区表现得形影不离，甚至互为因果。

我国既往的区域反贫困战略的主要思路，是依靠区域经济增长来实现区域内贫困人口脱贫和走向发展，这在特定时期对减缓贫困发挥了重要的推动作用。但这一战略却越来越难以适应新阶段反贫困形势的新需要，而单独对贫困人口进行救济和帮扶也早被证明不是最优选择。那么新时期究竟如何才能达到既要使贫困人口脱贫并走向发展，又要使区域经济实现持续发展的"双赢"目的呢？实践已经证明，孤立的、一对一的扶持不能从根本上形成贫困人口持续稳定的发展能力，必须把家庭经济脱困与区域经济发展有效地结合起来，实现两者之间的有机联动和协同发展，方能从根本上摆脱区域与家庭"共陷贫困"的尴尬处境。这一观点在以往的农村反贫困中不难找到佐证。例如，在反贫困中注重把贫困人口与区域经济有机结合起来的地区，不仅反贫困的整体效果和农村经济发展成效明显，而且贫困人口的返贫率低。与此相反，采取一家一户以解决温饱为目的的简单扶贫工作，缺乏统筹区域经济发展的宏观考量，或者区域经济发展与贫困人口没有直接的关联，不仅整体反贫困效果不佳，而且贫困人口抵御自然灾害和市场风险的能力脆弱，返贫率高。因此，把贫困农户家庭经济脱困与落后区域整体经济发展联动起来谋求协同发展，是新阶段我国反贫困战略的可选之策。

融生产与生活双重功能于一体的农户家庭，其家庭成员之间存在着一种共同的利益目标和价值追求：力求家庭的脱贫致富和走向发展，并以此作为组织家庭生产生活、完成社会分工的基本准则。就中国农村贫困的本质属性和基本表现来看，无论是以往的扶贫攻坚阶段，还是在 21 世纪反贫困的新阶段，中国农村贫困的一个基本特征就是人口贫困与家庭贫困的高度一体性，区域性贫困某种程度上只是农户家庭贫困的一种时空表现形式。因而，研究农户家庭贫困问题也就使其被赋予了一定的区域内涵和空间意义。

农户行为在区域发展中的影响与作用，涉及很多方面。本书集中讨论在中国传统文化底蕴浓厚的环境背景下，农户与区域发展相关的行为有什么特征？这些特征对经济发展有何影响？制约其发展的不利行为的形成原因是什么？农户对未来发展的期望与决策者有何差异？如何发挥农户潜力促进区域发展？基于此，本书旨在将中西部欠发达地区的农户家庭作为研究对象，将区域经济发展置于农户家庭脱贫发展的前提之下，对中西部地区农户投资、消费、储蓄与借贷及技术应用等主要经济行为进行实证分析，揭示其不同于东部发达地区农户的经济行为特征，探讨农户行为的逻辑机理及其对区域发展的正负影响。本书始终贯穿如何优化农户经济行为从而促进贫困地区可持续发展这条主线，从微观层面上来探求 21 世纪区域反贫困战略的突破点，以期为区域反贫困战略政策的调整和完善，以及可持续发展战略的深入实施提供科学依据，最终达成农户脱贫致富与区域协调发展的"双赢"目标。

本书能够顺利出版，首先感谢华中农业大学经济管理学院给予的学术专著出版资助。感谢科学出版社的编辑同志为本书出版付出的智慧与辛劳。身处中部地区的华中农业大学经济管理学院，在一大批老中青农业经济学人的引领和推动下，历来重视对区域经济均衡和协调发展问题的科学探索。本书是在前人研究基础上的继承与创作。尽管笔者以认真负责的态度力求展示本书研究所取得的创新性成果，但由于笔者能力与水平的限制，本书在理论框架、研究方法和学术观点等方面，可能还存在着诸多有待改进和完善的不足之处，敬请读者批评指正。

颜廷武

2014 年 6 月

目　　录

基于农户行为逻辑与实证研究的区域反贫困理论

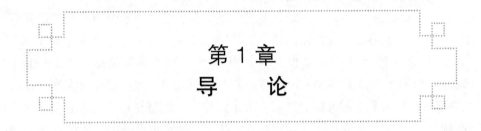

第 1 章
导　论

1.1　研究背景、目的与意义

　　21 世纪以来，区域发展不平衡加剧和居民收入差距拉大是中国全面建成小康社会遇到的严重障碍之一。21 世纪前 20 年能否实现全面建成小康社会的目标，重点在农村，难点在中西部贫困地区。按 2010 年农民人均纯收入 1274 元的贫困线标准，2010 年年底，全国农村贫困人口为 2688 万人，贫困发生率为 2.8%。从农村贫困人口的区域分布看，2010 年有 95.4% 的贫困人口集中于中西部地区，其中，西部 12 省（自治区、直辖市）① 共有 1751 万贫困人口，占全国农村贫困人口的 65.1%；中部地区有 813 万贫困人口，占 30.3%。592 个国家扶贫工作重点县覆盖农村贫困人口 1693 万人，占全国农村贫困人口的 63%；扶贫重点县贫困人口的 96.9% 分布于中西部地区；各省份确定的 14.8 万个重点贫困村，有 88.4% 分布在中西部地区的 1617 个县级单位，占其县级单位总数的 78.5%。此外，2010 年国家扶贫开发工作重点县人均国内生产总值、人均财政收入、农民人均纯收入和人均生活消费支出等主要经济指标，只相当于 21 世纪初期全国的平均水平，比全国平均水平落后 6～7 年。② 中西部地区教育、科技、文化、公共医疗卫生等社会事业更是落后于其他地区。如果这样广大的地区和人群不能加快发展，全国全面建成小康社会的目标也就难以实现。可以说，没有中西部贫困地区的小康，就没有广大农村地区的全面小

---

　　① 西部 12 省（自治区、直辖市）是指传统意义上的西部地区加上由于西部大开发而列入的内蒙古和广西，即内蒙古、广西、重庆、四川、贵州、云南、西藏、陕西、甘肃、青海、宁夏、新疆。本书所指的中西部地区，是西部 12 省（自治区、直辖市）加上中部的山西、吉林、黑龙江、安徽、江西、河南、湖北、湖南 8 省共 20 个省（自治区、直辖市）。

　　② 例如，2010 年国家扶贫重点县人均 GDP 为 11 170 元，稍高于全国 2003 年的平均水平（10 542 元）；人均财政收入为 559 元，略高于全国 1995 年的平均水平（515.4 元）；农民人均纯收入为 3272.8 元，相当于全国 2005 年的平均水平（3254.9 元）；人均生活消费支出为 2662.0 元，略高于全国 2005 年的平均水平（2555.4 元）。重点县数据来源于中国农村贫困监测报告 2011，全国数据来源于《中国统计年鉴 2012》。

康；没有农村的全面小康，就没有全国的小康。

对于贫困落后地区发展问题的研究，一直是经济学，特别是发展经济学关注的主要问题之一。促进贫困地区脱贫和走向发展是各国政府和理论工作者不懈的追求。审视既往的反贫困战略和政策不难发现，国内外贫困落后地区的开发无不是以区域经济增长来促进区域贫困状况的缓解和消除。World Bank（2001）对150个国家1980~1998年的数据分析表明，经济增长或收缩与贫困发生率具有极为显著的关系。例如，其中四分之一经济年均增长率达到约8%的国家，贫困发生率年均减少速度在6%以上，而另外四分之一经济年均负增长率约6%的国家，贫困发生率年均增加速度超过10%。许多落后国家和地区在这种战略的带动下摆脱贫困，走向发展。中国也不例外。"八七扶贫攻坚计划"的实施就是以县级区域为基本单元开展的反贫困实践。辅之以各项得力配套措施，中国贫困状况得到了显著改善。贫困人口规模由"计划"初的8000万人减少到2000年年底的3209万人，年均减少684万人，贫困发生率由8.8%下降到3.4%。① 这一战略在贫困人口呈集中连片大面积分布的阶段无疑是有效的。然而在21世纪，贫困人口的分布情况有了显著变化，呈现出越来越分散的特点，由相对集中的区域变为分散的乡村、农户。而且大多数贫困人口分布于自然生态环境脆弱、生存环境非常恶劣的石山区、深山区、高寒山区、荒漠区、黄土高原区和水库库区。② 1978~2000年的22年间，我国通过高速经济增长成功降低了贫困发生率（GDP年均增长10.15%，贫困发生率年均下降9.79%）。但在2000年后的几年间，我国经济每年保持7%~8%的增长速度，绝对贫困发生率却一直徘徊在3.0%上下，下降势头明显减缓。1994年，国家确定592个重点扶持贫困县，覆盖全国贫困人口的73%以上。2010年重点扶持贫困县覆盖的贫困人口只占到63%，下降了10个百分点。由此可见，既往的区域瞄准反贫困战略已不适应新形势的需要。

区域经济发展理论，在20世纪后半叶获得了较大发展。早期的区域发展理论多将区域整体作为其研究对象，观察并探析诸如区域结构、区域增长模型、区域制度、区域政策等问题。在微观层次上，区位论关注企业区位与环境的关系，为以后探索企业对区域发展的影响研究奠定了基础。20世纪70年代以来的新区域研究中，意大利学派追随马歇尔的产业区位思想，研究该国东北部和中部的手工业兴起与小区发展；加利福尼亚学派侧重于垂直分化、产业间

基于农户行为逻辑的区域反贫困理论与实证研究

---

① 按2000年的绝对贫困标准线625元/人计算。
② 2011年中国农村贫困监测报告显示，2010年我国贫困人口的52.7%生活在山区。通常情况下，同样要使山区贫困人口脱贫，其单位成本要高于平原地区，如基础设施建设，在山区修路架线的成本要高于平原地区。

交易网络对南加利福尼亚州工业企业集聚的影响；巴黎学派强调当地经济和文化背景下形成的创新力对区域经济增长的作用；柔性专业化学派侧重于手工业小区中新型技术组织范式的研究。学者们通过分析非正式文化、惯例和非贸易性互相依赖在当地生产系统的作用，以及能动学习和创新过程对区域经济发展变化的影响等，来重新审视区域发展战略（李小建，2002）。

经济学研究的深入和细化，使其增强了对个体行为的关注。企业和家庭是微观经济行为研究的最基本单元，大量研究已经证实，它们在经济运行中起着十分重要的作用。在区域发展研究中，对企业尤其是中小企业的作用已给予一定的重视。但家庭作为生产组织单位，其行为对区域发展的影响，现有文献涉及的范围与分析深度不足。在发达国家，中小企业并不完全依托于家庭单元。尽管为了充分就业，政府也鼓励兴办家庭实业，但其在区域经济发展中的作用十分有限。与此相比，发展中国家的欠发达地区，家庭经济在区域发展中的作用则要大得多。尤其在中国的中西部地区，工商业基础较为薄弱，包括农业在内的各产业的生产组织多以家庭为单位，农户成为区域内最重要、最基本的生产单元。这在一定程度上意味着，农户行为研究理应成为该类区域发展研究中的重要课题方向。

与区域瞄准目标相适应，我国反贫困问题研究，其对策设计更多地停留在贫困区域面上经济状况的改善，从贫困个体或者贫困农户点上的研究亟待加强。在农户经济的研究方面，国内外学者（主要有舒尔茨、恰亚诺夫、贝克尔、黄宗智、卢迈、高小蒙、宋圭武、宋洪远、马鸿运、胡继连、史清华、孔祥智等）围绕农户经济行为的方方面面进行了较为系统的描述分析，并得出一些有益的结论，为政府的有关决策起到很好的参考作用。但在贫困农户问题的研究上，由于贫困农户与一般农户相比所存在的明显区别（如心理动态与承受力、信息获取能力、投资机会与能力等），加上取得统计资料的困难，以及研究方法上的欠成熟等，目前准确揭示贫困农户经济行为特征、辨析农户行为逻辑、预测贫困农户经济行为走向的研究尚不多见，而这些方面是21世纪新阶段反贫困政策调整制定前必须了解和明确的基本问题。农户行为在区域发展中的作用，涉及很多方面。本书集中讨论在中国传统文化底蕴浓厚的环境背景下，农户与区域发展相关的行为有什么特征？这些特征对区域经济发展影响如何？制约其发展的不利行为的形成原因是什么？农户对未来发展的期望与决策者有何差异？如何发挥农户潜力促进区域可持续发展？

世纪之交，中国政府适时出台了《中国农村扶贫开发纲要（2001～2010年）》，明确提出了我国21世纪前10年扶贫开发总的奋斗目标是：尽快解决极少数贫困人口的温饱问题，进一步改善贫困人口的基本生产生活条件，巩固温饱成果，提高贫困人口的生活质量和综合素质，加强贫困乡村的基础设施建设，改善生态环境，为达到小康水平创造条件。为进一步加快贫困地区发展，促进共同富裕，实现到 2020 年全面建成小康社会的奋斗目标，中国政府于 2011 年继续颁布实施了《中国农村扶贫开发纲要（2011～2020 年）》，指出我国扶贫开发已经从以解决温饱为主要任务的阶段转入巩固温饱成果、加快脱贫致富、改善生态环境、提高发展能力、缩小发展差距的新阶段。新纲要特别强调把扶贫标准以下具备劳动能力的农村人口作为扶贫工作主要对象。鉴于上述分析，本书"基于农户行为逻辑的区域反贫困理论与实证研究"旨在将中西部贫困地区的农户作为研究对象，通过对中西部地区农户投资、消费、储蓄与借贷及技术应用等主要经济行为的实证分析，揭示其不同于东部地区农户的经济行为特征，判断其未来经济行为的走向，始终贯穿如何优化农户经济行为从而促进贫困地区可持续发展这条主线，从微观层面上探求新时期反贫困问题的突破点，以期为反贫困战略宏观政策的调整和完善及可持续发展战略的实施提供理论和实践上的支持，最终达到家庭脱困与区域发展的"双赢"目的。

1.2　国内外研究动态

结合研究主题和内容，本书从"贫困与反贫困""中西部区域发展""农户经济行为"三个关键领域展开综述，厘清相关研究的国内外进展与动态。

1.2.1　贫困与反贫困理论研究综述

1. 贫困原因的基本理论阐释

贫困作为特定的社会经济现象从而引起人们的普遍重视，并被纳入学术探索与理论研究的领域的历史并不久远。从最本质的意义上讲，贫困是一个相对的概念——它是相对于不贫困或富裕而言，即贫困实际上是用什么是不贫困来说明和衡量的，只有相当一部分人生活水平处于不贫困时才存在贫困问题。因此，在 18 世纪以前，由于当时社会生产力水平整体低下，人们的生活水平普遍贫穷，这时贫困现象并不引人关注。贫困问题开始被社会重视，并成为经济学研究的基本内容之一，是工业革命之后的事（张新伟，2001）。

对于贫困问题，学者们习惯上把它称为经济发展中的"哥德巴赫猜想"，或称为"经济学王国的沼泽地"。这说明贫困现象的存在是一个无法回避和难以消除的客观现实，贫困问题的理论探索也是一项复杂和艰巨的历史任务。对贫困的形成原因可以从不同的角度进行考察分析。常见的有以下几种观点。

1）要素短缺论

要素短缺论认为贫困是经济欠发展所导致，而贫困地区的经济之所以欠发展是因为其缺乏经济发展所必需的基本要素，包括资本、技术、必要的自然资源条件（如水、土、光、热、气候等），以及贫困者个人自身应该具有的文化素质与创新精神等。这类理论中最典型的莫过于纳克斯的"贫困恶性循环理论"、纳尔逊的"低水平均衡陷阱理论"、缪尔达尔的"循环积累因果关系理论"、利本斯坦的"临界最小努力理论"和托达罗的"自然资源短缺论"。这些理论的相似之处在于客观地揭示了导致贫困的一些重要原因，但不足之处在于都过分夸大了资本形成对经济增长的促进作用，忽视了其他因素对经济发展的影响。他们将贫困成因归结于经济发展所欠缺的某一种或几种要素，照此逻辑，贫困成因可以无限地罗列下去，因为对于任何一个国家、地区或个人来讲，经济发展所依赖的要素总是存在短缺的，要素齐备在现实世界中是很难实现的。

2）环境成因论

环境成因论将贫困成因归结于贫困者与其所处的生产生活环境的关系的失败。这一理论或以一定的自然环境条件为前提认为贫困人口数量过多，或以一定的人口数量为前提认为现有资源环境贫乏。显然，这两种观点都失之偏颇。实际上，尽管在大多数贫困地区的确存在着人口与环境某种程度上不可调和的矛盾，如人口过多造成的过度垦荒引起水土流失、土地荒漠化等环境退化问题，以及资源环境超负荷导致人们生活水平下降等，但这并不能充分解释这些地区处于贫困的深层成因。因为，在人口与环境间同样存在着矛盾的很多地区，人们却不贫困。

3）贫困文化论

贫困文化论认为长期处于贫困的人们形成了一整套特定的生活模式、行为准则和价值观念，一旦这种"亚文化"形成，它会影响到整个贫困区域的人的思想与行为，并能一代代地传承下去。在这种"亚文化"的熏陶与影响下，贫困被固化并维持，并且还可能导致新的贫困。尽管贫困直接表现为人的物质匮乏，如缺吃、少穿，但其更深刻的原因在于一种自我维系的"贫困文化"在阻碍穷人提高其生活水平。在现实中，作为一种"亚文化"的贫困文化确实在贫困地区普遍存在，但是贫困文化并不是造成贫困的直接原因，而是贫困现象发生的结果，只不过反过来加重了贫困的程度，增加了脱贫的难度。

4）社会不公论

社会不公论认为贫困是社会财富和收入不公平分配的结果，或者说，贫困就是收入的不公平分配。持这一观点的人从劳动力市场、社会分工及权力分配等角度来解释贫困形成的原因。认为贫困者之所以贫困，其根源在于他们所处的社会对他们不够公平，并非穷人不愿意学习或者学不会富人的生活方式、行为模式和价值观念，而是穷人所处的恶劣的社会环境难以让他们表现出上述态度和行为。只要穷人的恶劣处境改善了，贫穷就可以改变甚至消除，因此应该受到责备的不是穷人自己，恰恰是穷人所处的社会环境。如权力分配论者认为，由于权力资源的错误分配，使不平等和贫困成为不可避免的社会现象。因此，所谓贫困就是失去发展权力。由于决定发展的权力资源集中在拥有财产的个人和集团手中，这使这些个人和集团不仅控制了国家的经济系统，而且对国家的政治系统也产生巨大的影响。这样，这些有权力的个人和集团就倾向于使收入分配对本方有利，而贫困则表现为一种无权力掌控状态，即在面临来自社会中有权势的个人或集团的施压时，无力应对或只能安守听命。权力分配论者把权力界定为决策。决策权被过度甚至错误地集中在有财产的人手中，就意味着平等的消失，因而也就意味着贫困现象发生的不可避免性。

5）人力资本缺乏论

人力资本缺乏论认为造成人们贫困的根本原因在于人力资本的缺乏。"通过向自身投资，人们能够扩大他们得以进行选择的范围。这是自由人可以用来增进自身福利的一条道路。"著名人力资本理论开创者舒尔茨认为，改革穷人福利的关键因素不是空间、能源和土地，而是提高人口质量，提高知识水平。他说，不论是在撒哈拉以南非洲的农民，还是住在土地肥沃的尼罗河冲积平原的农民，他们的一个共同特点是生活贫穷；土地生产率的差异不是造成贫穷的原因，也不是导致贫富差距的原因；高收入国家和低收入国家经济现代化的共同点是，耕地等自然资源及物质资本的重要性相对下降，而人力资本，即知识和技能的重要性上升。"人力资本有助于提高劳动生产率，也有助于提高企业家式的才能，这种才能在农业和非农业生产中，在家庭生产中，在学生们分配自己受教育的时间和其他资源时，以及在向较好的职业机遇和生活地点的迁移中，都很有价值"（西奥多·W. 舒尔茨，1992）。

进入20世纪80年代，罗默、卢卡斯、斯科特等针对新古典增长模型的缺陷，提出了将人力资本内生化的新增长理论，说明了技术进步和人力资本对经济增长的重要意义。其后，经济学家利用新增长模型，对技术进步、人力资本的总量及其分配与经济增长之间的关系做了大量开创性研究，大量研究结果表明人力资本与经济增长确实存在着明显的正相关性。此外，人力资本与贫困之间还有一个联系，就是父母的人力资本水平与家庭贫困的传递问题。Galor 和 Tsiddon（1997）的研究表明，父母的人力资本投资有两重外部性，即孩子人力资本水平是其父母人力资本水平的增函数，社会整体的人力资本水平是父母人力资本的增函数。父母人力资本的外部性说明，人力资本水平在父母与孩子之间会发生代际传递。总之，自 20 世纪 60 年代以来，无论是纯理论分析，还是经验研究，都表明人力资本对经济增长具有决定性作用，增加个人和国家的人力资本积累，是减少甚至克服个人和国家贫困的有效途径。

6）人文环境失衡论

人文环境失衡论认为贫困是人文环境失衡在自然环境方面的反映。人文环境失衡论者指出，对于贫困成因应该分层次展开分析：贫困首先归结为缺少食物、衣服等基本生活必需品；其次是生产力落后所致，是人类对于环境认知及作为的失败；再次是人类与环境相互关系的失败，自然生态环境失衡也成为贫困发生的结果；最后是人文环境失衡在自然环境方面的反映（或回馈）。贫困成因被归结为生活必需品缺乏、生产力落后、自然资本折旧和人文环境失败四个层次。

毫无疑问，这应该是迄今为止关于贫困成因的最具洞察力的表述。它准确地揭示了体制、环境及贫困之间的作用机理与传递规律。但是在分析层次上，本书认为首先应该是食物供给短缺和收入水平低下；其次是人与环境关系的恶化；最后是制度层面（包括制度的制定、执行及调适等）的失败。制度条件决定了贫困地区人们的各种选择，从而也就决定了贫困地区人与环境的关系。人与环境关系的恶化，一方面表现为人口相对于环境承载力的绝对过剩，另一方面表现为人类对于环境影响的错误行为。人口数量对于环境承载力过剩，迫使人类破坏生态环境，在这种行为缺乏约束的情况下，人类就会陷入一种人与环境关系的恶性循环之中：越是滥垦，土地的产出率越是下降；土地的产出率越是下降，越是滥垦。在国家层面上，一个地区现有的人口数量是可以控制的，之所以没有得到有效控制，只能是因为相关制度不健全和制度执行失败。在人类对于环境影响的错误行为方面，如我国农村家庭承包责任制实施之初，由于产权界定不清而导致的大量毁林开荒行为就是农村改革在林业资源方面失败的表现。人与环境关系的恶化不仅造成了生态环境自身的恶化，而且直接导致了粮食供给的短缺。而粮食不足一方面限制了产业结构的调整升级，另一方面也阻碍了劳动力在产业间的有序转移，从而导致了农业从业者收入水平低下。可见，贫困就是制度失败在人与环境关系上的反映。而导致制度失败（包括对于无效率的制度安排和对于制度不均衡的维持）的原因常见的包括统治阶级的偏好和有限理性、意识形态刚性、官僚政治、集团利益冲突和社会科学知识的局限等。

2. 反贫困战略的主要模式

反贫困战略模式就是针对具体的贫困发生机制与不同的贫困类型，采取的因贫施治的各种战略，因此，各个国家并没有统一的反贫困模式。然而，同一个国家往往又包容多种贫困类型。不仅地区之间存在贫困的差异性，同一国家或地区在经济发展的不同阶段，其贫困发生机制也各具特色。静态地观察，各国的贫困类型及相应的反贫困模式各不相同；动态地观察，各国之间贫困类型的演进有一定的历史重合性，一个国家今天的贫困情形可能是另一个国家贫困历史的重现。因此，研究、比较各个国家反贫困的政策内容、政策运行环境及政策实施效果，对提高本国反贫困政策制定的针对性，减少政策失误，并及时地根据贫困类型的变化调整反贫困政策，具有重大借鉴意义。

世界范围内，随着人们对贫困问题认识的深化及对反贫困实践的不断反思，反贫困战略模式也进行了相应的调整，并不断走向成熟。它大致经历了从20世纪五六十年代的狭隘的注重物质资本的单纯投入拓展到七八十年代向人力资本倾斜，再过渡到综合反贫困战略转移的轨道。

1）经济增长战略

20世纪五六十年代，是强调和重视 GNP 增长的年代，世界性的经济危机和第二次世界大战已经成为过去，反映到反贫困战略的研究上，有众多的经济学家从经济增长与反贫困之间的关系入手进行了大量研究。其中，最有影响的是西蒙·库兹涅茨、托马斯·E. 韦斯科夫和阿瑟·刘易斯的一系列理论。这些理论的共同之处是：经济增长虽是引起贫困的原因，但也是消除贫困的途径。

因此，持这一观点的经济学家，尽管他们对贫困原因的认识未必一致，但都认为不平等及贫困终将被经济增长所消除或缓解。因而，对于反贫困来说，他们开出的处方是以 GNP 增长为导向的。以工业化加速发展为核心的经济增长战略是20世纪中叶占据主导地位的反贫困战略。这一战略模式的实质是以全面的经济增长来消除贫困。

2）再分配战略

鉴于一些发展中国家在经历了长期的空前的经济增长后，对国内的大众贫困几乎没有什么冲击和改善，在20世纪70年代，学者们对 GNP 增长导向型反贫困战略进行了审视和再评估。使反贫困关注的焦点很快转至对大众贫困问题的优先考虑上来。最先提出来的反贫困战略是再分配战略。

再分配战略的思想是由国际劳工组织（ILO）率先提出的。再分配战略认为，经济增长战略往往使资源过多地集中于城市而忽视了农村，从而使得农村人口收入过低，人力资本素质低下，进而造成农村贫困。为了迅速减轻贫困，创造一个人人平等的社会，有必要用直接针对贫困的再分配战略来替代经济增长战略。其核心是生产资料所有权的公平分配，力求提高农村中人力资本的素质，以满足农民的"基本需求"，包括食品、基础服务（卫生、教育等）和就业机会等。

3）绿色革命战略

再分配战略的独到之处是确保生产资料所有权的公平分配，由于大多数发展中国家的产业结构是以农业为主的，所以，这意味着这种战略主导下的发展通常要以小农经济为基础。基于这一认识，在经济发展中给予农业以高度优先发展的地位，就显得顺理成章。这一理念被称为"绿色革命"战略。

"绿色革命"正是在人们日益关注乡村贫困问题时进行的一种战略尝试。这种反贫困战略模式设计试图通过引进、培育和推广高产作物品种，利用食物生产的生物技术提高农作物产量，发展生产力，解决粮食问题和乡村贫困问题。有印度学者通过对印度有关资料的研究，认为农业生产的加速增长和稳定的价格水平是 20 世纪 50 年代印度乡村贫困水平下降的主要原因。其他一些学者的研究也认为，农业加速增长在缓解贫困中起核心推动作用（J. W. 米勒等，1986）。

4）社会服务及双因素战略

进入 20 世纪 70 年代以后，学者们已逐步意识到，仅强调经济增长，不管它是针对整个国民经济，还是直接针对农业产业，都难以在反贫困方面取得决定性的成功。贫困问题显然受一些更为基础的因素的制约（洛兰·科纳，1990）。因此，缓解贫困的发展战略在由强调 GNP 增长转入向贫困直接进攻之后，特别是到了 70 年代，人们对直接向贫困者提供医疗卫生、营养、教育和其他社会服务变得尤为重视。世界银行认为，教育、医疗卫生和营养保健等方面的改善，尤其是对人力资本的投资，有助于铲除贫困的根源。因此，世界银行（1980）主张，社会服务是任何长期性减轻贫困战略的一个重要方面。

社会服务从理论上讲，固然是消除贫困的根本性举措，但是，这一战略一般来说收效比较缓慢，它特别要求有财政的长期有力支持。这对发展中国家而言是个值得深思的现实问题。在 20 世纪 80 年代初，世界各国均经历了全球性的经济衰退之后，这一问题更为突出了。

因此，缓解贫困的发展战略到了 20 世纪 80 年代，侧重点又一次发生转变。针对各国政府财政支出的困窘使得社会服务事业状况更为紧张这一背景，世界银行提出，缓解贫困必须坚持实行包含两个同等重要因素的战略。第一个因素是促使穷人将其拥有的最充裕资产——劳动力用于生产性活动，为此要求用政策来约束市场的刺激、社会和政治组织、基础设施及技术；第二个因素是向穷人提供基本的社会服务，其中最为重要的是初级医疗保健、计划生育、营养和初等教育。以上两个因素是相辅相成的，有了一个而缺乏另一个就不足以达成反贫困目标。

3. 非主流经济学的贫困理论

在 20 世纪 60 年代末，以彼得·鲍尔、卡尔·布鲁纳、狄帕克·拉尔、朱利安·西蒙为代表的新生代发展经济学家，对传统的主流发展经济学的观点提出批评和异议。"战后大多数发展经济学文献的特征是对现实的忽视"，对自由市场的偏见和对计划的偏好，以及对社会经济制度因素的忽视。因而，在他们看来，"发展经济学事实上倒退了"。和传统的发展经济学理论尤其是和传统的贫困理论相比，非主流经济学家的许多研究和结论可谓独树一帜。

叶普万（2004）将非主流经济学的贫困理论研究概括为八个方面：①"贫困的恶性循环"是一个"广为接受的谬论"。所有发达国家都是始于不发达，假如恶性循环理念是正确的话，那么人类仍将处于石器时代。②批评了主流发展经济学家所持的第三世界贫困是由于与西方国家进行的商业贸易的观点。这种观点的最大缺陷在于忽略了比较利益原理和自愿交换具有互利性的事实。最有力的佐证是，和西方国家贸易最少的欠发达国家"正过着最低标准的生活"。③经济学的数学化倾向导致了对难以量化的重要的非经济变量的忽略，因而在研究国家怎样致富及发展的进程时，对历史和时间维度有所忽视。④对通过富国向穷国进行财富再分配是欠发达国家摆脱贫困的途径的理论提出异议。财富取决于生产力，强制性的再分配会削弱生产者的积极性，也与真正的慈善精神不吻合。⑤"国家生产财富""没有国家具体的控制性干预几乎不能创造财富"完全是一个神话。一个最小规模的或保护性的政府与一个再分配政府的显著区别是：前者，政府的权力被严格限制，政府的作用是通过执行保障个人和财产的法律，为自由设置组织机构，因而竞争性市场能平稳地动作并创造财富；后者，由于对"社会公正"的追求缺乏统一的定义，政府的作用未被限制。⑥人口增长的加速和人口的压力并不是不发达国家贫困的唯一重要的原因，人口高速增长就需要外国援助的观点也难以站住脚跟。⑦批评传统发展经济学家忽视商人在自给经济向交换经济转变中的作用，认为内部贸易是欠发达国家的重要经济增长源泉，商人阶级的出现有助于"创建商业制度和惯例，提高人力资本水平，其结果是经济效率和经济增长都有所提高"。⑧重视外部贸易的动态效益，认为商人间的合约与交易是新观念行为模式和生产方式传播的主要载体，不是援助而是贸易，是发展的重要决定因素。

此外，非主流经济学家对反贫困战略提出了相当精辟的见解和论述。例如，贫困消减战略不存在简单的、通用的蓝图，每个国家（地区）都需要按照与文化传统相一致的方法确定各自的消减贫困战略，首先应该在国家层次上作出决策，以突出国家级的优先事项；但所采取的行动也必须发挥地方的领导意识与主人意见，以反映地方的现实情况。同时，非主流经济学家对现行的反贫困政策提出了批评意见。例如，一些贫困政策的制定者们，大多喜欢在消灭贫困层中"最富裕层"上下工夫做文章。因为这样做能够迅速降低贫困人口的统计数字。"如果以完全迎合政府的心态来给贫困下定义的话，会得出不那么严重或者贫困不存在的结论。"

1.2.2 中西部区域发展研究综述

1. 国外区域经济发展理论研究简述

区域经济发展差异是世界各国经济发展过程中的一个普遍性问题。对于区域经济发展问题的研究一直以来都是区域经济学关注的核心内容之一。西方的区域经济发展理论是在传统区位理论和发展经济学有关理论基础上发展而来的。最早关于区域发展的探索可以追溯到德国经济学家冯·杜能（Von Thunen）。冯·杜能（1826）在其名著《孤立国》中，从区域地租出发探索因地价不同而引起的农业分带现象，提出了农业区位理论，由此奠定了区域经济理论的学科基础。20世纪初，随着工业的发展和由于贸易增长所引发的工业区位转移，德国经济学家阿尔弗雷德·韦伯（Alfred Weber，1909）对工业区位进行了研究，提出了工业区位论。其后地理学家克里斯塔勒（Christaller，1933）、经济学家勒什（Loesch，1940）和贝克曼（Beckman，1968）等先后对区位理论进行了进一步的应用和发展。自冯·杜能提出农业区位理论以来，西方区域经济理论发展至今已有180多年的历史。但是，以区域增长为核心的区域经济发展理论直到20世纪50年代后才大量出现，而到20世纪60年代末70年代初，区域经济理论研究才真正作为一个独立的经济学科而存在。

概括地讲，西方关于区域经济发展的研究，主要可以归纳为区域经济发展阶段理论、新古典区域经济增长理论、结构主义区域发展观和新经济地理学理论几个学派。①区域经济发展的阶段理论，主要从时序的整个过程来分析区域发展的阶段及特征，其主要以胡佛（Hoover）和费雪（Fisher）的标准阶段次序理论及罗斯托（Rostow）的区域经济成长进化序列模型为代表。该理论实质上是对传统区位理论的一种扩展，它侧重于对区域结构演变阶段的描述，而对区域经济发展的动力、差异及协调发展机制等问题基本未有涉及。②新古典区域经济增长理论，对区域经济增长问题的分析，其运用的是标准新古典国家增长模型，主要代表有单一区域经济增长模型、出口基地模型和要素价格均等模型。新古典理论体系在一定程度上很好地解释了区域经济发展动力问题；但是，由于构建其体系的一系列假设条件与现实相差太远，并且缺乏发展中国家的经验验证，因此，其关于依靠市场机制实现区域均衡发展的设想只能是一种空想。③结构主义区域发展观认为，资源是稀缺的，应该集中有限的资源优先发展重点区域，通过这些地区的发展来促进和带动整个区域经济的发展。其主要代表理论有增长极理论、地区经济意义上增长极理论、产业经济意义上增长极理论和区域增长的倒 U 形统计模型。结构主义区域发展观主张区域不均衡发展，对欠发达地区经济发展的动力问题也有研究，对广大发展中国家经济发展具有重要指导意义。但是，由于其缺乏对地理渗透效应更具体深入的研究和如何利用地理渗透效应的论证，对欠发达地区经济发展的指导意义很有限。④新经济地理学是目前西方区域经济理论研究最活跃的领域。美国经济学家克鲁格曼（Krugman，1991）在《地理和贸易》中首先提出了"新经济地理学"这个新科学名词，而迪克斯特和斯蒂格利茨（Dixit and Stiglitz，1977）建立的垄断竞争模型则为空间因素纳入西方主流经济学的分析框架奠定了基础，新经济地理学由此产生。其他经济学家如 Masahisa Fujita（1990）、W. Brian Arthur（1994）、Anthony Venables（1996）和 Bruhart（1998）等，都进行过相关研究。新地理经济学理论对传统区域经济理论进行了重要拓展。但是，该理论没能充分意识到技术对经济发展的重要性，而且也存在认识论上的缺陷，仍需要加以不断发展和完善。由于新地理经济学理论预言，更大规模的空间集聚会导致区域差距拉大，因而这种结论与区域平衡发展的目标是相悖的（王必达，2004）。

2. 国内中西部地区经济发展问题的研究述评

我国中西部虽然自新中国成立后经济发展取得了一定成绩，但与东部地区相比，差距在不断拉大，因而常被称为贫困或落后地区。1999 年以前，国内关于中西部贫困地区发展问题的研究比较零星、分散。自 2000 年 3 月朱镕基代表中央政府宣布我国西部大开发战略正式进入实施阶段以来，关于中西部尤其是西部地区经济发展问题的研究如雨后春笋般铺展开来，呈现"百家争鸣、百花齐放"的态势。从掌握的资料来看，当前关于中西部地区发展问题的研究，系统且有较强代表性的论述主要是关于中西部地区可持续发展等问题的研究。例如，雷海章（2002）在《中西部地区农业可持续发展支撑体系研究》一书中指出，加速中西部农业的发展，必须从资源、环境、社会、经济等诸方面改善农业的发展环境，为中西部农业的可持续发展营造全方位的支撑体系，并从制度供给、社会保障、资金投入、科学技术、信息网络、市场体系和生态环境等不同角度，系统探讨并构建了中西部地区农业可持续发展的支撑体系，对中西部农业的现实发展具有重要指导意义。张俊飚和雷海章（2002）在《中西部贫困地区可持续发展问题研究》一书中，从详细论述中西部贫困地区可持续发展的四大要素，即人口、自然资源、生态环境和经济要素入手，着重探讨了中西部地区可持续发展的县域模式，最后研究指出制度创新是实现中西部贫困地区可持续发展的核心，并就制度创新的思路、方法和内容等进行了系统阐述。严奉宪（2001）在其博士论文《中西部地区农业可持续发展的经济学分析》中，从理解可持续发展的本质含义出发，运用经济学的有关原理和方法，分析中西部地区农业可持续发展的主要制约因素和现实问题，探讨了中西部地区农业可持续发展的战略思路及对策。周毅（1999）则从寻求东西均点（即追求东西部共同富裕）的角度来分析中西部地区可持续发展问题，认为中西部地区的发展必须借助东西互动，实现东西优势互补，方能最终实现脱贫和奔小康的目标。此外，对中西部地区经济发展和反贫困问题的研究，学者们更加注重运用经济计量模型进行定量分析，以深刻揭示区域经济发展和反贫困之间的逻辑机理。例如，顾六宝等（2009）在其著作《西部大开发中"贫困陷阱"问题的经济计量模型及实证研究》中，通过在对经济增长理论与模型方法总结梳理的基础上，对相关计量模型加以适当改进，用以从不同角度研究我国东、西部经济增长差异性及其成因，以及对我国西部大开发中"贫困陷阱"机制的现实性进行经验分析，主要包括"贫困陷阱"计量模型的动态分析与经验分析方法；中国东、西部资本存量差距及"贫困陷阱"机制的现实性分析；我国东、中、西部资本流动与资本效率的关系分析；我国东、西部经济增长中的均衡积累路径模拟与比较分析等。最后根据从不同研究视角得出的结论，给出了更有效实施"西部大开发"战略与建设社会主义和谐社会的新区域经济发展战略的政策空间与对策建议。

1.2.3 农户经济行为研究综述

在农户经济行为研究方面，国内外学者做了大量卓有成效的工作。本书主要从农户经济和农户行为两个方面予以归纳和评述。

1. 农户经济理论研究进展

在我国，农户作为农村经济基本细胞，已存在几千年，但在国内作为经济学研究的对象，仅在改革开放以后。人民公社制度的废除和家庭联产承包责任制的推行，使农户逐渐成为独立的经济主体。在统分结合的双层经营体制下，"分"的部分即家庭经营，发展迅猛，成为农村经济的重要组成部分，农户的经济行为逐渐引起众多研究人员的注意。卢迈和戴小京（1987）对农村改革以来的农户经济行为进行了较为全面的分析。农户的生产、消费、储粮、借贷、雇工、打工等行为也走进研究人员的视野（韩俊，1988；孙中华，1992；柯炳生，1997）。而在农户消费方面，研究人员分析了农村消费模式的变动和发展趋势；在生产方面，则侧重考察了农户的生产意愿、投资方向和数量结构（陈汉圣和武志刚，1996）。近年来，研究人员对农户经济行为的研究更加深入，主要探讨了市场经济条件下家庭经营的一般特征，指出农户既具有企业共性的一面，亦有其特殊性的一面（卢荣善，1996）。政府研究机构亦对农户经济行为给予较大的关注，研究指出农产品市场化程度越高，价格对生产的影响越明显；农产品商品率呈明显地域差异（如山区商品率为43.04％，平原地区为67.79％）；农户所需的农业生产资料基本由市场提供，1992年每个样本户在农业生产资料上支出 756.24 元，其中从市场购买的为 677.80 元，占89.64％；在劳动力方面，30.08％的样本户雇工，且工资率有提高的趋势（中央政策研究室，1994）。

上述研究加深了对农户经济行为及农村市场的认识，为更进一步研究农户行为奠定了基础，但明显的局限性是没有把两者结合起来考虑，并且缺乏定量的分析。更大的一个缺陷是，忽视了农户作为生产者、消费者合为一体的事实，没有揭示出农户经济行为中相互影响的一面。黄季焜和罗斯高（1996）的研究表明，农村市场发育与农村食品消费有极强的相关性，农村市场发育的不完善，可能造成食品收入弹性大小和其他方面判断的混乱。他们的研究结果揭示了不同市场发育水平下，农户消费行为的不同特点。

随着数量分析在经济学中的应用与发展，自 20 世纪 90 年代后期开始，国内对农户经济的定量分析开始重视起来，尤其是农户模型近年来开始在中国得到应用。张林秀和徐晓明（1996）对农户模型的基本经济含义和应用价值作了较为详细的介绍。张广胜（1999）也给出了利用农户模型分析农户行为的框架。张林秀和徐晓明（1996）在农户经济学理论的基础上，第一次运用规划模型方法，分析了中国张家港和兴化两地农民在不同政策环境下的生产行为以及农户行为对国家政策执行效果的影响。Albert Park 和任常青（1995）建立了一个在面临价格风险和生产风险的条件下，既生产又消费粮食的农户生产决策模型；并且利用陕西省县级数据（1984～1991年），运用多重不相关回归法估计了风险条件下的玉米和小麦的生产决策模型，第一次将消费因素引入生产决策模型。但他们在模型中并没有考虑劳动力的作用，也没有对不同类型的农户进行划分。都阳（1999）从家庭时间配置模型入手，利用1997年对中西部六省的农户抽样调查资料，对贫困地区农户的劳动供给模式进行了实证性研究。他探讨了家庭时间配置原则及其与农户劳动供给的关系，使用C-D生产函数对农户农业生产供给，用Probit和Tobit模型对非农劳动供给的决定以及劳动力流动等问题进行了研究，论述了劳动力市场的发育和人力资本积累对贫困地区农户劳动配置模式的影响。曹轶英（2001）利用农户模型对农户的微观经济行为进行分析，并通过对农户粮食净销售的测定，确定影响农户行为的主要因素；同时通过农户微观行为方程，推断了贸易自由化对粮食安全产生影响的作用机制。以上这些都是把农户作为生产、消费和劳动力供给的综合体来分析中国农户各种行为反应的开拓性研究，是农户模型在中国的初步应用。

在国外，1975年斯坦福大学和世界银行的一些经济学家发展出一个农户的微观经济模型，它包括生产行为、消费行为和劳动力供给决策。Lau等（1978）利用台湾农户的时序数据率先作出开创性的研究。之后Kurida和Yotopoulos（1980）又利用日本农户的截面数据对农户经济行为作出分析。在农户需求方面，经济学家用线性支出系统（LES）或线性对数支出系统（LLES）来估计各种弹性变化和政策变量对需求的影响。在生产方面，Kurida和Yotopoulos（1978）使用的方法是通过估计C-D生产函数推导出利润函数。Barnum和Squire（1979）则直接估计了C-D生产函数，原因是他们缺乏用于估计对偶函数的价格数据。也有经济学家利用线性规划估计农户生产（Singh，1980）。20世纪90年代以来，经济学家在农户经济的研究上日益深入，内容包括农户风险、多市场分析和家庭内部分工等各个领域（Udry，1994）。

2. 农户行为研究历史回顾

舒尔兹（Schultz）1964年出版的《改造传统农业》引发了理论界对农户行为的重新认识。进入20世纪80年代以来，随着其诺贝尔经济学奖的获得，对农户行为的研究更是成为发展经济学的一个前沿问题。我国对于农户行为的研究开始于80年代中后期，何子阳（1989）、卢迈和戴小京（1987）、范从来和李福生（1988）等对此都做过专门的研究，但对农户行为的研究多为描述性的，且使用的方法大都是行为科学模式（即行为—目标—结果），对农户行为的研究还缺乏现代经济学的基础。

总的来看，对于农户行为的研究集中在两个问题上，一是农户的行为是否理性；二是农户行为为什么是理性的。西方理论界已普遍认可了农户行为是理性的，并且从数学的角度精确地进行了说明。特别值得一提的是贝克尔

（Becker，1975）的贡献，由他的家庭生产模型发展而来的农户模型已成为一个经典模型。我国对于农户行为是否理性的认识还缺乏一致性。例如，林毅夫（1988）认为，农户行为是理性的，而严瑞珍等（1997）却认为，农户行为既是理性的又是非理性的。但普遍的观点认同农户行为是理性的。对于农户行为为什么是理性的，尚缺乏严格的数学说明。傅晨和狄瑞珍（2000）的研究将此推进了一步，他们通过构建一个特殊的农户群体——贫困农户的行为模型，分析了贫困农户在扶贫过程中的行为选择为什么是理性的，并得出结论：在扶贫过程中，贫困农户的"败德行为"是一种理性行为，中国的扶贫宜采取间接式的。

此外，对农户具体行为的研究国内学者也有深入探讨。汪三贵和刘晓晨（1996）从贫困山区农户的技术选择行为入手，认为技术在缓解贫困中具有重要的作用，并指出，在我国贫困地区多是山区，农民的技术需求行为具有多样性、局部性等。黄季焜等（2000）认为，农民对技术需求的多样性与政府、科研人员及技术推广人员的科研与推广行为不相协调，且农民的技术需求与收入状况、文化程度、性别等有关，但是该研究将影响农户行为的重要制度环境抽象掉了，没有考虑制度对农户技术选择行为的影响。赵俊臣（2003）对时下的几种对农民致贫的认识进行了辨析，如穷人"懒惰""愚昧""排斥新技术""不愿接受教育""破坏生态环境"等，认为这些都是蛊惑人心的口号，从而掩盖了致贫的真正原因，搅乱了人们对穷人应有的同情、援助等思想，干预了扶贫攻坚的决策和行动。马顺福（2002）认为，对尚未解决温饱问题的贫困农户来说，其经济行为的目标依然是追求维持生存的口粮，贫困农户的发展能力差，主要是其人力资本低和组织联合程度低。池泽新（2003）认为农户行为的基本特点表现为其与价格机制调节方向既存在一致性，又存在不一致性，并提出稳定农户行为的基本思路是，在坚持农户作为市场农业微观运行基本主体的前提下，创新市场农业的组织形式和交易方式。

上述对农户一般行为和具体行为的研究，为本书进一步分析和探索农户行为逻辑奠定了基础。但是多数研究在对贫困地区农户行为进行探讨时，往往忽略了影响贫困地区农户行为的一些重要制度环境变量，如政府政策及行为、贫困区域特殊的生存环境、不健全的市场体系等，更缺乏对农户自身的认识。

1.3 研究思路与方法

1.3.1 研究思路

既往的区域经济发展和反贫困研究，更多地倾向于区域面上的探索，从个体经济角度的研究仅仅涉及企业层面。家庭经济作为个体经济不可或缺的组成单元，其行为特征和逻辑机理对区域发展和反贫困有何正负影响现有文献鲜有触及，既有的研究也难成体系，缺乏系统性。尤其是在对欠发达区域经济的研究中，国内外的对策设计无不是以区域经济增长来促进区域贫困状况的缓解和消除。从农户层面探讨家庭经济行为对区域反贫困战略影响的研究较为少见。正是基于上述认识，本书从区域微观单元即农户角度，通过解析农户经济行为（包括分解行为和整体行为），来辨识农户行为与区域发展之间的关联机理，以此破解家庭脱困与区域发展协同共进这一难题，最终实现家庭脱困与区域发展的"双赢"目标。

本书研究的具体技术路线框图如图1-1所示。

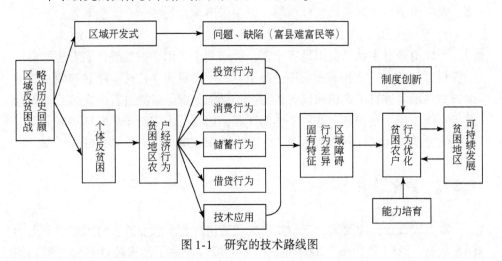

图1-1　研究的技术路线图

1.3.2　研究方法

按照上述研究思路，本书严格遵循现代经济学研究范式，坚持历史与逻辑相统一、规范与实证相结合、定性与定量相匹配的基本原则，综合运用新古典经济学、区域经济学、发展经济学、农业经济学、农户经济学和计量经济学等分析工具，在文献研究的基础上，综合采用了多种研究方法。其中，最主要的方法包括如下几类。

1）比较研究方法

比较研究法是人们认识事物的一种基本方法，是对两个或两个以上的事物或对象加以对比，以找出它们之间的相似性与差异性的一种分析方法。本书在研究过程中，既对中西部地区农户经济行为进行了时间序列的纵向比较，以揭示其历史变动趋势，又对中西部地区农户与东部地区农户进行了横向比较，以揭示其经济行为及其逻辑机理之间的相似性与差异性，以便为提出切实可行的对策，尤其是欠发达区域可持续发展战略提供参照对比和路径选择。

2）计量分析方法

计量分析方法是在占有相关资料的基础上，对大量的数据资料进行了加工和提炼，从中寻找和揭示事物之间所存在的内在联系，并运用统计图和统计表等形式对事物的数量特征予以深层次的描述性统计。同时，数学方法及建立在数学方法基础之上的数理模型作为一种最基本的计量分析工具，在揭示事物发展的内在规律上往往具有极强的解释力。对此，本书在研究过程中，借鉴并修正了相关的数理模型，如农户投资行为影响因素模型、农户消费行为检验模型、农户借贷行为影响因素模型等，以探求事物发展的运行轨迹和基本规律。

3）调查研究方法

为取得来自中西部贫困地区干部、群众关于贫困和发展等问题看法的第一手资料，本书在研究初期和成稿过程中，先后对贵州、广西、湖北和湖南等地的典型贫困县进行了走访和调查，与有关机构干部、领导进行了交流，对农户进行了访谈与问卷调查。这些工作的开展，加深了本书对于中西部地区贫困与发展问题的感性认识和直观感受，为本书的深入理性思考作了良好的铺垫。

1.3.3　数据说明

本书宏观数据主要来自于中共中央政策研究室和农业部农村固定观察点的调查数据，时间为 1986～2009 年。同时，综合使用了国家统计局公开出版的《中国统计年鉴》《中国农村统计年鉴》《中国（农村）住户调查年鉴》《中国西部农村统计资料》及中国农村贫困监测报告各年的数据。微观数据使用的是国家统计局农村社会经济调查总队提供的湖北省和贵州省 2003 年的农村住户调查数据，以及丁士军教授主持的《南方水稻干旱风险及农户处理策略》项目 2002 年年初在湖北省襄阳县合力村和伙牌村、广西壮族自治区南丹县月里村和八圩村 122 个农户的调查数据。

1.4　研究假设与内容

1.4.1　研究假设

本书的研究建立在如下几个假定基础之上。

1) 贫困农户的行为是理性的

贫困农户的行为是理性的，即农户是追求自身效用最大化的。但是受制于自身的主观认识能力、自身所处的环境和信息的不完全，贫困农户行为的这种理性是有限的，也就是说，从农户的角度出发的理性行为，在其他人的眼里很可能是非理性的，或者说，在短期来看是理性的行为，长期来看可能是非理性的。

2) 贫困农户是风险的规避者

贫困农户面临的风险是多样性的，既有农业生产的自然风险，也有农产品销售市场风险，亦有交易他方短期行为带来的社会风险。由于受制于收入的硬约束，贫困农户承受风险的能力非常弱，平均地看，贫困农户是风险的规避者，他们追求的是收入稳定。

3) 政府反贫困具有完全功利性

政府反贫困直接以贫困的缓解、消除为目的。在没有严格的制度约束下，作为代理方的贫困县政府在执行反贫困政策时，有偏离委托方即上级政府设定目标的可能性。特别是在贫困县政府追求的主要目标和上级政府确定的扶贫目标发生抵触或冲突时，贫困县政府与上级政府具有博弈的可能性。

4) 农户行为合理化有助于区域可持续发展

区域可持续发展，不仅指区域面上经济、社会、生态的不断改善，而且包含区域点上家庭经济的不断壮大。而家庭经济的增强和壮大，有赖于农户经济行为的合理化发展。

1.4.2 研究内容

在遵从上述假设的前提下，本书共包括九章，各章的内容简介如下。

第 1 章、第 2 章两章为本书的引子。第 1 章导论概述了研究的背景、目的与意义，评述了相关研究的国内外研究动态，重点对贫困与反贫困理论、区域经济发展理论和农户经济及其行为进行了系统梳理与归纳，在此基础上，提出了研究的思路、方法和假设，对研究中使用的数据来源进行了说明，最后阐述了本研究的主要创新点和不足之处。第 2 章首先分四个阶段回顾了改革开放以来中国的反贫困战略，然后对中国的反贫困战略进行审视，指出既往中国反贫困战略的对策设计，主要是靠贫困区域经济发展来缓解和消除贫困，这在贫困呈大面积集中分布的阶段无疑是有效的。但在贫困人口分布发生改变且扶贫任务更加艰巨的新形势下，配合 21 世纪前 20 年全面建设小康社会的宏伟目标，反贫困行动需要采取新的思路来全面取得突破。基于上述认识，本书提出从农户层面来探寻家庭脱困与区域发展的"双赢"，通过研究农户经济行为来尝试破解家庭脱困与区域发展这一难题。

第 3 章主要提出了农户经济行为分析的一般理论框架。第一，该章界定了与农户经济密切相关的家庭、住户和农户三个最基本的概念，通过对农户性质的全面分析发现，当前我国农户从总体上看既不属于传统农户，也不同于现代农户，而是介于两者之间的过渡农户，对这一性质的认定将有助于本书对农户各种经济行为的合理把握，并从三个方面论述了农户经济行为研究对区域反贫困的重要意义。第二，对于经济理性的理解是研究农户经济行为的前提，结合前文对农户性质的分类和认定，本书对我国传统农户、过渡农户和现代农户的经济理性行为进行了一般认识，并着重分析了约束条件下中国农户理性行为的表现及特点。第三，基于过渡农户性质的认定和有限理性行为特点的认知，本章从理论上分析探讨了我国农户经济行为的一般特征、影响因素和运行机制。第四，为深入把握贫困农户和其他农户的行为差异，为后续章节的研究作好铺垫，本章从六个方面剖析考察了贫困农户与一般农户的行为特征。第五，运用博弈论基本原理，对区域发展和反贫困进程中三个基本主体：农户、贫困县及其上级政府之间的相互关系进行了博弈分析。

第 4 章～第 7 章构成本书的主体。运用多种数理经济方法，以农村固定观察点 1986～2009 年的时序数据等为基础，对中西部贫困地区农户的投资、消费、储蓄与借贷，以及技术应用等主要经济行为进行了实证分析，辩证探索了上述家庭经济行为对区域经济发展的利弊影响，得出了相应的结论。第 4 章首先对农户投资的概念进行了界定，然后从投资水平、投资结构、投资倾向、种植业生产资料投资方向与购买渠道及家庭投工量五个方面，实证剖析了中西部地区农户投资行为的特征与规律。重点对西部地区农户投资行为的影响因素作了相关分析，回归分析的结果显示，西部地区农户投资行为受农户收入、农地收益、农户借贷及农村基础设施状况等的正向影响，受非农就业的劳动力比重、土地产权强度等的负向影响。再次，对农户投资行为与区域经济发展的相互关系进行了辩证分析。最后，在上述分析的基础上，指出，农户物质资本投资固然是发展生产必不可少的手段，但从长远考虑，加强人力资本投资的力度对家庭经济发展的影响将更为重要和深远。第 5 章首先对西方几种主要消费函数理论进行了比较与评价，阐述了对中国农户消费行为的一般认识。然后围绕消费水平、消费结构、消费倾向和消费性质，对中西部贫困地区农户消费行为进行了统计分析，着重探讨了中西部地区农户消费行为的变动趋势及与东部地区农户的行为差异，得出了 20 多年来中西部地区农户消费层次不断提高、消费需求严重不足的结论。通过分析，指出制约中西部地区农户消费需求增加的因素：一是收入水平低、增长慢，二是边际消费倾向偏低，并据此给出了相应的政策建议。最后通过构建消费函数模型并进行实证检验，结果显示，中西部地区农户消费行为符合相对收入假说，消费具有较强的"棘轮效应"和"示范效应"。第6章首先对农户储蓄的概念作了界定，运用心理学观点对家庭储蓄行为进行了理论评析，探讨了农户储蓄行为产生的原动力，以此为切入点，探讨了农户储蓄行为的影响因素和评价准则。然后以东部地区农户为参照，比较分析了中西部地区农户储蓄与借贷水平及结构的变动趋势。通过构建计量模型，运用 Tobit 方法实证分析了影响中西部地区农户借贷需求的因素，结果显示，农户经营规模、农户的投资支付倾向对农户借贷具有正向影响，农户的收入和资产状况对农户借贷具有负向影响，而住房价值、生产性固定资产原值对农户的借贷需求影响不显著。基于上述分析结论，指出，目前中西部地区农户储蓄与借贷行为的最大问题，是存贷缺口严重，并提出了相应的政策建议。第7章在对农户技术应用行为研究进展进行综述的基础上，引入农业踏板原理，探讨了农业新技术应用中的风险与不确定性问题。基于作物良种是贫困地区农户当前最迫切的农业技术需求的事实，本章以水稻品种的采用和认知为例，对中西部地区农户技术应用行为进行了实证考察，得出了相应的研究结论。结合技术进步对区域经济发展的贡献，本章给出了促进农户积极采用农业新技术的基本原则和政策措施。

第8、9章两章为本书的最终落脚点。基于上述章节的分析，第8章首先阐述了贫困地区可持续发展的内涵、目标与实施基础，指出农业是贫困地区可持续发展的优先领域。其次，结合前面章节的分析结论，重点从农户层面探讨了影响中西部地区农业可持续发展的障碍，并分析了其原因。再次，从理论上探讨了贫困地区可持续发展视角下，农户经济行为的微观决策表征。在上述分析的基础上，本章最后从积累与消费比例关系的角度，对中西部地区农户经济行为演进过程进行了剖析和评述。按照提出的三条评价准则，笔者认为，无论是农户的具体行为还是农户的整体行为，从微观角度看是理性的经济行为，并没有导致宏观层面的高效益。在区域可持续发展战略和全面建设小康社会的宏观背景下，需要对农户经济行为进行优化和整合，最终确保家庭脱困和区域发展"双赢"目标的实现。第9章是全书的对策部分。通过前面章节的分析，中西部地区农户无论是具体行为还是整体行为，都存在着诸多与区域可持续发展背道而驰的因素，迫切需要对其进行优化和整合。本书从基于可持续发展目标的贫困地区发展思辨入手，提出了引导农户自觉参与区域可持续发展的四条基本原则，从宏观与微观角度概括了优化和整合农户经济行为的政策措施。宏观角度，本书认为，需要以制度创新为基础提高农户经济行为的总体效率，制约农户经济行为效率提高的制度主要包括户籍管理制度等八个方面。微观视角，本书认为，需要以能力培育为核心促进农户经济行为的优化和规范，并从教育、健康和农户组织程度等方面提出了相应的政策措施保障。

1.5　研究的主要创新和不足之处

1.5.1　研究的主要创新点

本书的主要创新点归纳如下。

（1）从解析农户行为及其逻辑机理视角，来尝试破解农户家庭脱困与区域协调发展的"两难选择"问题。在 21 世纪贫困人口和贫困区域发生较大变化的情况下，本书认为区域反贫困战略必须从区域微观单元即家庭层面寻求突破。通过解析农户经济行为（包括分解行为和整体行为）及其逻辑机理，来尝试破解家庭脱困与区域发展协同共进这一难题，最终实现农户家庭脱困与区域经济发展的"双赢"目标。

（2）在借鉴并整合前人研究成果的基础上，提出了一个农户经济行为分析的一般理论框架；界定了与农户经济密切相关的三个核心概念，结合当前中国农户属于过渡农户这一性质认定，对中国农户的经济理性进行了经验验证，从理论上探讨了我国过渡农户经济行为的一般特征、影响因素和运行机制；实证考察了贫困农户与一般农户的行为差异，对农户、贫困县及其上级政府在区域反贫困进程中各自的利益诉求进行了博弈分析。

（3）规范分析与实证研究相结合，运用相关经济模型和数量分析方法从理论上阐释农户经济行为及其逻辑机理。对贫困地区农户投资、消费、储蓄与借贷及技术应用行为与区域经济发展的相互影响进行了辩证思考，通过构建农户投资行为影响因素模型，揭示了影响中西部地区农户投资水平的核心因素；通过构建农户消费函数，实证检验、证明了中西部地区农户消费行为符合相对收入假设并具有较强的消费示范与棘轮效应。而建立的农户借贷模型则对中西部地区农户借贷行为的影响因素进行了较好的解释。

（4）系统提出了贫困地区农户经济行为优化与整合的原则及路径选择。本书重新界定并论证了贫困地区可持续发展的内涵、目标及实施基础，从农户层面深刻阐述了制约中西部地区农业可持续发展的障碍，从理论上探讨了贫困地区可持续发展视角下，农户经济行为的微观决策表征。按照提出的评价准则，从积累与消费比例关系的角度，对中西部地区农户整体行为的演进过程进行了剖析和评述。

1.5.2 研究的不足之处

同时，本书存在以下几点不足之处。

（1）农户经济及其行为研究博大精深，随着经济学微观研究视角的不断细化和深入，其已成为时下经济学研究的主要方向之一。受制于主要研究对象——贫困地区农户行为本身的复杂性和多变性特征，以及资料可获性等，本书仅就其主要经济行为对区域反贫困及深层发展的影响进行了探讨，对其他经济行为，诸如家庭劳动力时间配置行为、择业行为、信息采纳行为、生产决策行为、婚姻与生育行为等本书未有涉及。

（2）受研究条件及数据可获性等因素制约，本书未能开展大规模入户调查来收集并加工来自于农户的一手数据资料，使得本书关于农户经济特征及其行为特点对区域经济可持续发展的定量分析不够。尤其是没能设计制定一套反映并衡量旨在推进区域经济可持续发展的农户行为分析与评价体系，使得本书对农户行为及其逻辑机理对区域发展影响的深层原理的揭示和论证不足。

第 2 章
中国反贫困战略历史回顾与审视

2.1 改革以来中国反贫困战略分阶段回顾

1978 年，中国农村分布着 2.5 亿极端贫困人口，占当时农村总人口的 30.7%。在党和政府的坚强领导下，立志"向贫困宣战"的中国人民经过 30 多年的不懈努力，在减缓和消除贫困方面取得了辉煌的成果。到 2010 年年底，按 1274 元贫困标准统计的全国农村贫困人口减至 2688 万人，农村贫困发生率下降到 2.8%（表 2-1）。相应的，我国极度贫困人口占全球极度贫困人口的比例从 1981 年的 43% 下降到 2010 年的 13%，与同期全球很多地区的贫困人口大量上升形成鲜明的对比，如撒哈拉以南非洲贫困人口占全球极贫人口的比重由 1981 年的 11% 上升到 2010 年的 1/3 以上；印度极贫人口占全球极贫人口的比重由 1981 年的 22% 上升到 2010 年的 33%。① 图 2-1 直观地表现了我国贫困人口数量的变动情况。

表 2-1 中国贫困人口规模及贫困发生率状况（1978~2010 年）

年份	贫困标准/(元/人)	贫困规模/万人	贫困发生率/%	年份	贫困标准/(元/人)	贫困规模/万人	贫困发生率/%
1978	100	25 000	30.7	1985	206	12 500	14.8
1980	130	22 000	26.8	1986	213	13 100	15.5
1981	142	15 200	18.5	1987	227	12 200	14.3
1982	164	14 500	17.5	1988	236	9 600	11.1
1983	179	13 500	16.2	1989	259	10 200	11.6
1984	200	12 800	15.1	1990	300	8 500	9.4

① 数据来源见 http://news.xinhuanet.com/fortune/2013-05/21/c_ 124740255. htm。

年份	贫困标准/(元/人)	贫困规模/万人	贫困发生率/%	年份	贫困标准/(元/人)	贫困规模/万人	贫困发生率/%
1991	304	9 400	10.4	2002	869	8 645	9.2
1992	317	8 000	8.8	2003	882	8 517	9.1
1993	350	7 500	8.2	2004	924	7 587	8.1
1994	440	7 000	7.7	2005	944	6 432	6.8
1995	530	6 540	7.1	2006	958	5 698	6.0
1997	640	4 962	5.4	2007	1 067	4 320	4.6
1998	635	4 210	4.6	2008	1 196	4 007	4.2
1999	625	3 412	3.7	2009	1 196	3 597	3.8
2000	625	3 209	3.5	2010	1 274	2 688	2.8
2001	872	9 029	9.8				

注：1978~2000 年的贫困标准为绝对贫困线，2001~2010 年的贫困标准为低收入线

资料来源：《中国农村住户调查年鉴 2004》《中国农村贫困监测报告 2011》

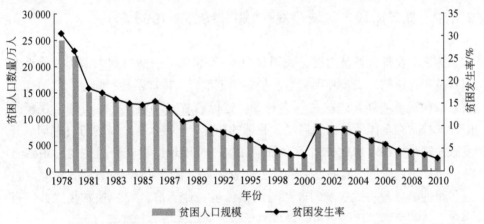

图 2-1　中国贫困人口规模、贫困发生率变动趋势（1978~2010 年）

　　仔细分析可以看出，中国扶贫成就的取得，与中国政府在不同阶段制定相应差异化反贫困战略不无关系。以政府反贫困战略形成演变和反贫困实际情况为视角，回顾改革开放以来 30 多年间波澜壮阔的中国扶贫事业，中国反贫困战略大致经历了以下五个阶段。

2.1.1　第一阶段：改革带动战略（1978～1985年）

1978年我国农村贫困发生率超过30%，导致这一时期大面积贫困的主要原因是农业经营体制落后。改革开放政策自农村发端，党和政府逐步实施了放开农产品价格、大力发展乡镇企业等多项农村经营体制改革措施，极大地激发了农民的劳动热情，解放农村生产力，提高土地产出率，为解决农村贫困开出了一剂"良方"。这一时期中国农村改革逐步推进并取得令人意外的成就。以家庭承包责任制为主要内容的初期农村改革措施，推动了农村经济超常增长，并整体带动农村贫困发生率快速下降。

从1978年到1985年，我国农村人均粮食产量增长14%，农民人均纯收入增长2.6倍，没有解决温饱问题的贫困人口从2.5亿人减少到1.25亿人。这一阶段农村反贫困成就的取得，主要归因于改革开放推动经济增长从而实现了贫困的大幅度缓解。

2.1.2　第二阶段：区域开发[①]战略（1986～1993年）

为进一步加大扶贫力度，我国自1986年起采取一系列重大措施：成立专门扶贫工作机构、安排专项资金、确定国家重点扶持贫困县、制定专门的优惠政策、确定了"开发式扶贫"方针等，这标志着有计划、有组织和大规模的开发式扶贫在全国范围内的启动，我国的扶贫工作进入一个新的历史时期。开发式扶贫是指在政府的支持下，鼓励和支持贫困地区群众自力更生、艰苦奋斗，提高自我积累、自我发展的能力，改变贫穷落后面貌。开发式扶贫是对过去传统的分散救济式扶贫的改革与调整，是一种"造血式"扶贫模式，经过多年实践和探索，已经成为我国农村反贫困战略的核心和基础。

这一阶段开始实施专项扶贫部门政策，强调贫困分布的区域性，并以区域为对象实施反贫困行动。1986年国家确定了331个国家重点扶持贫困县，各省份另外确定了368个省重点贫困县。关注重点是"老革命根据地"和"少

基于农户行为逻辑与实证研究的区域反贫困理论

26

---

　　① 开发式扶贫被概括为包含八个方面的内容：一是改善生产条件，如建设基本农田特别是修梯田、种植经济林、发展家庭养殖业和农副产品加工；二是改善生活条件，如修建饮水工程；三是开展技术培训，如帮助贫困农民掌握1～2门实用生产技术；四是改善生态环境，如植树造林、保持水土；五是修建基础设施，如铺设公路、兴修水利设施、架设供电系统和电话通信系统、建设集贸市场；六是提供生产社会化服务，如技术推广、技术服务、信息咨询、生产资料购买、产品销售与储藏服务；七是发展教育和卫生事业；八是建立社会安全网，为那些由于自然灾害、疾病、伤亡、宏观经济冲击而陷入困境的家庭和个人提供基本的社会保障（康晓光，1995）。

数民族地区"等具有特殊政治意义的地区，还制定了"对口帮扶"政策，旨在发动全社会力量缓解农村绝对贫困（康晓光，1995）。1989年以后，政府放松了对农民地区间迁徙的行政性限制，支持农村发展劳动密集型产业（国家统计局农村社会经济调查总队，2000），这对扶贫工作也产生了积极效果。经过7年的开发式扶贫，到1993年年底，农村贫困人口减少到7500万人，占农村总人口的比重下降到8.2%。

2.1.3 第三阶段：扶贫攻坚战略（1994~2000年）

以1994年"国家'八七'扶贫攻坚计划"的公布实施为标志，我国的扶贫开发进入攻坚阶段。计划明确提出，集中人力、物力、财力，动员社会各界力量，力争用7年左右时间基本解决8000万农村贫困人口的温饱问题。这是新中国历史上第一个有明确目标、明确对象、明确措施和明确期限的扶贫开发行动纲领。为此，中央政府逐年提高了扶贫投入资金规模。1996年9月中央召开全国脱贫工作会议，强调了减少贫困的重要性，确立了贫困比较集中的西部地区省份领导人对扶贫工作的责任制。会议还强调扶贫对象要直接瞄准到贫困的村庄和农户，同时要求对扶贫工作和资金利用加以更好的监督管理，包括制度建设、年度检查审计、村级发展计划、资金直接划拨到村等措施。1999年6月中央再次召开扶贫工作会议，重申扶贫政策目标，强调扶贫资金用于解决贫困人口温饱问题方面，优先利用资金领域包括养殖业、小额信贷、粮食和经济作物品种改良等。

经过多方努力，到2000年年底，国家"八七"扶贫攻坚目标基本实现，农村尚未解决温饱问题的贫困人口减少到2000年的3209万人，农村贫困发生率降至3.4%。"八七"计划执行期间，国家重点扶持贫困县农业生产总值年均增长7.5%，同期全国平均水平为7%；农民人均纯收入年均增长12.8%，比全国平均水平高2个百分点；工业总产值年均增长12%，地方财政收入年均增长12.9%（季明等，2004）。

2.1.4 第四阶段：能力培育战略（2001~2010年）

进入21世纪，我国的扶贫开发工作发展到新的阶段。从贫困人口数量上看，到2000年年底全国农村没有解决温饱问题的还有3000余万人，低收入人口6000多万，这9000多万农村人口构成新阶段我国农村扶贫的基本对象。与此同时，由于剩下的这部分贫困人口分布更加分散，居住地区的自然条件恶劣、社会发展程度低，他们的生活水平依然低下，发展能力依然很弱，稍有不顺，便又会滑入到贫困陷阱之中。事实上，在我国中西部贫困地区，因各种原因每年都会出现一定数量的返贫人口，其比例通常在 30% 左右。针对这种状况，运用多种措施，改善贫困地区发展的环境条件，培育贫困人口的发展能力，强其内功，是确保脱贫人口稳定脱贫的重要任务，也是根本解决绝对贫困人口温饱问题的核心工作（张俊飚和雷海章，2002）。

2001 年 5 月，中国政府出台了《中国农村扶贫开发纲要（2001～2010 年)》，这是继"国家'八七'扶贫攻坚计划"之后又一个指导全国扶贫开发的纲领性文件。纲要的序言中写到："缓解和消除贫困，最终实现全国人民的共同富裕，是社会主义的本质要求，是中国共产党和人民政府义不容辞的历史责任。"而尽快解决极少数贫困人口温饱问题，进一步改善贫困地区的基本生产生活条件，巩固温饱成果，逐步改变贫困地区社会、经济、文化的落后状态，为达到小康水平创造条件，则是 21 世纪前 10 年我国扶贫事业总的奋斗目标。

经过 21 世纪第一个 10 年以能力培育为核心的扶贫开发，中国农村扶贫开发取得了明显成效。2011 年 11 月 16 日，国务院新闻办公室发布的《中国农村扶贫开发的新进展》一书郑重宣布：《中国农村扶贫开发纲要（2001～2010 年)》目标任务如期完成，中国农村居民的生存和温饱问题得到基本解决，中国提前实现了联合国千年发展目标中贫困人口减半的目标。

2.1.5 第五阶段：片区瞄准战略（2011 年至今）

21 世纪的第 2 个 10 年伊始，《中国农村扶贫开发纲要（2011～2020 年)》颁布实施，中国扶贫开发进入新的阶段。这一阶段的反贫困与以往相比呈现三点明显的变化：一是贫困标准大幅提高，由 2009 年的 1196 元提高到 2011 年的 2300 元，提高了 92%；二是贫困瞄准目标聚焦集中连片特困地区，按照"集中连片、突出重点、全国统筹、区划完整"的原则，以 2007～2009 年 3 年的人均县域国内生产总值、人均县域财政一般预算收入、县域农民人均纯收入等与贫困程度高度相关的指标为基本依据，考虑对革命老区、民族地区、边疆地区加大扶持力度的要求，在全国共划分了 11 个集中连片特殊困难地区，加上已明确实施特殊扶持政策的西藏、四川省藏区、新疆南疆三地区，共 14 个片区 680 个县，作为新阶段扶贫攻坚的主战场，更加关注片区的自我发展能力；三是扶贫难度进一步加大。基于上述三大特点，新阶段扶贫开发任务更加艰巨，难度更大。经过长期的扶贫开发，比较容易脱贫的贫困人口和贫困地区大都实现了脱贫致富，当前剩余的集中连片贫困地区大部分主要集中在生产和生活条件十分恶劣、自然灾害频发的地区。从中国集中连片贫困地区的分布来看，目前的贫困地区大部分都分布在山区、丘陵区和高原区，生产生活条件十分恶劣，农业、林业、牧业的生产效益低下，泥石流、滑坡、石漠化、水土流失、涝灾、旱灾、冻灾等自然灾害频发。

《中国农村扶贫开发纲要（2011~2020年）》明确提出，未来10年农村扶贫开发工作目标是"到2020年，稳定实现扶贫对象不愁吃、不愁穿，保障其义务教育、基本医疗和住房"。《中国连片特困区发展报告（2013）》指出，"两不愁、三保障"的扶贫目标强调未来中国经济发展将更加注重转变经济发展方式和统筹发展，强调使经济发展惠及包括低收入人群在内的所有人。可见，新时期的扶贫战略，既关注贫困人口集中的连片特困地区，又聚焦以人为本的贫困人口能力培育和自我发展，是对以往反贫困战略的继承和提高。经过新阶段一系列有效举措的全面实施，中国反贫困工作必将为世界减贫事业再谱新章。

世界银行不吝盛赞："中国过去20多年扶贫开发所取得的成就深刻地影响着国际社会。""中国的这一成就为发展中国家甚至整个世界提供了一种模式。"[①]作为世界上人口最多的国家，中国的扶贫事业不仅为提高本国的富裕程度奠定了坚实的基础，也为全球消除贫困作出了为国际社会普遍赞誉的积极贡献。

2.2 中国反贫困战略审视：特点、问题与缺陷

2.2.1 中国反贫困战略的基本特点

从上述对中国反贫困战略分阶段演变的分析中可以看出，中国政府实行的是以促进贫困人口集中区域自我发展能力的提高和推动区域经济发展，来实现减缓和消除贫困目标的战略，吴国宝（1996）的研究也支持了这一论断。其基本特点主要表现为：第一，在扶贫方式上，改变单纯生活救济的办法，致力于在贫困地区进行基础设施建设，改造生产条件，帮助贫困地区形成新的生产能力；第二，在扶贫主体上，强调调动贫困地区广大干部群众发展经济的积极性，扬长避短，发挥优势，增强自我发展能力；第三，在扶贫客体上，将贫困

---

① 中国的农村扶贫成就的取得，成为联合国千年发展目标能否顺利完成的主要决定因素。按1天1美元的国际标准衡量，1990年全球贫困人口为12.8亿人，到1999年全球贫困人口仍高达11.7亿人，年均下降1%。南亚、东欧和中亚、撒哈拉以南非洲及中东和北非的贫困人口都在增加，只有中国所在的东亚和太平洋地区的贫困人口大幅度减少，由1990年的4.5亿人下降到1999年的2.7亿人，年均递减5.5%。按消费支出衡量的中国贫困人口在这一期间减少了1.4亿人，占到东亚和太平洋地区减贫人口的78%，是全球减贫人口的1.3倍（World Bank, 2001）。

人口集中区域（即国定贫困县和省定贫困县）作为扶贫的基本操作单位和工作对象；第四，在扶贫资源的管理体制上，改变单纯由财政渠道拨款救济，扶贫资金无偿使用的方式，转向以财政支持和银行贷款、无偿与有偿相结合的扶贫资金投放方式；第五，在扶贫资源的分配和使用上，改变平均分散使用资金的方式，并强调把各种渠道发放的资金集中起来，统筹安排，合理使用，以集中人力、物力、财力，一片一片地改变贫困地区的面貌；第六，在扶贫途径上，把扶贫作为一个系统工程，改变单纯的经济扶贫，进行科技、教育、物质生产等综合性投入，同时强调了在缺乏基本生存条件的地区，实行人口迁移和进行劳务输出。

中国选择以区域经济发展为扶贫战略核心，以当地资源开发为依托，通过实施公共工程项目和扶贫信贷为手段的政府扶贫战略，叶普万（2004）在《贫困经济学研究》一书中分析了其深刻的社会经济和历史原因：第一，从贫困人口的分布特征看，中国贫困人口呈区域集中分布，一是集中在广大的农村地区，二是集中在贫困县。其中分布在贫困县的贫困人口约占全国农村贫困人口的70%左右，从这一角度来看，解决中国农村的贫困与这些贫困地区的经济发展存在一定的直接关系。第二，从操作和管理角度看，以贫困地区作为扶贫客体和操作单位，至少对中央政府来说是最容易管理的。因为在计划经济体制仍占主导地位的扶贫前期，政府系统仍是最有力的组织系统，依托政府系统可以有效排除市场干扰，将区域经济增长所带来的利益直接传递给贫困者尤其是底层贫困者。当然，从客观条件来看，除政府系统外，还没有其他可供选择的替代组织或团体的出现。第三，从中国的二元社会结构看，在以城乡隔离为特征的二元户籍制度下，中国政府对城市规模存在很强的控制，并认为农村人口不可能较大规模地流向城市，尤其是大中城市，而且还认为发达地区农村的人口亦趋于饱和。从这一角度考虑，认为贫困问题的解决只能依赖于贫困地区的自身发展。第四，实践证明，中国政府长期实行的以救济为主的扶贫方式，效果难尽如人意，而且容易形成贫困人口对国家救济的过分依赖，所以在确定新的扶贫战略时，进一步凸显开发式扶贫的作用，并因为上述几方面，这一扶贫模式在20世纪80年代中前期确实收到很好的效果，而90年代以来，收效则日见其微。原因很多，但与扶贫战略内在的局限性有很大关系。

2.2.2　中国反贫困战略的问题与缺陷

1. 问题

中国在扶贫领域取得的成就是巨大的，但是随着农村扶贫的推进，一些问题也逐渐暴露出来。主要表现在以下几个方面。

第一，在中央扶贫投入逐年加大的情况下（表2-2），贫困人口的脱贫速度却呈现出下降趋势（表2-3）。由表2-3可以看出，在反贫困的第一阶段，1978～1985年的7年间，共减少贫困人口12 500万人，年均减少1785.7万人；从1986年开始，反贫困战略转入开发式扶贫，至1993年，这7年间减少贫困人口5600万人，年均减少800万人。尽管从1994年开始步入扶贫攻坚阶段，通过各项得力措施基本解决贫困人口的温饱问题，但脱贫速度也仅比第二阶段快了5.59%，达到年均脱贫631.8万人。进入21世纪，贫困人口的减少速度更是急剧放慢，2001～2008年的8年共减少1923万人，年均脱贫240.4万人。值得指出的是，2003年贫困人口同2002年相比不减反增了80万人。

表2-2　中国政府扶贫资金投入数量和种类（1980～2010年）（单位：亿元）

年份	财政扶贫资金	扶贫贴息贷款	以工代赈资金	合计	年份	财政扶贫资金	扶贫贴息贷款	以工代赈资金	合计
1980	10.00	—	—	10.00	1996	13.00	55.00	40.00	108.00
1981	10.00	—	—	10.00	1997	28.15	85.00	40.00	153.15
1982	10.00	—	—	10.00	1998	33.15	100.00	50.00	183.15
1983	10.00	—	—	10.00	1999	38.15	150.00	50.00	238.15
1984	10.00	13.00	—	23.00	2000	48.15	150.00	50.00	248.15
1985	10.00	13.00	9.00	32.00	2001	52.65	185.00	60.00	297.65
1986	10.00	23.00	9.00	42.00	2002	57.65	185.00	40.00	282.65
1987	10.00	23.00	9.00	42.00	2003	39.60	87.50	41.80	168.90
1988	10.00	30.50	—	40.50	2004	45.90	79.20	47.50	172.60
1989	10.00	—	—	10.00	2005	48.30	59.70	43.30	151.30
1990	10.00	30.50	6.00	46.50	2006	54.00	55.30	38.40	147.70
1991	10.00	33.50	18.00	63.50	2007	60.30	70.50	35.40	166.20
1992	10.60	41.00	16.00	67.60	2008	78.50	84.00	39.30	201.80
1993	11.20	35.00	30.00	76.20	2009	99.50	108.70	39.40	247.60
1994	12.35	45.50	40.00	97.85	2010	119.90	116.10	40.40	276.40
1995	13.00	45.50	40.00	98.50					

注：2000年前财政资金不含贴息贷款，2001年、2002年以工代赈不含国债。2003～2010年数据为扶贫重点县扶贫资金投入情况。"—"表示无此数据

资料来源：1980～2002年数据来源于曹洪民（2003）；2003～2010年数据来源于《中国农村贫困监测报告2011》

表 2-3　改革以来中国贫困人口在四个阶段减少速度的比较

（单位：万人）

阶段	年份	年均减少人口数量
第一阶段	1978～1985	1785.7
第二阶段	1986～1993	800.0
第三阶段	1994～2000	631.8
第四阶段	2001～2008	240.4

注：为便于比较，2001～2008 年贫困人口数据同样使用按绝对贫困标准衡量的人口数

资料来源：根据《中国农村住户调查年鉴 2004》《中国农村贫困监测报告 2011 计算》

第二，扶贫投入过多关注区域生产性项目建设，相对忽视贫困人口人力资本素质的投资。中国反贫困策略的基本特征是开发式扶贫。开发式扶贫包含从生产加工项目投资、改善生产和生活条件，到改善生态环境、修建基础设施、信息咨询、产品销售与储藏服务、发展教育和卫生事业，直至救济和建立社会安全网等极为广泛的内容。然而，从扶贫工作实际运作来观察，虽然上述方面都有涉及，但是计划实施重点集中在帮助农民和农村企业投资生产性项目（如农产品和工业加工项目）及基础设施建设，而对教育和卫生方面直接关系到贫困农村人口人力资本素质的投资，则由于种种原因比较薄弱。

中央扶贫资金支出结构清晰地显示出这一点。依据统计分类，扶贫资金支出包括三大项：一是主要用于进行生产性项目投资的扶贫贴息贷款；二是用于改善生产条件项目，如修建基础设施的以工代赈资金；三是提供社会化服务项目的财政扶贫资金。表 2-2 显示，1980～2002 年的 23 年间，中央政府用于扶贫的专项资金共计 2222 亿元，其中一半以上（约 57%）用于进行生产性项目投资的扶贫贷款，近 23% 用于改善生产条件硬件的项目，如修建基础设施等的以工代赈项目，与贫困人口人力资本素质关系较为密切的财政扶贫资金投入比例最小，只有总投入的不到 20%。这种情况在国家扶贫开发重点县有很大不同。2003～2010 年，重点县扶贫投入的 35.6% 用于与人力资本素质关系较为密切的财政扶贫资金的投放，明显高于全国水平。这或许与 21 世纪以来国家扶贫开发更加注重贫困人口人力资本积累等扶贫新政有关。

第三，国家扶贫投资边际效益同样表现出明显的下降趋势。采用一种相对简单的统计分析，以下一年贫困人口的减少与当年扶贫资金投入之比作为扶贫资金的边际效益，就可以发现这一边际效益明显的下降趋势。图 2-2 显示，1993 年每万元扶贫资金可以使 15 个贫困人口摆脱贫困，1994 年下降为不到 5 人，虽然 1996 年由于"国家八七扶贫攻坚计划"进入成熟期而使贫困人口脱

贫较多，达到每万元扶贫资金脱贫 16 人，但随后扶贫效益逐渐趋于稳定下降，到 2000 年，每万元扶贫资金仅能使 1 人摆脱贫困。进入 21 世纪，这一趋势稍有好转。中国农村扶贫开发的新进展白皮书显示，2001～2010 年，中国政府扶贫 10 年累计投入 2043.8 亿元，相应贫困人口的数量由 2001 年的 9029 万人减少到 2010 年的 2688 万人。① 大致估算，这期间每万元扶贫资金投入能脱贫 3 人。

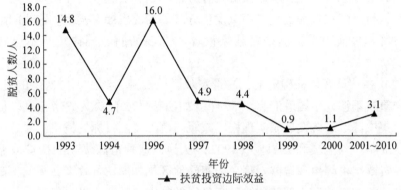

图 2-2　每万元扶贫资金的脱贫人口变化趋势（1993～2010 年）

2. 缺陷

上述中国反贫困战略暴露的问题，一定程度上凸显了既往的反贫困战略存在的缺陷。主要表现在以下方面。

（1）在扶贫主体的确定上，过高估计了政府在区域经济增长成果分配中的作用。一是过分倚重政府和行政行为。20 世纪 80 年代初以来的扶贫工作"多数是政府行为而不是社会行为"（朱玲，1996）。各种投资、扶贫拨款等也均由政府划拨，没有发挥市场的作用。二是在扶贫主体的确定上，过分强调了中央政府和地方政府目标的一致性，没有充分考虑到两者之间的目标偏差。特别是地方政府追求的主要目标和中央政府确定的扶贫战略目标发生抵触或冲突时，中央政府希望主要依靠政府系统来保证区域经济增长的利益主要流向贫困人口的设想可能落空。中国和发展中国家的扶贫实践表明，发展农业和开展劳务输出是减缓贫困的两个主要途径。但它们对增加地方财政收入的贡献非常小。因而贫困地区的政府在财政赤字的严峻压力下，往往倾向于选择以县办工业、乡镇企业为主要支持对象的区域经济增长战略，结果是中央政府确定的开

---

①　http://www.chinanews.com/gn/2011/11-17/3466833.shtml。

发式扶贫战略转变为促进区域经济增长的扶贫战略，进而又演化为贫困地区的工业投资战略。这种战略导致只有极少一部分扶贫资金流入贫困户，从而使中央政府设定的扶贫战略难以奏效。三是对政府行为和市场行为的冲突重视不够，较多地强调了政府的作用，忽视了市场在资源配置中的主体作用，从而既造成扶贫资源的浪费和不合理使用，同时也是导致银行无法完整有效地参加到扶贫战略实施中的重要原因。此外，地方政府官员的信息不准确和信息甄别能力低下或其他原因，往往引起扶贫资金分配不当、资金浪费和低效使用。地方政府和银行之间在扶贫资金使用上发生分歧的情况也屡有发生。这些问题固然与扶贫管理体制有关，但扶贫战略设计中存在的问题同样负有不可推卸的责任。

（2）在扶贫客体的确定上，注重宏观区域贫困，对微观层次上的贫困村、贫困户重视不够。中国政府自 1986 年开始实施的农村扶贫战略，是以促进贫困人口集中区域经济发展来实现稳定减缓与消除贫困目标的战略，即地区优先的扶贫战略。刘文璞和吴国宝（1997）认为，这种地区优先的扶贫战略使得扶贫投资瞄准机制出现偏差：第一，实施地区优先的扶贫政策，国家将其用于扶贫的资源重点甚至全部转移给国家确定的贫困地区，容易引起对非贫困地区贫困人口的忽视。因为有 30% 的农村贫困人口分散在国家确定的非贫困县。[①] 第二，现行的地区优先的扶贫政策，是以县为基本管理单位组织实施的。但贫困县内各乡镇间的经济发展水平和农民收入存在着一定的差异，即贫困县的人口不一定都是贫困人口。事实上，在国家确定的贫困县当中平均只有 27.8% 的农村人口生活在贫困线以下。在此情况下，如果没有严格的监督与管理，国家提供的扶贫资源就有可能流向贫困县内的非贫困乡镇和非贫困人口。第三，中国农村贫困人口比较集中的地区，有一部分地处自然条件非常恶劣的地区。从经济学的角度看，在这些生产和生存条件极差的地区投资发展经济，效率很低，同时也限制了贫困地区农民的选择空间。因此，区域瞄准的扶贫政策本身潜伏着扶贫投资被转移到非贫困地区和非贫困户的制度根源。因为，区域瞄准的扶贫政策在一定程度上采用的是地区经济发展的"涓滴"战略，其基本思路是通过发展地区经济，使经济增长的利益或成果自动流向贫困户和贫困人口。这就使得地方政府有非常充足的理由，将扶贫资金投向非贫困小区和非贫困户。

此外，即使是对瞄准机制偏差校正或补充的小额信贷资金，虽具有精度高、还款率高等区域瞄准机制所无法比拟的优点，但是小额信贷就其本身性质

---

① 中国农村贫困监测报告 2011 显示，2010 年这一比例已经提高到 37%。

而言，是根本无法满足绝对贫困人口的需求的（叶普万，2004）。一方面，项目的管理成本过高，因为小额信贷要进行经常性的小组会议，这无论对贫困者还是管理者而言，管理成本都很高；另一方面，目前大多数小额信贷项目瞄准的并不是真正意义上的穷人，而是只能称之为"亚穷人"的一类群体。出于项目成功率的考虑，目前的小额信贷项目在区域选择上往往倾向于选取那些交通比较便利，市场发育程度较好的地区，即使在一些真正落后的贫困地区进行的项目，所选择的"穷人"也并不是最贫穷的群体，而是一些具有其他收入来源，具备还款能力的"亚穷人"。

（3）在扶贫项目的选择上，注重短期性项目投资，相对忽视长远性项目规划，导致扶贫缺乏可持续性。不可否认，从救济式扶贫阶段到区域开发式扶贫阶段，再到直接扶贫到户阶段，每前进一个阶段，就带来扶贫工作的巨大进步。但从总体上来说，我国以往的扶贫工作所取得的成果仍然是短期性的，不能实现贫困人口的持久脱贫，扶贫工作打的是一场疲劳战和消耗战。这主要是由于我国扶贫项目开发往往走的是粗放型的路子，资源浪费严重，环境污染加剧，贫困地区经济的发展始终缺乏后劲，贫困地区返贫现象严重；同时我国扶贫工作始终是政府唱独角戏，中介组织和扶贫对象参与程度有限，这加重了政府扶贫的负担，也不符合可持续发展强调的对贫困人口的能力发展和人性的自我实现。总之，它们在可持续方面的共同缺点是：①政府对扶贫工作干预太多，在市场经济条件下，中介组织参与扶贫工作的力度还很不够，可持续扶贫需要中介组织更强有力的参与；②忽视了人口控制及资源和环境的保护，造成了贫困地区的短暂经济增长；③忽视了贫困农户自身能力的培养，使他们不能够脱离政府而独立发展，变成政府的包袱；④扶贫工作忽视和遗漏了真正贫困的人口，不能真正做到有效地帮助贫困人口。

2.3　新阶段中国反贫困战略的重新构建

2.3.1　对中国反贫困进入新阶段的基本判断

20世纪末和21世纪前10年，中国农村大多数贫困人口温饱问题的解决，标志着中国以解决温饱问题为主要内容的反贫困阶段的基本结束，同时也标志着中国反贫困新阶段的开始。从某种意义上讲，中国反贫困新阶段的主要内容是克服相对贫困，由求生存到求发展，其核心是更高层次的发展。之所以说新时期中国反贫困是更高层次的发展，是因为第一，新时期的中国反贫困是以人为本的发展。反贫困不仅要解决贫困人口的温饱或基本生存问题，而且要提高贫困人口的总体生活质量和自我发展能力，逐步满足贫困人口不同层次的发展需求。第二，新时期反贫困是全面的综合发展。不仅要实现贫困人口的收入增长和贫困地区的经济增长，同时要提高贫困人口和贫困地区社会发育水平，逐步缩小贫困人口和贫困地区与主流社会发展的整体差距。第三，新时期反贫困讲求可持续发展。贫困人口和贫困地区的发展不是一个静态的概念或在某一时点解决某一问题的概念，而是一个动态的过程。通过建立人与社会、人与自然之间的和谐关系，进而实现贫困人口和贫困地区持续稳定的发展。

对中国反贫困进入新阶段的判断主要基于以下五点认识：第一，从反贫困自身而言，中国如期完成了"国家'八七'扶贫攻坚计划"并有效实施了《中国农村扶贫开发纲要（2001～2010年)》，农村贫困人口的温饱问题基本解决，贫困地区的生产、生活条件得到稳步的改善。第二，经过30多年的改革与发展，中国社会经济结构发生了本质的变化，无论是经济体制转型，还是产业结构升级，都表明中国的社会经济发展进入了一个新的历史时期，以人为本的发展取向，给未来中国农村反贫困带来了更深层次的含义和提出了更高的要求。第三，与前30年相比，中国的经济实力大大增强，社会经济发展在追求效率和速度的同时，对结构合理性、制度的有效安排和全社会成员的平等发展的追求更加强烈。这不仅使未来中国农村反贫困的宏观环境发生了深刻的变化，为中国未来农村反贫困提供了物质基础和制度基础，带来了机遇，同时也使中国农村反贫困面临新的挑战，这种挑战不仅表现在反贫困战略和反贫困具体操作方法上，更重要的是反贫困的思想观念的转变上。第四，经过30多年的反贫困，新时期中国农村贫困状况将呈现出与以往不同的特点，"双穷"并存[1]将被赋予更多的内容，反贫困不再是单纯意义上的解决温饱问题和贫困人口收入问题，也不再是一项一定时段、相对独立的行动，未来中国农村反贫困从更高意义上看显得更具全面性、艰巨性和融合性。第五，由于面临的形势、环境、目标的变化，未来中国农村反贫困的主要任务发生了本质的变化。过去30年农村反贫困是为解决温饱而奋斗，未来农村反贫困的主要任务是解决温饱后的进一步发展。由此，中国农村反贫困的制度安排和政策体系也必须调整和创新。

---

[1] "双穷"并存是指大量的贫困人口和多片的贫困地区同时并存于中国农村地区。参见：张岩松. 2004. 发展与中国农村反贫困. 北京：中国财政经济出版社.

2.3.2 新阶段中国反贫困面临新的形势

从严格意义上说，我国政府现行的贫困标准只是生存性的贫困标准。贫困问题的发展是动态的，就像作为世界最发达国家的美国也还有 12.4% 的贫困人口一样[1]，我国现阶段贫困问题的缓解也只能是对以往普遍性的极端贫困状态的改变。如果从发展的视角来分析，便可以发现，我国现阶段的贫困问题依然相当严重，主要表现在以下几个方面。

1. 贫困人口群体基数依然庞大

截至 2010 年年底，按 1274 元的贫困线标准统计，全国贫困人口数量下降到 2688 万人，并且率先实现了联合国千年发展目标中贫困人口减半的目标。2011 年，中国政府对贫困线标准进行了大幅度上调，决定将农民人均纯收入 2300 元作为新的国家贫困标准。按这一标准，全国贫困人口数量由 2010 年的 2688 万人增加到了 1.28 亿人，约占全国总人口的十分之一。这样庞大的人群基数也进一步昭示着未来中国反贫困仍然任重道远。

2. 贫困人口贫困程度仍然较深

国际上一般认为，恩格尔系数在 60% 以上即为贫困，50% ~59% 为温饱，40% ~49% 为小康。2010 年，扶贫重点县农户的恩格尔系数为 49.1%，刚刚迈入小康水平，比全国农村平均水平高 8 个百分点。从按人均纯收入五等份分组情况看，最低收入组和中低收入组农户的恩格尔系数更是分别高达 54.5% 和 54.3%。从贫困发生率看，2010 年重点县为 8.3%，比全国高 5.3 个百分点；重点县中重点村[2]的贫困发生率更是高达 12.8%，比全国高出 9.8 个百分点。

3. 贫困人口收入差距呈扩大趋势

国家贫困监测报告调查显示，扶贫重点县内部，高收入组和低收入组农户的收入水平呈现扩大趋势。按收入五等份分组，2010 年重点县最高收入组农户的纯收入水平是最低收入组农户纯收入水平的 5.8 倍，高于 2002 年 4.6 倍的差异。表现在增长速度上，收入越高的农户，其纯收入的增长速度越快。2002 ~2010 年，最低收入组、中低收入组、中等收入组、中高收入组和最高

---

[1] 美国 2003 年贫困线标准为人均年收入 4224 美元，约合 35059 元人民币（刘纯彬，2004）。

[2] 此处重点村的情况为 2002 年数据。

收入组的人均纯收入年均增长速度分别为11.1%、11.7%、12.4%、13.1%和14.1%，呈现出明显的增长差异。

4. 贫困人口瞄准难度加大且返贫率高

进入21世纪，农户贫困状况变化很大，贫困人口和低收入人口从数量上看大进大出，从收入和支出上看年度间极不稳定，这一现象增加了扶贫政策在瞄准贫困人群时的难度。以贫困村的人口瞄准率为例，2001年贫困村覆盖的贫困人口占全国总贫困人口的比例达59%，到2004年，这一比例下降为51%。这不仅说明全国有近一半的人口并不分布在贫困村，而且贫困村的瞄准精度呈现下降趋势。此外，目前的很多贫困人口虽然暂时解决了温饱问题，但受制于自身财产储备不强，资源禀赋不足，一遇天灾人祸，非常容易返贫。国务院扶贫办公室主任范小建（2010）分析指出，尽管中国政府的减贫成效显著，但减贫成就并不稳定。2008年的4007万贫困人口中有66.2%在2009年实现脱贫，但在2009年的3597万贫困人口中，有62.3%是上年的返贫人口。

5. 贫困人口"教育与健康贫困"突出

长期以来，贫困地区人口素质差、教育水平低已成为农民收入提高和扶贫项目顺利实施的"瓶颈"。国家贫困监测调查显示，2010年扶贫重点县农村劳动力文盲率高达10.3%，比全国农村劳动力高4.6个百分点，而高中及以上农村劳动力比重不到12%，比全国低5.6个百分点。尤为令人担忧的是，贫困人口儿童入学率要明显低于非贫困人口，13~15岁人口的儿童入学率低11个百分点，15~17岁人口的儿童入学率低14个百分点。此外，贫困地区人口的"健康贫困"问题突出。2000年世界卫生组织首次对世界191个成员方的卫生体系、绩效作出评估，中国被列为144位，居世界后列，引起海内外巨大反响。[①] 2010年扶贫重点县尚有18.5%的行政村没有配备卫生室，比全国高10.8%个百分点。扶贫重点县有接近7%的农户处于非健康状态。

6. 反贫困制度建设和立法滞后

扶贫是实现全面小康社会目标的基本任务，但扶贫行动缺乏稳定科学的长远规划和规范的监督制度。一是扶贫制度建设滞后。扶贫贴息贷款中普遍存在"贷富不贷贫"等现象，这是扶贫制度建设滞后的主要表现。目前，我国反贫困实践十分需要制度层面的基层设计和关键保障，主要包括扶贫资金的来源、

---

① http://www.china.com.cn/economic/txt/2003-07/08/content_5361566.htm。

种类和各自用途规制，扶贫资金的发放对象、条件和程序，扶贫资金使用的义务负担和责任追究，扶贫开发项目的科学决策、监督和管理，扶贫资金的审计和社会监督等诸多内容在内的制度建设亟须改革创新。二是反贫困立法滞后。彻底摆脱和消除贫困是各国政府和国际社会必须面对的一项长期而艰巨的任务。中国作为世界上最大的发展中国家，受自身经济发展水平、社会结构特征、历史发展背景、自然环境和资源禀赋等制约，面临的反贫困问题更加艰巨和长期。因此，通过法律制度的构建或完善来减缓、减少、消除贫困，反贫困行动才能最终体现出发展中兼顾公平和以提升社会整体福利为目标的价值取向。因而，国家层面的反贫困立法亟待出台。国家反贫困立法，既要明确贫困者享有的权利，还要明确扶贫主体包括中央和地方政府在内的责任主体地位，以及在扶贫资金筹集、管理和使用等方面的部门主体责任。此外，违反反贫困立法的法律责任同样需要严格清晰地界定。国家统计局分析指出，扶贫制度建设和反贫困立法滞后，在很大程度上影响了贫困地区反贫困的持续性效果（李德水，2004）。

2.3.3　全面建成小康社会中的反贫困战略调整与重构

前述中国反贫困战略存在的问题和缺陷告诉我们，为实现 21 世纪全面建设小康社会的宏伟目标，必须对既往的反贫困战略进行调整和重构，以适应新阶段反贫困工作的需要。

1. 理论探讨

当前贫困地区的基本特征与状况与 20 世纪 90 年代相比已经有了很大的变化，特别是区域性贫困的状况已被贫困人口相对分散的特征所取代，若继续采用区域性扶贫开发，受效益最大化原则导向，往往使扶贫项目提供的劳动就业岗位和开发收益优先被村社干部及其亲朋好友、已经脱贫的农户所享用，而绝大多数贫困农户则成为"被遗忘的角落"。也就是说，区域性扶贫的缺陷在于没有正确区分贫困地区的贫困人口，它所遵循的效率原则往往容易将最需要扶助的贫困人口排除在外。实际上，我国目前剩下的未脱贫人口脱贫难度都很大，单纯的区域性扶贫已经远远不够，只依赖区域发展的带动作用已经很难使剩下的贫困人口摆脱贫困。探索新的扶贫战略，将临时性的政策扶贫逐渐导入制度扶贫的轨道，将是 21 世纪中国反贫困需要解决的最大难题。自 1986 年以来中国贫困地区的扶贫基本上是依靠临时性的政策和措施（赵昌文，2001），尽管在短期内可产生明显的效果，但不具有可持续性。在解决了贫困户的温饱问题之后，继续依靠这些临时性的政策和措施来扶贫，无论在经济上还是在政治上都存在许多弊端。只有建立相应的扶贫制度，才能持续、全面地反贫困。因此，新阶段必须把握好扶贫攻坚的重点，实现由区域性扶贫向扶贫到村（户）转变，从反贫困行动和区域发展的微观主体——农户家庭经济内部来寻求家庭可持续脱贫与区域可持续发展的"双赢"之路。当然，这种扶贫到村（户）要有别于改革开放之初的"救济式扶贫"阶段的扶贫到户，是以贫困农户能力的培育和素质的提高为前提的。

赵昌文（2001）对制度性扶贫的一些原则性规定进行了描述：第一，制度性扶贫应建立穷人进入资金、劳务市场的通道；第二，应建立贫困地区基础设施和社会服务设施建设的筹资管理制度；第三，应建立完善、全面、高效的社会安全保障制度，使所有穷人都可免生存之虞；第四，应建立保障包括穷人在内的所有公民享有基本的教育和医疗服务的有效制度；第五，这样的扶贫制度应该以穷人的参与、开发穷人的能力为中心。基于此，新阶段反贫困战略调整的基本思路是：要以科学发展观为指导，进一步巩固扶贫成果，坚持开发式扶贫的方针，抑制返贫，从经济、生态、社会、文化等综合措施入手，全方位地提高贫困人口的生活质量和综合素质，形成脱贫致富的内在动力机制，缩小贫富差距，加快全面建设小康的步伐。

具体而言，目前反贫困战略需要调整的主要内容，至少应包括以下方面：①"贫困"的内涵要放大。我国现阶段的贫困问题不仅指收入贫困，同时指教育和知识贫困、健康贫困，以及面临风险时的脆弱性和缺乏信息等，是物质贫困、精神贫困和信息贫困的综合体。明确这一内涵，用科学发展观协调好经济社会的发展，对于正确开展扶贫开发工作至关重要。②扶贫的主体要重组。实现扶贫主体由政府主导一元化向政府、企业、贫困农户和非政府组织多元化的格局转化。市场经济条件下，成功的反贫困战略应能把贫困者引入市场，让市场为穷人服务。通过建立"企业+贫困农户+政府""非政府组织+贫困农户"等反贫困组织结构，政府提供政策和资金，企业提供资金、技术、人力和市场，贫困农户提供土地、劳动力，非政府组织提供职业培训、技术指导，充分发挥各自的比较优势，实现政策、资金、技术、土地、劳动和市场的有机结合，最终达到脱贫和发展的目的。③扶贫的客体要拓宽和细化。就农村而言，过去主要的工作重点在贫困县和贫困村，但非贫困县、非贫困村里也有贫困人口（2010年分别占37%、20%[①]）。那些居住在非贫困县和非贫困村的贫困人口由于很难得到扶持，成为反贫困行动的"死角"。有些非贫困县中贫困

基于农户行为逻辑的区域反贫困理论与实证研究

40

---

① http://www.gov.cn/zwhd/ft2/20061117/content_ 451564. htm。

乡和贫困村甚至比贫困县中的重点贫困人口的绝对数量还要多。因此，在新阶段，扶贫的对象要拓宽，不仅要重视解决过去贫困县、贫困村的贫困问题，而且要解决好非贫困县和非贫困村的贫困问题。④扶贫的标准要提高。2003年，我国贫困人口只占全国人口3.1%，但这一标准是建立在人均纯收入637元基础上的，即使是低收入标准，也仅为882元，远低于国际通行标准。尽管2010年的扶贫标准上调为1274元，但仍然不足世界银行标准的一半。低收入标准与贫困标准的过于接近，导致的一个严重问题是脱贫人口的储备能力不足，返贫率极高。随着中国经济不断与世界接轨，以及人们对贫困标准认识的不断趋同，扶贫标准尽可能与国际标准接轨已经成为一种必然。⑤扶贫的眼光要放远。基于对贫困内涵认识的扩展，今后扶贫投入应更倾向于贫困地区的教育、卫生和计划生育事业，控制人口增长，提高贫困地区和个人的人力资本水平。劳动力是贫困人口最重要的资本，物质资本的投入是必要的，但其报酬效率的高低是以人力投资水平为基础的，反贫困政策应把提高贫困人口的劳动生产率作为重点。⑥扶贫的观念要更新。贫困地区的一个主要问题是墨守成规、安于现状、不思进取的传统观念和行为方式，这严重制约了市场制度的建立和完善，束缚了区域经济的快速发展。因此，新阶段应把转变贫困地区干部和群众的思想观念和行为方式当做反贫困战略的重要内容；重点是要加强文化扶贫。文化扶贫表面上看也是一个人力资本投资的问题。但实际上，文化扶贫还有更深层次的含义。文化是指长期积淀的思想观念、价值取向、习俗、宗教信仰和行为方式。这些非正式规则，连同产权、契约、法律法规等正式规则，共同构成了经济交易行为的博弈规则。有效率的经济制度，不仅要有明晰的产权、健全的法律法规，还要有与之相匹配的思想观念和行为方式。因而，在某种意义上，扶贫的观念更新相比其他战略的调整显得更为紧迫和重要。其主要途径，除了前文述及的加大人力资本投资外，沈小波和林擎国（2003）认为：一要加快农村小城镇建设步伐；二要为贫困地区的劳务输出提供各种方便；三要为贫困地区的政府干部和企业领导提供各种培训、进修和锻炼的机会。

2. 实践操作

2011年12月，中共中央、国务院在深刻总结前30年扶贫扶贫攻坚成就和经验的基础上，制订并颁布了21世纪第二个扶贫开发十年规划——《中国农村扶贫开发纲要（2011~2020年)》（以下简称新《纲要》）。新《纲要》指出，"我国扶贫开发已经从以解决温饱问题为主要任务的阶段转入巩固温饱成果、加快脱贫致富、改善生态环境、提高发展能力、缩小发展差距的新阶段"。新《纲要》的总体目标是：到2020年，稳定实现扶贫对象不愁吃、不愁穿，保障其义务教育、基本医疗和住房。贫困地区农民人均纯收入增长幅度高于全国平均水平，基本公共服务主要领域指标接近全国平均水平，扭转发展差距扩大趋势。新《纲要》在以下几个方面呈现不同于以往的亮点。

一是进一步敲定了扶贫重点。新《纲要》明确指出，新阶段要把连片特困地区作为扶贫攻坚的重点和主战场。这些地区包括六盘山区、秦巴山区、武陵山区、乌蒙山区、滇桂黔石漠化片区、滇西边境山区、大兴安岭南麓山区、燕山–太行山区、吕梁山区、大别山区、罗霄山区等区域的连片特困地区和已明确实施特殊政策的西藏、四省（四川、云南、甘肃、青海）藏区、新疆南疆三地州。新《纲要》同时指出，把在扶贫标准以下具备劳动能力的农村人口作为扶贫工作主要对象。此外，要做好连片特困地区以外重点县和贫困村的扶贫工作。原定重点县支持政策不变。各省（自治区、直辖市）可根据实际情况进行调整，实现重点县数量逐步减少。重点县减少的省份，国家的支持力度不减。

二是进一步明确了扶贫任务。新《纲要》在扶贫任务上的重大转变是从解决温饱为主到确保扶贫对象"两不愁三保障"。李小云（2011）指出，扶贫任务的转变实际上反映了我国扶贫形势的变化，从过去以解决温饱问题为核心向给予贫困人口更有尊严生活的转变。"两不愁三保障"具有多元目标，不仅仅是提高贫困人口的收入水平，还涉及保障其教育、医疗、住房需求，这表明我国扶贫工作完成了从过去相对狭窄的开发式扶贫到相对宽泛的综合性扶贫的转变。

三是进一步统一了扶贫方针。新《纲要》提出，"坚持开发式扶贫方针，实行扶贫开发和农村最低生活保障制度有效衔接"。其中，"把扶贫开发作为脱贫致富的主要途径，鼓励和帮助有劳动能力的扶贫对象通过自身努力摆脱贫困；把社会保障作为解决温饱问题的基本手段，逐步完善社会保障体系"。始于2007年的我国农村最低生活保障制度，旨在将家庭年人均纯收入水平低于标准的所有农村居民纳入保障范围，以稳定、持久、有效地解决农村贫困人口的温饱问题。截至2010年年底，全国农村低保已经覆盖5214万人。汪三贵（2011）指出，扶贫开发和农村最低生活保障制度既有分工也有合作。社会保障是保障基本生存，扶贫开发的目标是在更高能力上进行扶贫开发、提高自我发展能力。在收入不平等的情况下，对贫困人口有针对性的开发性扶贫尤为重要。

2.4 中西部地区贫困：新阶段反贫困行动的重中之重

20世纪80年代以来，我国的区域经济发展是不平衡的，客观上存在着东、中、西三个具有明显差异的梯度。东部地区包括北京、天津、河北、辽宁、上海、江苏、浙江、福建、山东、广东、海南共11个省（自治区、直辖市）；中部地区包括山西、吉林、黑龙江、安徽、江西、河南、湖北、湖南共8个省；西部地区包括内蒙古、广西、重庆、四川、贵州、云南、西藏、陕西、甘肃、青海、宁夏、新疆共12个省（自治区、直辖市）。从经济发展的总体水平看，从东到西呈现梯级弱化态势，东部属我国经济相对发达地区，而中西部（整体上统称做"西部"）则属欠发达地区（雷海章，2002）。

2.4.1　区域经济发展的东中西部差距比较

（1）从地区经济总量看，东部地区一直占据全国经济总量的五成以上，而中西部地区则不足一半。表2-4显示，1978～2012年，东部地区GDP占全国经济总量的比重经历了一个倒U形变化趋势，但整体上全国经济总量的一半以上来自于东部地区。东部地区GDP占全国的比重从1978年的52.5%提高到了2006年的历史最高值59.68%，中西部地区比重比东部地区少接近二成。从2007年开始，西部大开发战略效应开始显现，加之中部崛起战略的提出和实施，东部与中西部地区之间的差距逐渐趋于缩小，到2012年，东部地区GDP占全国的比重下降到55.63%，但中西部地区仍然落后东部地区11.26个百分点。

表2-4　全国GDP的区域分布及比较（1978～2012年）　　（单位:%）

年份	东部	中西部	东部比中西部	年份	东部	中西部	东部比中西部
1978	52.50	47.50	+5.00	2001	58.60	41.40	+17.20
1986	53.11	46.89	+6.22	2002	59.03	40.97	+18.06
1989	54.43	45.57	+8.86	2003	59.58	40.42	+19.16
1991	54.90	45.10	+9.80	2004	59.37	40.63	+18.74
1992	56.55	43.45	+13.10	2005	59.63	40.37	+19.25
1993	57.39	42.61	+14.78	2006	59.68	40.32	+19.35
1994	59.12	40.88	+18.24	2007	59.27	40.73	+18.55
1995	58.00	42.00	+16.00	2008	58.23	41.77	+16.46
1996	55.38	44.62	+10.76	2009	58.00	42.00	+16.01
1997	55.43	44.57	+10.86	2010	57.31	42.69	+14.63
1998	55.82	44.18	+11.64	2011	56.30	43.70	+12.60
1999	56.35	43.65	+12.70	2012	55.63	44.37	+11.26
2000	57.29	42.71	+14.58				

资料来源：根据《中国统计年鉴》历年数据计算整理

（2）从经济增长速度上看，东部与中西部地区在 GDP 增长速度上的差距呈现不同的阶段特征，具体变化趋势见图 2-3。从 21 世纪的前 3 年情况看，东部地区 GDP 增长速度明显快于中西部地区。2001～2003 年，东部地区 GDP 年均增长速度达 14.89%，分别比中部和西部地区快 3.38 个和 2.43 个百分点。但同样受西部大开发战略的深入实施和中部崛起战略的快速推动的影响，这一趋势在最近几年出现了逆转。从近 3 年情况看，中部和西部地区 GDP 增长速度已经超过东部地区。2010～2012 年，中部和西部地区 GDP 年均增长速度分别达 16.17% 和 18.29%，比东部地区分别快 3.01 个和 5.13 个百分点。

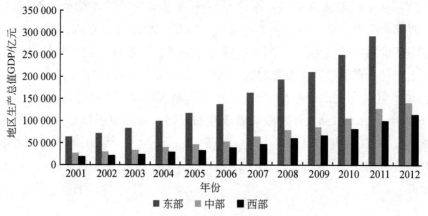

图 2-3　东中西部地区 GDP 变化趋势（2001～2012 年）

（3）从人均 GDP 看，东部地区人均 GDP 水平高出全国平均水平的幅度同样经历了一个倒 U 形变化趋势。由 1980 年的高 34% 提高到 2003 年的 54%，其后不断下降，到 2012 年高出全国平均水平的 35%。而中部地区人均 GDP 与全国平均水平的差距进一步扩大，由 1980 年相当于全国平均水平的 88% 下降为 2012 年的 78%，西部地区略有上升（由 70% 上升为 73%）。东部地区与中部地区人均 GDP 的相对差距进一步扩大，由 1980 年的 1.51 扩大为 2012 年的 1.72，与西部地区的相对差距则趋于缩小，由 1.91 缩小为 1.84。东中西部地区人均 GDP 变化趋势见图 2-4。分省（自治区、直辖市）看，1980 年人均 GDP 最高的省（东部的辽宁）和人均 GDP 最低的省（西部的贵州）之间的差距为 3.70 倍，到 2012 年这一差距扩大为 4.73 倍（东部的天津和西部的贵州之差距）。

（4）从居民收入水平看，我国三大地带城镇居民和农村居民收入水平之间都存在很大差距。表 2-5 显示，在城镇居民收入排名前 10 位的省（自治区、直辖市）中，东部占 9 个，而排名后 10 位的省（自治区、直辖市）全部属于

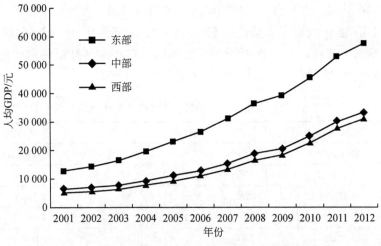

图 2-4　东中西部地区人均 GDP 变化趋势（2001～2012 年）

中西部地区。东部排名最高的上海与中西部排名最高的内蒙古的城镇居民收入差距达 17 038.08 元，而东部排名最低的河北与中西部排名最低的宁夏的城镇居民收入差距也达到了 3386.55 元。东西部省份之间的上述差距，远远超过了 10 年的水平。①

表 2-5　我国各省份城镇居民人均可支配收入排序（2012 年）

（单位：元）

前 10 位			中间 11 位			后 10 位		
省份	人均可支配收入	排序	省份	人均可支配收入	排序	省份	人均可支配收入	排序
上海	40 188.34	1	重庆	22 968.14	11	四川	20 306.99	22
北京	36 468.75	2	湖南	21 318.76	12	吉林	20 208.04	23
浙江	34 550.30	3	广西	21 242.80	13	江西	19 860.36	24
广东	30 226.71	4	云南	21 074.50	14	宁夏	19 831.41	25
江苏	29 676.97	5	安徽	21 024.21	15	贵州	18 700.51	26
天津	29 626.41	6	海南	20 917.71	16	西藏	18 028.32	27
福建	28 055.24	7	湖北	20 839.59	17	新疆	17 920.68	28
山东	25 755.19	8	陕西	20 733.88	18	黑龙江	17 759.75	29
辽宁	23 222.67	9	河北	20 543.44	19	青海	17 566.28	30
内蒙古	23 150.26	10	河南	20 442.62	20	甘肃	17 156.89	31
			山西	20 411.71	21			

资料来源：《中国统计年鉴 2013》

---

① 2003 年，东部排名最高的上海与中西部排名最高的西藏的城镇居民收入差距为 6102.04 元，而东部排名最低的河北与中西部排名最低的宁夏的城镇居民收入差距为 708.58 元。

表 2-6 显示，农村居民人均纯收入排名与城镇居民人均可支配收入排名类似。排名前 10 位的省（自治区、直辖市）中，东部占 9 个，而排名后 10 位的省（自治区、直辖市）全部属于中西部地区。东部排名最低的海南比西部排名最高的重庆的农村居民人均纯收入还要高 24.73 元。

表 2-6　我国各省份农村居民人均纯收入排序（2012 年）（单位：元）

前 10 位			间 11 位			后 10 位		
省份	人均纯收入	排序	省份	人均纯收入	排序	省份	人均纯收入	排序
上海	17 803.68	1	吉林	8 598.17	11	新疆	6 393.68	22
北京	16 475.74	2	河北	8 081.39	12	山西	6 356.63	23
浙江	14 551.92	3	湖北	7 851.71	13	宁夏	6 180.32	24
天津	14 025.54	4	江西	7 829.43	14	广西	6 007.55	25
江苏	12 201.95	5	内蒙古	7 611.31	15	陕西	5 762.52	26
广东	10 542.84	6	河南	7 524.94	16	西藏	5 719.38	27
福建	9 967.17	7	湖南	7 440.17	17	云南	5 416.54	28
山东	9 446.54	8	海南	7 408.00	18	青海	5 364.38	29
辽宁	9 383.72	9	重庆	7 383.27	19	贵州	4 753.00	30
黑龙江	8 603.85	10	安徽	7 160.46	20	甘肃	4 506.66	31
			四川	7 001.43	21			

资料来源：《中国统计年鉴 2013》

综上可知，除了近年来中西部地区表现出较快的经济增长速度外，无论是地区经济总量，还是人均 GDP，抑或是居民收入水平，中西部地区均落后于东部地区，而且区域之间的差距在一定阶段呈现拉大之势。中国区域经济发展的不平衡程度由此可见一斑。

2.4.2　中国贫困人口分布的区域特征

进入 21 世纪，中国贫困人口绝大多数集中分布于中西部地区。《中国农村贫困监测报告》2011 年的数据显示，2010 年中西部地区贫困人口合计共有 2564 万人，占全国贫困人口总数的 95.4%。其中，西部 12 省（自治区、直辖市）有 1751 万人，占西部乡村人口的比重为 8.3%，占全国贫困人口总数的 65.1%。由图 2-5 可知，2000~2010 年，贫困人口呈现进一步向西部地区集中的趋势。东部地区贫困人口占全国贫困人口的比重由 10.2% 下降到 4.6%，而西部地区贫困人口占全国贫困人口的比重由 60.8% 上升到 65.1%。

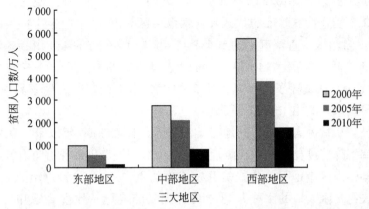

图 2-5　全国农村贫困及低收入人口分布变化（2000～2010 年）

　　从 21 世纪确定的 592 个国家扶贫开发重点县①分布上看，中西部地区有 548 个，占 92.6%，比"国家'八七'扶贫攻坚计划"确定的重点县比重提高了 10.3 个百分点，涉及中西部地区 19 个省份。从确定的贫困村分布来看，中西部贫困村共有 130 827 个，占贫困村总数的 88.4%，占当地行政村总数的 26.7%；全国确定的贫困村分布在 1861 个县（旗、市），占全国县级单位总数的 68.8%。其中，中西部分布在 1617 个县级单位，占其县级单位总数的 78.5%。

　　从新确定的 14 个集中连片特困地区涵盖的 680 个贫困县②的分布看，共有 658 个县分布在中西部地区，占全部贫困县的 96.8%，其中，西部地区 505

――――――――――

　　①　根据《中国农村扶贫开发纲要（2001～2010 年）》要求，国务院扶贫开发办公室会同有关部门联合确定了 592 个扶贫开发工作的重点县，作为 21 世纪国家重点持持的对象。重点县数的确定采用"631 指数法"测定：贫困人口（占全国比例）占 60% 权重（其中绝对贫困人口与低收入人口各占 80% 与 20% 的比例）；农民人均纯收入较低的县数（占全国比例）占 30% 权重；人均 GDP 低的县数、人均财政收入低的县数占 10% 权重。其中，人均低收入以 1300 元为标准，老区、少数民族地区和边境地区为 1500 元；人均 GDP 以 2700 元为标准；人均财政收入以 120 元为标准。根据以上原则和方法，在全国 21 个省（自治区、直辖市）确定了 592 个县（旗、市）为国家扶贫开发工作重点县。它们集中在少数民族地区、革命老区、边境地区和特困地区，其中老、少、边县的比例分别由"国家'八七'扶贫攻坚计划'"的 18%、43%、6% 上升到 31%、45%、9%（见 http：//www.bjyzgs.com.cn/cgi-bin/LB5000/cgi-bin/topic.cgi？-forum=5&topic=384&show=0）。另据《中国农村贫困监测报告 2003》，新确定的 592 个重点县总土地面积为 243 万 km²，占全国的 25.5%，总人口 22 787 万人，占全国的 17.7%；其中乡村人口 20 093 万人，占全国的 21.5%；耕地面积 2249 万 hm²，占全国的 17.3%。2002 年重点县覆盖的贫困人口占全国的 62.1%，低收入人口占 52.8%。重点县与"国家'八七扶贫攻坚计划'"的贫困县相比，新列入 89 个，原贫困县出列的有 51 个，调整的比例为 9.2%。

　　②　根据《中国农村扶贫开发纲要（2011～2020 年）》精神，按照"集中连片、突出重点、全国统筹、区划完整"的原则，以 2007～2009 年 3 年的人均县域国内生产总值、人均县域财政一般预算收入、县域农民人均纯收入等与贫困程度高度相关的指标为基本依据，考虑对革命老区、民族地区、边疆地区加大扶持力度的要求，国家在全国共划分了 11 个集中连片特殊困难地区，加上已明确实施特殊扶持政策的西藏、四省（四川、云南、甘肃、青海）藏区、新疆南疆三地州，共 14 个片区，680 个县，作为新阶段扶贫攻坚的主战场。

个，占 74.3%。除西藏、四省（四川、云南、甘肃、青海）藏区、新疆南疆三地州 3 个实施特殊政策的片区外，六盘山区等 11 个集中连片特困区共涉及 19 个省（自治区、直辖市）的 505 个县，其中 18 个省的 483 个县处于中西部地区。11 个片区面积达 14 330 万 hm²，人口达 2.28 亿人，其中乡村人口 1.96 亿人。11 个片区覆盖了全国贫困人口的 70% 以上，贫困发生率高达 28.4%，比全国平均水平高出 15.7 个百分点。

此外，从贫困人口分布的地势类型来看，虽然 2000 年以来山区农户的贫困发生率下降速度比平原和丘陵地区快，但贫困人口仍表现出向山区进一步集中的趋势，山区应是下一步扶贫开发工作的重中之重。2000 年山区贫困人口占全部农村贫困人口的比重为 48.7%，到 2005 年这一比重增至 49.1%，2010 年再增加到 52.7%，这一比例远高于山区人口在农村人口中的比重。

综上所述，新阶段我国贫困人口的分布呈现出明显的连片分布特征，并进一步向中西部尤其是西部地区和山区集中。

2.4.3 中西部地区农业和农村经济的地位与差距态势

世界经济尤其是欠发达经济发展的成功经验表明：一个区域能否得到快速发展，很大程度上取决于它所选择的经济发展战略，只有恰当选择适合本地特点的发展战略，才有可能实现区域经济持续、快速、健康发展。我国中西部地区的优势在于拥有优越的自然条件和丰富的农业资源，因而，选择资源主导型经济发展战略，将农业作为人口脱贫和区域发展的切入点和着眼点将是中西部地区经济社会可持续发展的现实选择。

中西部地区包含中国 20 个省（自治区、直辖市），拥有土地面积 85 350 万 hm²，占全国土地面积的 88.91%，其中，耕地面积 9130.82 万 hm²，占全国耕地总面积的 75.02%，农民人均耕地面积中部（0.20 hm²）和西部（0.21 hm²）分别为东部（0.14 hm²）的 1.46 倍和 1.55 倍。此外，中西部还拥有全国绝大部分草原及草山草坡、林地和宜林荒山荒坡。中西部农业在全国和该区域内占有十分重要的地位。

中西部是我国农产品的主要产区。表 2-7 显示，2012 年，全国主要农产品总产量中，中西部所占的比重为：粮食 71.8%，棉花 76.9%，油料 72.7%，糖料 84.5%，肉类 63.7%。上述比重均比 10 年前有较大幅度的上涨。[1] 其中，

---

[1] 2003 年，全国主要农产品总产量中，中西部所占的比重为：粮食 69.3%，棉花 62.7%，油料 65.9%，糖料 80.8%，肉类 61.3%。

棉花和糖料等均属商品农产品，而粮食、油料和肉类等农产品因中西部农村人口相对较少，农民自给性消费占的比重小于东部，其商品率则高于东部地区。

表 2-7　东中西部地区主要农产品总产量及占全国比重（2012 年）

地区	粮食总产量		棉花总产量		油料总产量		糖料总产量		肉类总产量	
	数量/万 t	比重/%	数量/万 t	比重/%	数量/万 t	比重/%	数量/万 t	比重/%	数量/万 t	比重/%
全国	58 957.9	100	683.5	100	3 436.8	100	13 485.3	100	8 387.3	100
东部	16 623.8	28.2	157.5	23.1	938.6	27.3	2 091.5	15.5	3 041.5	36.3
中部	26 839.4	45.5	155.4	22.7	1 564.6	45.5	548.8	4.1	2 867.3	34.2
西部	15 494.7	26.3	370.6	54.2	933.6	27.2	10 845.0	80.4	2 478.5	29.5

资料来源：根据《中国统计年鉴 2013》计算整理

另外，中西部地区拥有全国 2/3 以上的农业劳动力，农业劳动力的价格大大低于东部地区。2012 年农民人均生活消费支出中，东、中、西部地区分别为 7682.97 元、5469.00 元、4798.36 元，中部、西部仅及东部的 71.18% 和 62.45%。[①] 全国农业剩余劳动力的 3/4 以上集中在中西部地区，这些剩余劳动力的机会成本很低（许多劳动力的机会成本趋近于零）。在西部大开发中，这些劳动力资源将随之被开发，并在开发中发挥重要的作用（雷海章，2002）。

从中西部地区本身看，农业的地位尤为重要。从表 2-8 可以看出，2011 年，中部、西部地区农业从业人员占本地区乡村从业人员的比重，分别高达 55.15% 和 62.31%；农业增加值占本地区 GDP 的比重，分别达 21.43% 和 21.05%；镇区及乡村消费品零售额占本地区全社会消费品零售额的比重，分别为 36.90% 和 35.94%。上述三项反映农村经济在国民经济中地位的指标，中西部均大大高于东部，也明显高于全国平均水平。

表 2-8　东中西部地区农村经济在国民经济中的地位（2011 年）

（单位:%）

地区	第一产业增加值占国内生产总值比重	第一产业从业人员占乡村从业人员比重	镇区及乡村消费品零售额占全社会消费品零售额比重
全国	10.10	34.80	31.80
东部	11.19	42.98	28.33

① 此处数据来源于《中国统计年鉴 2013》，东部地区不包括辽宁，中部地区不包括吉林和黑龙江。

地区	第一产业增加值占 国内生产总值比重	第一产业从业人员占 乡村从业人员比重	镇区及乡村消费品零售额占 全社会消费品零售额比重
中部	21.43	55.15	36.90
西部	21.05	62.31	35.94

资料来源：根据《中国农村统计年鉴（2011、2012）》、《中国统计年鉴2012》计算整理

由上述分析可知，中西部地区农业和农村经济在国民经济发展中的地位和角色是极其重要的，但这并不意味着中西部地区农业的发展已经步入快车道，相反，如同前文分析的中西部经济与东部存在着较大的发展差距一样，中西部农业和农村经济的发展也同东部存在着明显的差距。

从生产差距看，中西部地区耕地面积和劳动力数量远远多于东部地区，但所创造的农业产值却和东部地区大体相当，因而劳动生产率是低的。2012年全国农林牧渔业从业人员28 206万人，中西部为19 996万人，占70.89%；全国耕地总面积12 171.59万 hm²，中西部为9131.13万 hm²，占75.02%。但在农业总产值中，东部地区农业总产值占到39.86%，高于中部和西部的33.76%和26.38%。农业劳动力平均农业产值，东、中、西部分别为43 428.99元、30 667.55元和23 252.27元，中部和西部仅及东部的70.62%和53.54%（表2-9）。

表2-9　东中西部地区农林牧渔业总产值情况（2012年）

地区	农林牧渔业 总产值/亿元	各地区农林牧渔业总产值 占全国的比重/%	平均每个农业劳动力的 农林牧渔业产值/元
全国	89 453.0	100	31 714.17
东部	35 655.2	39.86	43 428.99
中部	30 201.4	33.76	30 667.55
西部	23 596.4	26.38	23 252.27

资料来源：根据《中国统计年鉴2013》、《中国农村统计年鉴2011》计算整理

从农业现代化生产水平看，中西部与东部的差异也很明显。表2-10显示，中西部地区每单位耕地拥有的农用塑料薄膜使用量、单位农村人口用电量、有效灌溉面积占耕地总面积的比重，不仅低于东部地区，而且还少于全国平均水平；单位耕地拥有的农机总动力和化肥施用量（折纯量）也远不及东部地区。

在农村经济中，乡镇企业发展的东、中、西差距尤为显著。表2-11显示，2011年，拥有全国乡镇企业数量48.23%的中西部地区，乡镇企业总产值仅占

表 2-10　东中西部地区农业现代化水平（2012 年）

地区	单位耕地拥有农机总动力/(kW/hm²)	单位耕地化肥施用量/(kg/hm²)	单位耕地农用塑料薄膜使用量/(kg/hm²)	单位农村人口用电量/(kW·h/人)	有效灌溉面积占耕地总面积的比重/%
全国	8.43	479.71	18.15	1 143.61	51.79
东部	12.30	603.96	30.19	2 690.61	67.76
中部	8.75	502.29	12.91	414.63	51.58
西部	5.47	372.38	17.31	368.41	41.21

资料来源：根据《中国统计年鉴 2013》《中国农村统计年鉴 2012》计算整理

全国的 34.30%，而东部地区乡镇企业却以 51.77% 的数量取得了全国 65.70% 的总产值。从平均每个乡镇企业从业人员的总产值来看，中部和西部地区仅为东部地区的 79.72% 和 76.20%。2011 年江苏省乡镇企业总产值达 100 477.83 亿元，仅东部一个省份的乡镇企业总产值就是西部 12 省（自治区、直辖市）总产值的将近一倍。

表 2-11　东中西部地区乡镇企业数量与增加值（2011 年）

地区	乡镇企业数量/个	乡镇企业总产值/亿元	各地区乡镇企业总产值占全国的比重/%	乡镇企业从业人员数量/万人	平均每个从业人员总产值/万元
全国	6 447 115	426 154.44	100	10 116.21	42.13
东部	3 337 509	279 963.42	65.70	6072.69	46.10
中部	2 083 837	93 983.53	22.05	2 557.52	36.75
西部	1 025 769	52 207.49	12.25	1485.99	35.13

资料来源：根据《中国乡镇企业及农产品加工业年鉴 2012》计算整理

　　综上所述，当前中西部地区经济发展已明显落后于东部地区，而且在很多方面差距呈现不断拉大之势。同样的，中国贫困人口的绝大多数又集中分布于中西部地区。这使得中西部地区的贫困与落后问题"名副其实"地成为新阶段反贫困行动的重中之重，成为中国扶贫攻坚的主战场和关键点，人口脱贫和区域发展严重阻碍着中西部区域经济协调发展和小康社会的全面建成。这意味着，21 世纪可持续发展战略的实施及全面建成小康社会宏伟目标的实现，必须迈过中西部地区的贫困与落后问题这一门槛方能取得真正进展和突破。而门槛的有效降低和消除，有赖于中西部农业和农村经济的全面跨越式发展。

2.5 农户经济行为分析：破解家庭脱困与区域发展难题的尝试

前文述及，单纯靠区域经济增长来实现区域内贫困人口脱贫和走向发展已难以适应新阶段反贫困形势的需要，单独对贫困人口进行救济也被证明不是最优选择。那么新时期如何达到既使贫困人口脱贫并走向发展，又使区域经济实现持续发展的"双赢"目的呢？

实践已经证明，孤立的、一对一的发展是不能从根本上形成贫困人口持续稳定的发展能力的，必须把家庭经济脱困与区域经济发展有机地结合起来，其关键是如何寻求两者的结合点。这一观点在过去的农村反贫困中可以找到不同的例证。在反贫困中注重把贫困人口与区域经济有机结合起来的地区，不仅反贫困的整体效果和农村经济发展明显，而且，贫困人口的返贫率低，如四川省的巴中地区、湖北省的黄冈地区、山东省的临沂地区。而另一种情况是，单纯地采取一家一户的解决温饱，缺乏整体的区域经济发展，或者区域经济发展与贫困人口没有直接的联系，不仅整体反贫困效果短暂，而且，贫困人口抵御自然灾害和市场风险的能力脆弱，返贫率高，如陕西省榆林地区，由于连续遭受自然灾害，2000年年底的农村贫困人口数量甚至比1993年年底的数量还多。因此，把贫困农户家庭经济脱困与区域整体经济发展结合起来是新阶段反贫困战略和区域发展战略的重要一环。

从实践成功的地区来看，把贫困家庭经济脱困与区域经济发展结合起来被证明是一条行之有效的路子（张岩松，2004）。第一，贫困地区主导产业和支柱产业的选择和确定应该是有市场需求、能发挥当地资源优势、大多数贫困人口都能够参与的。由于不同的地理自然条件、市场条件、社会经济条件，不同的贫困地区经济发展的主导产业和支柱产业也不同，应该各具特色。但不管选择和确立什么样的主导产业和支柱产业，必须在考虑资源和市场的同时，更要考虑到贫困人口的参与，同时还必须得是贫困人口熟悉或者经过培训能够从事的。对于目前集中连片的贫困地区，首先需要对当地的资源及市场开展深入细致的调查研究，合理确定区域经济发展的主导产业和支柱产业，尤其是立足当地的特色产业。第二，贫困地区区域经济发展项目的设计和实施必须有贫困人口的参与。① 贫困人口对于反贫困项目和贫困地区经济发展的参与是目前国际反贫困的一个主流思想，但一些调查发现，现阶段贫困人口对援助项目和区域

基于农户行为逻辑的区域反贫困理论与实证研究

52

---

① 对西南扶贫项目的评估发现，如果项目中包括初等教育、卫生服务将显著提高社区的参与度。

发展项目的参与都很不够，需要改进。无论是政府支持的项目还是贫困地区自己确定的发展项目都要充分听取贫困人口的意见，项目的设计需要考虑贫困人口的需求，项目的实施更要吸收贫困人口参与。这样做一可以为贫困人口创造就业机会；二可以使贫困地区的经济发展真正与贫困人口的自身发展紧密结合起来，充分调动和发挥贫困人口和贫困地区在反贫困中的积极性、主动性和创造性，提高贫困人口的自身反贫困能力。这些无疑是十分重要的。

基于上述分析和认识，要破解贫困家庭脱困和区域经济发展两者协同共进的难题，实现家庭与区域共同发展的"双赢"目的，本书认为，对农户经济行为（包括分解行为和整体行为）的分析将是解决这一难题的一种有益的尝试。

以农户经济为基本单位的农村经济结构，是新阶段反贫困面临的农村经济大环境。我国普遍推行家庭联产承包责任制以后，农户成了农村经济结构中最基本的生产生活单元。在广大的贫困地区，贫困农户家庭不仅是一个生活消费单元，更是一个组织经营活动的社会生产单元。农户家庭是最基本、最微观的生产要素支配者和生产消费单元，家庭作为资源配置的主要承担者起着至关重要的作用，扶贫资金及外部的任何支持要靠农户家庭本身来消化吸收，转化成促进农户家庭摆脱贫困、走向发展的生产力。贫困农户家庭的经济行为在家庭成员的理性选择下，不仅存在有计划、有目的的单个成员生产和消费的行为，而且还存在着一个有组织、有分工的群体生活和消费的行为（康云海，1997）。作为一个生产与生活单元的统一体，贫困农户家庭内部各成员之间存在着一种统一的共同利益目标：追求家庭的脱贫致富和走向发展，并以此作为组织家庭生产生活、完成社会分工的基本准则。无论是既往的扶贫攻坚阶段，还是在反贫困的新阶段，中国农村绝对贫困的一个基本特征就是人口的贫困与家庭贫困的一体性，区域性的贫困只是农户家庭贫困的一种时空表现形式。因而，研究农户家庭贫困也就赋予了其一定的区域意义。

农户行为在区域发展中的影响与作用，涉及很多方面。本书集中讨论在中国传统文化底蕴浓厚的环境背景下，农户与区域发展相关的行为有什么特征？这些特征对经济发展有何影响？制约其发展的不利行为的形成原因是什么？农户对未来发展的期望与决策者有何差异？如何发挥农户潜力促进区域发展？基于此，本书旨在将中西部贫困地区的农户作为研究对象，将区域经济发展置于农户家庭脱贫发展的前提之下，通过对中西部地区农户投资、消费、储蓄与借贷及技术应用等主要经济行为的实证分析，揭示其不同于其他农户的经济行为特征，判断其未来经济行为的走向，始终贯穿如何优化农户经济行为从而促进贫困地区可持续发展这条主线，从微观层面上来探求21世纪我国反贫困问题的突破点，以期为反贫困战略宏观政策的调整和完善及可持续发展战略的实施提供理论和实践上的支持，最终达到家庭脱困与区域发展的"双赢"目的。

2.6　本章小结

本章从回顾改革开放以来中国反贫困战略经历的四阶段出发，对其基本特点及存在的问题与缺陷进行了全面审视，发现既往中国反贫困战略的对策设计，主要是靠贫困区域经济增长来缓解和消除贫困，这在贫困呈大面积集中分布的阶段无疑是有效的；但在贫困人口分布发生改变且扶贫任务更加艰巨的新形势下，反贫困行动需要采取新的思路来取得全面突破。本章通过深入分析新阶段中国反贫困面临的新形势，结合存在的问题与缺陷，本书重构了全面建设小康社会进程中反贫困战略的基本思路与框架。

在对我国区域经济发展的东、中、西部差距进行客观比较分析的基础上，结合新阶段中国贫困人口分布的区域特征，以及中西部农业和农村经济的地位与发展态势，本书指出中西部地区的贫困与落后问题"名副其实"地成为新阶段反贫困行动的重中之重，人口脱贫和区域发展严重阻碍着中西部地区的协调发展和全面建设小康社会的进程。这意味着，21世纪可持续发展战略的实施及全面建设小康社会宏伟目标的实现，必须突破中西部地区的贫困与落后问题这一门槛，方能取得真正突破和进展。而门槛的有效降低和消除，有赖于中西部农业和农村经济的全面跨越式发展。

基于上述分析和认识，要破解贫困家庭脱困和区域经济发展两者协同共进的难题，实现家庭与区域共同发展的"双赢"目的，本书提出对农户经济行为的分析将是解决这一难题的一种有益的尝试，并对其可行性进行论证。

第3章
农户经济行为分析的理论框架

3.1 农户经济行为研究的理论基础

3.1.1 家庭、住户与农户的概念界定

按照《辞海》的解释，家庭是指以姻缘、血缘关系为基础的社会单位。在不同的社会及在同一社会的不同发展阶段，构成家庭的亲属关系是多种多样的，因此，家庭这一概念并没有统一的边界。例如，我国秦汉时期规定，"民有二男以上"必须分开居住，另立户籍，家庭规模较小，仅包括父母及未成年子女。而魏晋隋唐时期则鼓励建立大家族家庭模式。唐律规定，祖父母、父母健在（曾、高祖父母在亦同），子孙不得别籍异财，违者徒刑3年（这在当时属徒刑中最重的）。这一时期家庭规模比秦汉时期明显扩大。据《旧唐书·郭子仪传》记载：郭子仪"家人三千，相出入者，不知其居"（尤小文，1999）。在现代社会里，家庭的概念一般仅指核心家庭，即由一对夫妻或一对夫妻与未婚子女组成的家庭①，如全国农村固定观察点1999年调查的农户家庭类型分布中，核心家庭占70%。

住户或户是指共居一室，参加共同经济活动，有共同预算的社会组织。户可以指家庭，也可以包括没有血缘、婚姻关系的利益共同体（如集体户）（韩喜平，2003）。费孝通（1986）指出，非家庭成员进入一户，通常有三种方式：一是该成员可能是这个家庭的客人，其在一个较长时期内住在这里，每月付一笔钱；二是学徒，师傅为徒弟提供食宿，免收学费，学徒为师傅做一定年

---

① 全国农村固定观察点办公室将家庭分为5种类型：a. 核心家庭：如正文所述；b. 直系家庭：由一对夫妻（可包括其子女）和夫妻一方的父母、祖父母等多对夫妻组成的家庭；c. 扩展家庭：由两对以上夫妻组成，但其中至少两对夫妻之间不存在任何亲子关系的家庭；d. 不完全家庭：不存在完整夫妻关系的家庭；e. 其他：除以上之外的家庭类型。参见：张晓辉. 2001. 全国农村社会经济典型调查数据汇编. 北京：中国农业出版社.

限的工，没有工资；三是雇佣，雇工参加该户劳动，由该户提供食宿，并且每年得到一笔事先议定的工资。家庭成员也可能不在家，而在远处工作。他们暂时不在家，并不影响他们的亲属关系。但他们不在的时候，不能算作户的成员（费孝通，1986）。

就农户的概念而言，有多种内涵，归纳起来，至少有三重含义（王平达，2003）：一是对户的职业划分，农户是以从事农业生产为主的户，它的对立面是工业、运输业、商业等非农业户，这类"农户"用英文表述为"farming household"；二是对户的经济区位划分，农户是居住在农区的户，它的对立面是城市或城镇户，其英文表述为"rural household"；三是对户的政治地位或身价划分，农户是一些政治地位相对低下，不享受国家任何福利待遇的户，其英文表述为"political household"。可见，农户是以婚姻和血缘关系为基石，成员共同占有财产、有共同的收支预算，通过合理有序的家庭内部劳动分工而形成的一种社会组织形式。本书研究的农户既是一种区位农户，即农村住户（rural household），也包括职业农户（farming household），本书统称 household。[①]

在我国农村，由父母形成的家庭一般总是在一起生活的，除了偶然的因素和特定历史时期出现的特殊情况外，户与家庭特别是与核心家庭的内涵往往是同一的（韩喜平，2003）。在改革开放之前，父母和已婚子女分家都必须报组织批准。我国农村一直有严格的户籍制度。实行家庭承包经营，农民所拥有的承包经营权，不是根据居住权，而是根据户籍制度进行的。农民之所以能够取得经营权主体的资格，在于他们本身就是集体经济的成员，是集体财产的所有权主体。所以，就两者的内涵而言，农户和农民家庭的含义是相同的。但是，在使用方法上，这两个词却有明显的区别。当强调作为独立的经济主体或统计单位时，使用"农户"；当强调生活和社会的实体时，使用"家庭"（韩喜平，2003）。

上述分析可见，农户是生产与消费的统一体，它既是一种生活组织，又是一种生产组织；农户又是个体与群体的统一，它既有个体行为特点，又具有一定的群体行为特征。农户的行为不只是个体消费行为，而且是有组织的群体生产行为。作为一种生产组织，在农户内部各家族成员间存在共同的利益关系，

① 本书对农户的一般性描述涉及的数据，大量使用了国家统计局界定的农村住户调查数据，而实施的农户实地问卷调查则包含职业农户。国家统计局对农村住户是这样界定的：指长期（一年以上）居住在乡镇（不包括城关镇）行政管理区域内的住户，还包括长期居住在城关镇所辖行政村范围内的农村住户。户口不在本地而在本地居住一年及以上的住户也包括在本地农村常住户范围内；有本地户口，但举家外出谋生一年以上的住户，无论是否保留承包耕地都不包括在本地农村住户范围内（国家统计局，2004）。

并以此为生产经营活动所遵循的共同目标和行为准则。作为生产经营单位，农户必须承担必要的社会责任，并在社会中通过自我发展不断提高其经济和社会地位。作为消费单位，农户必须设法满足家庭成员消费需要，并通过增加消费支出、改善消费结构等方式，不断提高其消费水平和生活质量。

3.1.2 过渡农户：对当前我国农户性质的解读

对上述三个既相互区别又密切联系的概念进行界定之后，本书在此对当前我国农户的性质作一解读和认定，这将有助于本书对我国不同经济发展阶段农业经济主体发展历程的理解和判断。

目前，理论界对农户性质的认定，基本上是沿用马克思和恩格斯的"小农"观。马克思在《资本论》中指出，小农"这种生产方式是以土地及其生产资料的分散为前提的，它既排斥生产资料的积聚，也排斥协作，排斥同一生产过程内部的分工，排斥社会对自然的统治和支配，排斥社会生产力的自由发展"。恩格斯指出，小农"是指小块土地的所有者或租佃者——尤其是所有者，这块土地既不大于他以自己全家的力量通常所能耕种的限度，也不小于足以养活他的家口的限度。""他的祖先曾经是固定在土地上的，没有人身自由，或者在十分例外的情况下是自由的，但又羁于代役租和徭役租的农民。"恩格斯在 1884 年 12 月 11 ~ 12 日致奥古斯特·倍倍尔的信中写道："……从事家庭工业的工人通常都经营自己的一小块土地、一畦马铃薯、一头母牛、一小块耕地；其之所以不得不这样做，是因为工人被束缚在一小块土地上，而这块土地又只能使他维持部分生活。""这个小农，像小手工业者一样，是一种工人。"由此可见，马克思和恩格斯所描述的小农具有如下特征：①是小块土地的所有者、经营者；②使用的是落后工具和传统技术，与机器、先进的农业技术无缘；③生产是自给性的，主要依靠与自然交换，而不是靠人与人之间的社会联系；④生活水平是低下的。

沿着马克思和恩格斯的研究思路，国外学者对小农经济作了持久深入的探讨。概括起来，研究农户行为的经典文献可以分为两大类：一类强调小农的理性动机，如以 T. W. 舒尔茨为代表的"理性小农"流派；另一类则坚守小农的生存逻辑，如以 A. V. 恰亚诺夫为代表的"组织生产"流派、以 J. 斯科特为代表的"道义小农"流派等。可以说，无论是从"理性小农"视角，还是从"道义小农"视角来考察中国农村经济中的农户，得出的结论恐怕都难免经验化、简单化。很显然，中国的绝大多数农户并不能够简单地依据他们是否会追求利润还是谋求生存来划分（张杰，2005）。中国农户具有更为丰富的内涵①，深刻理解这种内涵对于本书评判和解析中国农户目前的性质意义重大。

对中国农户属性和本质的解读，华裔学者黄宗智教授的贡献是巨大的。在对中国小农经济进行大量调查研究的基础上，黄宗智提出了自己独特的小农命题，从而对上述正统命题提出挑战。长期以来，这一命题被研究中国农村经济与社会问题的学者奉为经典。由于它所依据的是实例的历史调查与分析，因此颇具说服力和可信性。黄宗智小农命题的核心，是对小农经济"半无产化"的定义与刻画，以及在此基础上提出的著名"拐杖逻辑"。"拐杖逻辑"指的是小农的收入包括两部分，一部分是家庭农业收入，被比做人的身体；另一部分是家庭非农收入，被比做人的拐杖。基本含义是指当身体非常虚弱的时候就需要拐杖。在黄宗智之前，人们已经对中国小农经济的特征做过大量描述和确认②，黄宗智自然也认同对中国小农经济的"过密化"刻画，但他对"过密化"的讨论旨在表明，由于"过密化"源自一个农户家庭不能解雇多余的劳动力，因而中国的小农经济不会产生大量原本可从小农家庭分离出来的"无产—雇佣"阶层。进一步讲，既然多余的农村劳动力无法独立成为一个新的阶层，那么他们就必然会继续附着在以家庭为基本构成单元的小农经济之上。这种状况长期决定着中国农村经济的制度结构、演进走向及总体绩效。

循着这种"拐杖逻辑"，可以进一步发现，改革开放以来中国农村的商品化与市场化对小农家庭的影响也不是质变性的。事实表明，家庭副业和非农就业并未改变中国农村的小农经济特质，反而在很大程度上支持并固化了它。收入微薄的家庭依靠副业和非农就业增加了收入，反而使他们对家庭农场更加依赖，因为非农收入的增加在很大程度上增强了家庭农业经营的持续性和稳定性。而这种状况在中国历史上已经延续了相当长的时间。依据黄宗智（1990）的考证，在1350～1850年的这500年间，市场经济的伸张远不是削弱了小农的家庭生产而是加强了它。而改革以来中国农村经济市场化水平的提高及乡镇企业的发展实际上是对上述500年历史逻辑的一种自然

---

① 比如对"光宗耀祖"理想及家族面子的追求等。大量调查结果显示，中国许多农户家庭预算出现赤字从而诉求于借贷的一个重要原因是婚丧嫁娶等"面子消费"。

② 比如 M. 韦伯（1915）早就认为，18世纪以来，在德国东部，决定农村面貌的是大型农业企业，而在中国，决定农村面貌的却是越来越多的农民的小农经济。C. 吉尔茨（Geertz, 1963）曾提出"内卷化"概念，以说明小农集约化经营导致农民边际报酬收缩的现象。这一概念后来被许多学者引入有关中国农村经济的研究，如美籍华裔学者赵冈（2001）就曾十分细致地描述过中国小农经济的"过密化"景象，相关文献因整合主流经济学、制度经济学及历史社会等多重视角而成为经典。

延续。①

国内对我国农户性质的认定也基本沿着上述框架展开。温铁军（2000）在接受《国际经济评论》杂志专访时指出，中国本来就不是一个农业大国，因为农业大国一般都在国际农产品贸易中占有较大的份额。中国其实是一个小农国家，而21世纪的中国仍然是小农经济（何帆，2000）。此外，对中国农户性质认定比较有代表性的是韩喜平（2003）的研究，他将农户分为传统农户与现代农户。他认为，传统农户是指游离于社会分工之外、很少与市场发生联系、自给自足的农户。其特征是：主要从事种植业生产；生产规模小，资金少；生产产品主要满足家庭消费；收入水平低，生活贫困；无力推进农业科学技术进步，不重视新品种的开发和引进；依靠传统的生产要素的增加来谋求经济增长。他指出，传统农户的经济行为奉行"生计第一"和"安全第一"的原则，具有追求安全高于利益的偏好。② 当一项新生产技术既具有较高收益的期望值，又存在收益的不确定性时，它们总是选择风险小的生产技术。韩喜平认为，现代农户是指在社会化大生产和市场经济条件下形成的，主要依靠家庭成员从事农业生产的农户。其特征是：劳动者科学文化层次较高，也有资金实力，能够按照自己的意愿选择投资方向，安排家庭内部各种资源；收入水平一般较高，重视新品种的开发和新技术的应用；能够权衡利益与风险，作出追求家庭整体利益最大化的选择。两者的具体比较见表3-1。

表3-1 传统农户与现代农户的比较

农户分类	外在环境	技术与收入水平	土地	经济行为	对风险与收益的态度
传统农户	自然经济	低	维持生计的手段	单一种植业	回避风险
现代农户	市场经济和社会化大生产	高	土地重要，收入来源多元化	专业化或兼业化程度较高	追求收益最大化

资料来源：韩喜平（2003）

现实中的农户远比理论描述的更复杂。许多经济学家都承认，即使是传统农户，也是在现有的技术状态下能够最大限度利用生产机会和资源的群体，是

---

① 在此，黄宗智还是过于乐观地估计了乡村工业与副业发展的作用，因为它并没有从根本上削减"过密化"，从而动摇家庭农场制度。乡镇企业的发展和后来的农民进城务工一样，都未能完全摆脱历史上家庭非农收入的"拐杖逻辑"。但黄宗智还是十分敏感地披露了他的某种担心，他认为，由于乡村工业化和农业的反过密化，农村社会的剩余开始有了提高；问题是国家政权和城市部门是否会让乡村部门将剩余留做自身的投资与发展。而既有的改革过程表明，黄宗智的这种担心不是没有道理的（张杰，2005）。

② 实际上，这一论述与J.斯科特的"道义小农"命题是吻合的。在斯科看来，小农经济坚守的"安全第一"的原则，具有强烈生存取向的农民宁可选择避免经济灾难，而不会冒险追求平均收益的最大化。或者说，他们宁愿选择回报较低但较为稳妥的策略，而不选择为较高回报去冒险（Scott，1976）。

贫穷而有效率的，是理性的"经济人"（Schultz，1964；Popkin，1979）。现实中许多用来证明农民非理性的事例，与其说是农民的非理性，不如说是外部环境的非理性（林毅夫，1988）。本书认为，当前我国农户就其自身性质和所处发展环境来讲，既不属于上述论及的传统农户，也与现代农户有一定的差别，而应是介于传统与现代之间的一种过渡农户。这主要是基于如下判断：第一，尽管市场在资源配置中起着越来越重要的决定性作用，但当前我国经济发展形势整体上仍然处于计划经济向市场经济的过渡阶段（更准确地讲应是处于这种过渡的后半阶段）；第二，我国农户整体收入水平偏低①，对新技术需求不足且技术采用态度谨慎；第三，土地固然一直重要，但农户收入来源依然较为单一②；第四，受制于土地规模及制度约束，我国农户的兼业化现象虽然普遍（秦岭，2004），但专业化程度不高；第五，当前我国多数地区，尤其是中西部广大地区，农户对待风险与收益的态度基本属于风险规避者，追求收益最大但同时要以收入稳定为前提。鉴于上述判断，本书在接下来的分析中，均是以过渡农户的一般特征来认识和理解农户的。

3.1.3 农户经济行为研究对区域反贫困的重要意义

农户经济顾名思义就是以农户为基本单位来发展农业与农村经济。在市场经济条件下，其基本内涵可表述为（秦岭，2004）：在农户拥有土地等生产资料独立产权的前提下，为适应市场经济与农村经济发展的要求由农户独立投资或合伙投资所从事的各种产业的经济活动的总称。它以农户的全部经济活动（包括劳动与服务）作为研究对象，着重研究农户根据市场要求对各种资源的合理配置水平与效率。而农户经济行为是指农户个体或群体为了满足自身及家庭物质需要或精神需要，达到一定目标而表现出来的一系列经济活动过程（马鸿运，1993）。加强农户经济行为分析与研究，对化解当前我国"三农"问题危机与矛盾，促进贫困地区农业与农村经济繁荣与发展具有重要的现实意义。

1. 农户经济行为是导致区域农户贫穷与富裕的重要根源

尽管当前我国国民经济整体发展态势是喜人的，但就农村发展实际来说，

---

① 《中国统计年鉴2013》显示，2012年我国农村居民人均纯收入7916.6元，仅及城镇水平的32%，且农户内部收入差距较大。

② 《中国住户调查年鉴2013》显示，2012年我国农户纯收入中88.1%来自于工资性收入和家庭经营收入，而家庭经营收入中第一产业收入所占比重高达77.0%，种植业收入更是高达59.6%。

农户收入水平偏低却是不争的事实。而且城乡差距在近几年有扩大的趋势。① 值得指出的是，农村贫富差距在扩大，不仅在地区之间，在同一地区农户之间的收入差距亦在拉大。② 为什么在同一政策下、在同一块土地上，有的农户收入水平迅速提高，有的农户收入水平提高缓慢，个别的还有下降趋势？为什么在同一时间从事同一种生产活动，有的农户赚钱，有的农户赔钱？除了一些不可抗拒的客观原因外，根源就在于农户的经济行为。因为效果是由行为决定的，正确的行为能产生良好的效果，错误的行为就必然造成不良的效果。在计划经济向市场经济过渡中，有的农户能迅速适应市场经济的需要，改变自己的经济行为，按照市场需求调整产业和产品结构，生产附加值高的产品，获得了较大的利润；有的农户利用科学技术，提高了劳动生产率，降低了生产成本，使商品的价格高于价值，得到超额利润。但也有的农户墨守成规，接受新生事物十分缓慢，他们虽然付出了艰辛的劳动，但经济效益并不理想。可见，农户经济行为的差异，最终导致了区域内农户间收入差距的拉开和扩大。

2. 农户经济行为是决定区域农村经济发展的关键环节

农户是农村经济组织的主要形式，是构成农村微观经济的基本单元。农户经济行为直接决定了农村经济的未来走向、发展速度和基本结构。自中国农村实行家庭承包责任制以来，中国农产品市场的绝大多数都由近 2.3 亿农户生产提供，同时农户还是工业品市场最大的买主之一。一定市场条件下，农村资本流动方向和数量及其他资源的分配都受到农户经济行为的影响。农村劳动力由农村向城市转移，也对城市经济和区域发展造成较大的影响。从这个意义上讲，农户经济行为决定了农村的发展，直接或间接地影响国民经济的质量和速度。中国农村经济在 20 世纪 80 年代初期的高速增长，以及之后的停滞与波动，都可以从农户经济行为分析中找到相应的答案。

3. 农户经济行为是影响国民经济发展的重要因素

农业是国民经济的基础，农户则是经济基础的建设者和培育者。农业收成的好坏，除不可抗拒的自然灾害外，决定因素就在于农户对农业的关心程度和经营水平，从而影响农户经济行为。因此，农户经济行为直接关系到农业基础

---

① 从世界范围看，多数国家城乡收入差距比率为 1.5∶1，超过 2∶1 的国家极为罕见。《中国统计年鉴 2004》数据显示，2003 年中国城乡居民收入差距比率为 3.2∶1，1993 年这一比率仅为 2.8∶1。另据中国社会科学院 2004 年最新的调查报告，如果把医疗、卫生、教育和失业等非货币性因素考虑进去，城乡实际收入差距可能达到 6 倍。这样，中国将超过津巴布韦，成为世界上城乡收入差距最大的国家（参见《中国青年报》，2004 年 3 月 5 日）。

② 以宁夏为例，从五等份人均纯收入比较看，2002 年高收入农户与低收入农户的纯收入比率为 6.86∶1，到 2003 年这一比率扩大为 7.55∶1（参见《宁夏社会经济调查年鉴 2003》内部资料）。

地位的巩固和壮大，关系到国民经济发展的命脉。我国是一个以农民为主体的国家，乡村人口占全国人口的近50.32%[①]，2.3亿农户的群体经济行为就在相当大的程度上反映了人民群众的愿望和利益所在。要了解和认知中国，就必须了解和弄懂农户及其行为特点和发生机理，把握农户在社会主义现代化建设中需要些什么。需要产生动机，动机产生行为。了解农户的根本途径就是了解农户的行为尤其是经济行为，这是我国制定各项政策特别是区域反贫困政策的先决条件。

3.2　农户的经济理性评判：来自中国的经验验证

3.2.1　中国农户经济理性的一般认识

无论农户的经济行为表面上看多么纷繁复杂，但其基本上是受经济理性支配的，对于经济理性的理解是探析农户经济及其行为的基本前提。

现代经济学认为，作为经济运行主体的人是具有经济理性的。所谓经济理性，是指经济决策者在面临几个可供选择的经济活动方案时会选择一个能令其效用得到最大满足的方案（林毅夫，1992）。它的包容性是很强的，摆在决策者面前的可供选择的方案最起码有两个或两个以上，决策者在选择方案时通常会受到两个方面的限制：一是决策者自身和决策者相关的参谋人员的主观认识能力；二是外部条件，比如决策者面对几种集约经营生产方式，即劳动密集型、技术密集型、资金密集型和知识密集型，主观上认为知识密集型最理想，但由于其他外部条件的限制决策者只能选择另外三种经营方式。在一般情况下，农户的经济行为往往侧重于物质利益，但是在理性情况下，农户作为一个决策者，在选择令其效用得到最大满足方案里效用绝不仅仅是指物质利益，最大满足也不单纯是指物质利益的最大化。决策者在获得物质利益之外，还要顾及自己的社会声誉、社会地位、人身安全、自我实现等。这些方面往往又是同物质利益呈现此消彼长的关系。农户有时要作出物质利益方面的牺牲，只要牺牲的物质利益引起的损失小于安全保障或名誉地位所带来的益处，这也同样是理性的经济行为。在现代文明社会中，农户越加重视物质利益之外的社会效益（胡伯龙等，1997）。

在不同的历史时期，农户经济理性的表现是有差别的。这里首先分析小农

基于农户行为逻辑的区域反贫困理论与实证研究

62

---

① 数据来源于《中国统计年鉴2013》发布的第六次全国人口普查数据。

的经济理性。小农经济是一种以血缘关系为纽带，以家庭生产为单位，以手工操作和传统技术为手段，以自给自足为主要特征的自然经济。在传统理论看来，小农的经济行为是不具备经济理性的，其原因主要有：一是小农对劳作的态度是疏于耐力和吃苦；二是很少进行储蓄和投资；三是排斥新技术。但这完全是从小农经济行为表象出发，而未研究其背后的社会经济原因（胡伯龙等，1997）。小农疏于勤奋劳作，原因在于劳动的边际生产率太低，低下的不富有经济刺激性的边际生产力，农户当然不愿投入更多的活劳动。由于边际收益小于边际成本，减少甚至中止这种经济行为恰恰是小农的理性表现。小农之所以储蓄和投资甚少，主要原因在于他们生活处于极端贫困，除了维持简单的温饱之外，难以有剩余去储蓄和投资。对于新技术的排斥也不能把原因归于小农不具有合作精神，实质上是小农在既定条件下对风险回避的一种理性反应，也就是说农户所抵触的并不是新技术本身，而是采用新技术所带来的风险。

综观世界农业史，由传统农业向现代农业的转变是一个相当漫长的历史进程。从总体上讲，中国农业正处在这一过渡时期，在这一时期农户的经济理性表现也具有特殊性。胡伯龙等（1997）对此作了详细阐述。过渡农户的经济理性首先表现为经济目标的双重性——收入增长和收入稳定。在市场经济浪潮下，农户的封闭保守受到了冲击，农户具有家庭致富愿望，他们开始涉足风险领域，不仅对农业的新技术表现出较大的兴趣，而且资金的投入也转向非农领域，以求增加收入。增加收入的冲动不断把农户推向市场，而市场经济秩序建立伊始所包含的巨大不确定性又使农户畏缩不前，再加上农户脆弱的经济基础经不起太大的风险，因此，争取收入增长只能在与收入稳定相协调下进行，收入稳定成为收入增长的限制条件，农户这种权衡和抉择是经济理性在过渡时期的重要体现。其次，农户以兼业化生产方式使收入增长与收入稳定双重经济目标的矛盾达到统一。一般说来，农户将种植业作为稳定收入的基本保证，在此前提下，根据市场行情和自身技术条件进行各种生产尝试，以求获得更多的经营收入，大多数农户就是采取这种多样化的兼业经营以分散经营风险，这是过渡时期农户经济理性的充分体现。最后，农业劳动力向非农产业转移缓慢也是农户在过渡时期的理性表现，主要原因是这一时期非农就业机会不充分，从总体上讲，以转移农业劳动力为主要载体的乡镇企业近年来发展受阻，很多城市的就业机会甚至满足不了城市就业者的需求，加之农业劳动力技术素质和文化水平普遍不高，在相当长的历史时期，绝大部分农业劳动力必须依赖于土地，形成以劳动密集型为主的生产经营方式，农业劳动力向非农产业转移缓慢是在外界条件束缚下农户正常的理性反应。

传统农业中小农经济行为及过渡时期农户的经济行为尽管是以理性为导

向，但他们受太多自身条件和外部因素的束缚，他们的经济理性基本上是以被动适应为主要特征的。而现代农户的经济理性无论是在生产还是消费方面都表现出高度的主动性（胡伯龙等，1997）。其原因在于农户自身素质的提高和外部条件因素发生了深刻变化，农户不再固守于自己的天地，而是以主动进取的精神迎接市场经济的挑战。现代农户的经济理性表现为：第一，有高度的组织性。在现代社会中各种经济因素盘根错节，纷繁复杂，许多因素影响农户的生产经营决策，有些因素是个人力量不能左右的，农户组织（如专业协会、农民专业合作社等）的形成和壮大使他们不再仅仅是市场价格的接受者，同时还可以在其他方面（如技术指导、资金支持、信息共享等）为农户争得利益，所以现代农户都愿意加入农民组织并且行使自己的权力。第二，现代农户受教育程度的提高，使他们既是新技术的接受者，也是新技术产生的促进者和新技术适应性的改造者。第三，现代农户进行经济活动方案选择所依赖的信息的充分性有了极大的提高。由于交流的加强、信息传递渠道的增加、传递时间的缩短，农户接受信息更加充分可靠，能更好地把握选择方向，实现预期效用的最大值。第四，实现了资源的最佳配置。在现代农业中，农户素质普遍提高，先进农业机器得到运用，新技术传播与运用日新月异，信息全面准确，农户进行资源配置时改变以往完全依靠个人经验进行决策，而是接受农民专业协会或合作组织的引导与指导，学习高效率资源配置模式，运用现代化手段进行择优，达到资源最佳配置。

3.2.2　约束条件下中国农户理性行为分析

中国农村市场环境的不完全决定了农户的行为大多是一种"条件最大化行为"。这种农村市场环境的不完全主要表现在：一是农户所获取的市场信息是不充分、不完全的；二是工农产品价格不合理，工农产品"剪刀差"仍然在众多农村地区广泛存在；三是农村保险市场不健全，农业生产缺乏风险转移和保护机制。彭文平（2002）分析指出，由于农村市场环境存在的上述难以克服的缺陷，农户的最大化行为受到以下条件的限制：①农户生产的多种目标约束；②农户实现最大化目标手段的有限性约束；③市场不完善的约束。在这些条件的约束下，农户的理性行为表现出以下两个重要特点。

1. 风险规避

农业生产及其运行存在着较大的风险，而农村无论是社会保障体系还是农业保险制度尚不完善。加之农业生产经营规模小，抵御风险的能力弱，因而，在农户的理性行为中，规避风险就成为重要的原则（彭文平，2002）。在这一原则影响下，农户在进行生产决策时要考虑各种可能出现的不利情况，为自己谋求一个在最不利的情况下可以接受的最小收益界限。这样，虽然某种生产决策在确定条件下是最优的，但如果由于风险的存在使得预期收益小于可接受的最小收益，那么，农户就不会选择这种确定条件下的最优决策，而是选择一种风险更小的决策，虽然这样不能使其实现利润的最大化，但可以保证其在最不利条件下得以生存。

风险规避对农户行为的影响可以用下面的模型来分析。在面临风险时，由于农户对保险有偏好，因而保险成为农户的效用函数。这样农户的效用最大化行为包括两个方面的含义：更高的收入和更多的保险，可以用图 3-1 来说明。图 3-1 中，横轴表示农业生产投入 X，纵轴表示农业产出 Y。农户的收成面临两种前景：好前景和坏前景，Y_1、Y_2 分别表示好前景和坏前景时农户面临的产量曲线，EY 是综合考虑两种可能前景时的预期产量曲线，TC 是总成本曲线。根据西方经济学理论，当总成本曲线的斜率和总产量曲线的斜率相等，即边际成本等于边际收益时，农户实现了利润最大化。这样，如果农户是风险中性的，它将选择 X_E 的要素投入，这时预期收入最大，等于 gh。但是，在 X_E 的投入上，一旦坏前景成为现实，那么农户得到的收入是 $-hi$，即亏损，在这种情况下，农户就可能无法生存。因而，规避风险的农户将选择 X_2 的要素投入，虽然这时预期收入小于 gh，但是在这个投入上，即使在坏前景下，农户也可以得到正的收益 de，也就是说，它虽然没有实现利润最大化，但给最低生存水平上了保险。所以，农户的避险行为实现了效用最大化，从这个意义上讲农户仍然是理性的。

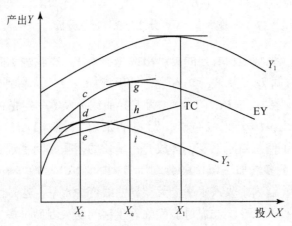

图 3-1 风险与农户理性行为分析模型

2. 生产-消费决策的不可分性

按西方经济学理论，在存在完全市场的前提下，同一个人可以把他的生产和消费决策作为两个独立的问题分开解决，这就是可分性原理。但是，可分性原理要适用于发展中国家的农户，必须存在完全的市场。如果农户面临的市场是不完全的，农户的要素投入和农产品产销都不是完全面向市场的，那么生产和消费决策就具有不可分性（文贯中，1989）。

由于我国劳动力市场不完全，农户一般不从劳动市场雇工，也难以将多余劳动向市场出售，农户生产和消费都是半自给，因而生产-消费决策的不可分性同样也是我国农户的理性行为的重要特点（彭文平，2002）。这一行为可用如下模型描述：由于劳动市场不完全，因而农户的劳动不存在准确的市场价格，但存在农产品的市场价格；同时，由于风险规避，每个农户都有一个可接受的最低收入水平，如图3-2所示。

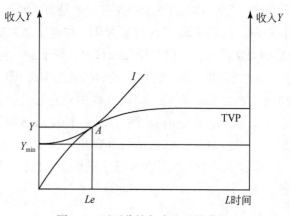

图 3-2　不可分性与农户理性分析

图3-2中，纵轴表示农户的总产出或总收入 Y，横轴表示农户的时间禀赋 L，分为劳动时间 Le（从左到右衡量）和闲暇 $L-Le$（从右到左衡量）。曲线 TVP 表示生产函数：$Y=Py \cdot f(Le)$。无差异曲线 I 表示一定量的收入和闲暇给农户带来的效用：$U=f(Y, L-Le)$，无差异曲线的斜率 $dY/d(L-Le)$ 表示主观工资率，即为了使总效用不变，多放弃一单位的闲暇时间主观上需要补偿的收入水平（也就是多增加一单位的劳动所带来的收入）。Y_{min} 表示农户可接受的最低收入水平，在这个收入水平上无差异曲线变为水平，这是因为若实际收入低于可接受的收入水平，农户可能面临着生存问题，因而再多的闲暇也不能使效用增加。所以，农户在进行生产决策时必须首先安排足够的劳动以生产出这

一最低收入。这样，农户的生产–消费决策可用最大化原理求解：

$$\text{Max } U = f(Y, \ L - Le) \tag{3-1}$$

$$\text{s. t. } Y = Py \cdot f(Le), \ Y \geqslant Y_{\min} \tag{3-2}$$

解得均衡条件：$\text{MU}_H/\text{MU}_Y = dY/d(L-Le) = \text{MVP}_L$，即边际劳动产品价值（$\text{MVP}_L$）等于主观工资率等无差异曲线的斜率（$\text{MU}_H/\text{MU}_Y$）。在图 3-2 中，均衡点是 A，这时农户投入 Le 的劳动获得 $L-Le$ 的闲暇和 Y 的收入。这个模型表明，由于劳动市场的残缺，农户在进行生产决策时，首先考虑的是满足家庭成员的消费需要，其次才会考虑满足市场需要。

3.3 农户经济运行的机制、特征与影响因素

3.3.1 农户经济运行机制探析

1. 产权——农户家庭所有制

农户经济作为家庭经济的构成形式之一，是居民在法律允许范围内，以家庭形式占有生产资料，独立自主地开展经济活动的过程。因而作为经济主体的家庭，是一种既不同于单个公民，又不同于企业法人的特殊民事主体，其经营形式近似于合伙经营。从所有制关系进行分析，农户经济运行的产权基础属于农户家庭所有制性质。这是因为，其一，农户经济是以自然人名义进行的，并承担无限责任。尽管家庭也是一种组织，但这更多的是一种自然属性的血缘性组织，而不是法人实体组织。其二，农户经济是由家庭成员个人出资进行的，国家和集体没有投资，家庭生产的剩余全由家庭个人分享。其三，家庭财产的排他性十分鲜明，家庭成员具有独占性，而非家庭成员则无法染指。但是，农户经济的这种产权所有制不等于传统意义上的私有制，从总体上看，它属于特殊形态的集体（社会）所有制经济。

2. 纽带——婚姻血缘关系

农户经济中各家庭成员间虽然也存在经济利益关系，并会计较利益得失，当利益分配不当时，也可能会影响家庭经济的效率。但这种利益关系在更多的时候只是排在第二位，而婚姻血缘关系则高于经济关系，是第一位的，经济关系要服从婚姻血缘关系，表现了一种亲缘经济的形态。这种亲缘型的家庭经济，在经济运行的结构上有一个重要特点，这就是生产—消费—投资三位一体，形成一个良性循环的自组织系统。首先，消费过程是对家庭相当一部分产

品（如农户家庭的农副产品）的直接消费；其次，家庭消费又是劳动力再生产的过程，分为体力的再生产和智力的再生产两部分；最后，投资活动还决定消费和生产水平。虽然投资是对现在消费的推迟，但这种推迟是增值性推迟。因为无论是人力资本投资，还是生产资本和金融资本投资，都会带来投资的增值，取得投资利润，尤其是直接用于家庭人力资本和生产资本的投资，会大力提高家庭的生产技术水平，获得更高的劳动生产率。

3. 动力——家庭效用最大化

农户经济具有基于一种亲缘性经济的特征，使它不同于企业只是单纯追求利润的最大化，而是追求家庭的最大福利，即家庭效用最大化，这是农户经济运行的动力所在。家庭效用最大化包括家庭消费效用的最大化、家庭生产经营收入的最大化和家庭投资利润的最大化。在这里，家庭消费是家庭效用的直接体现，消费水平和消费结构决定着家庭效用水平的大小。而家庭消费又不仅只是物质消费，还包括文化消费和精神消费。当然，家庭消费无论是物质的还是非物质的，都应该以一定的经济收入为基础。如果没有经济基础条件，家庭福利是不可能达到最大的。在家庭效用最大化目标的调控下，农户生产、消费、投资三者相互联系、相互制约、相互促进、相互调节平衡，协调整合为农户家庭经济系统。

3.3.2 农户经济行为的一般特征

一般而言，农户作为一个群体，其经济行为具有以下共有特征。

1）趋同性

农户的经济行为具有很强的趋同性，这是由农户的居住方式和文化习俗决定的。由于农户对土地的依赖性，他们一般是随地而居，居住比较分散，从而造成人际交往的不便。他们获得信息的途径有限，除政府引导外，主要依靠周围亲朋好友的交流与示范。因此，他们不愿意冒大的风险，以免造成家庭生活的起伏不定。而照搬别人的成功经验，无疑风险是最小的。于是，在中国农村就出现了大量的"专业村"、"专业乡"等。农户经济行为的趋同性，还源于农户文化习俗层面的因素，特别是农户科技文化水平的有限性，使得农户在农业生产实践中的创新性不足，创造性较差。一项农业技术在农村广泛传播，但很少有人能根据本地实际情况加以改良和改进，往往是随着传播范围的扩展，技术性能失效性越来越大。

2）稳定性

农户经济行为的稳定性，实际上根源于经济信息的不全面和小农意识。虽然在利益动机驱使下，农户都想追求收入最大化，但由于小农意识的存在，难以做到根据边际效益大于边际成本的原则来安排生产，更多时候求稳是农户生产经营决策的首要选择，以风险最小化作为生产经营的主要准则。与专业大户、家庭农场、农业企业等其他经济组织不同，农户的经营规模难以随意扩大与缩小，其经营目标是家庭收入或效用最大化，但要以收入稳定为前提。农户可以根据要素的边际价值相等的原则来均衡分配家庭资源，在有农外就业的情况下，可以通过兼业劳动、部分劳动力的转移等多种形式来获取收入的增加。

3）短期性

农户经济行为的短期性，与农户自身素质和经营环境有关。从自身素质来看，农户大多数是"万能"型经营主体。所谓"万能"，实则什么都干，但什么都不专、不精。农户缺乏真正的专业技能和超前的市场意识，于是一般的情况是，今天发现这个挣钱就种这个，明天发现那个挣钱就改种那个，赶潮流、跟风走，没有独立的经营研判和真正的经营方向。长此以往，造成农业产业结构的雷同与摇摆不定，难以形成现代农业生产应有的专业化、集聚化和规模化效应。从经营环境来看，由于农户经济行为具有很强的趋同性，很容易导致农产品市场过快饱和，如果不改变经营项目，农户就难以满足市场需求，从而危及其农业生产经营收益乃至农户家庭的生存。因此，在农户自身素质和经营环境的双重作用下，农户经济行为必然带有短期性。

4）独立性

农户经济行为的主体，一般是个体或家庭，这是由历史条件和现实原因决定的。自改革开放以来，农村家庭承包责任制的施行，从政策和制度上强化了农户经营的独立性和个体性。在社会主义市场经济深入实施的今天，个体经营的缺陷在某些条件下十分明显，但出于历史的原因和自身素质的限制，大多数农户还是不愿意选择与他人合作经营。常见的原因在于，农户担心在合作契约不稳定或违约行为无法有效惩处的情况下，自己的应得利益受到侵害而不能获得补偿，因而坚持个体或家庭独立经营，凭一己之力独自面对充满不确定性的市场就成为大多数农户的现实选择。

3.3.3 农户经济行为的影响因素

影响农户经济行为的因素是多方面的。从与农户经济行为关系的密切程度来看，可以分为直接因素和间接因素（林海，2003）。

1. 直接因素

（1）利益。在社会主义市场经济条件下，农户是自主经营的经济活动主体，提高经济效益，追求最大利润是其基本目的。农民与干部、工人、教师不同，仅仅靠努力工作是不够的。他们经济收入的增加，不仅需要认真努力的工作，而且需要善于经营。他们经营的好坏，直接影响其经济收入，影响一家人的生活状况。因此，农户是一个标准意义上的"经济人"。为了全家人的生存，追求最大利润是其当然的选择。经济利益是农户经济活动的根本动力。

（2）土地。土地是农业生产最重要的生产资料。土地的数量、质量是制约农户实现生产和经营目标的基本因素。我国农村有近 2.3 亿农户，全国农村固定观察点 2009 年的调查数据表明，每户平均经营耕地面积 0.47hm²，每个农业劳动力平均负担耕地面积 0.18 hm²，人均耕地面积更是低至 0.09 hm²。[1] 纵向比较，2009 年人均耕地是 1952 年 0.19hm² 的 47.37%，是唐朝时期人均耕地 1.19 hm² 的 7.56%；横向比较，只相当于世界平均水平（0.20 hm²）的 45.00%、美国（0.55 hm²）的 13.68%、巴西（0.31 hm²）的 29.03%、印度（0.13 hm²）的 69.23%。[2] 同时，耕地呈现细碎化的特点。2009 年，我国农户户均经营耕地块数达 4.10 块，其中不足 0.067 hm² 的就占 2.41 块。

（3）劳动。经济发展中，劳动是具有决定性作用的生产要素。在我国约有 2 亿农业劳动力处于隐性失业[3]状态的情况下，劳动力的数量一般不会构成约束因素。这意味着，劳动力的质量是制约我国农户生产经营活动的关键因素。当前我国农业劳动力的人力资本存量普遍低下已是不争的事实。2009 年我国农村劳动力中，小学及以下文化程度占 34.72%，初中文化程度占 49.81%，高中及以上文化程度仅占 15.47%。受过职业教育和培训的劳动力比率只占 9.43%，有专业技术职称的仅占 5.28%。[4] 劳动力水平的低下直接制约着农户对纯收入最大化的理性判断和行为能力。

（4）资金。资金是经济主体经济活动正常进行的物质基础。没有足够的资金，就无法从事正常的生产经营活动，资金短缺是农户在自主经营中遇到的最大困难之一。农户自有资金短缺，这是众所周知的事实。严重的问题是，农户利用社会资金的渠道不畅，无法自救，也很难找到他救的途径，从而使农户陷入资金严重缺乏的泥潭。2009 年农户借款总额中，有 61.68% 是从私人借得的，

① 数据来源于《中国统计年鉴 2013》相关数据计算。
② 数据来源于《中国农村统计年鉴 2012》相关数据计算。
③ 隐性失业，是指劳动者表面上就业而实际上从事与其教育水平或能力不相符的工作的一种社会现象。
④ 数据来源于《全国农村固定观察点调查数据汇编（2000～2009 年）》相关数据计算。

其中付息借款比重达 35.25%，而从正规金融机构得到的贷款仅占 37.09%。[①]

（5）技术。农户收入提高依赖农业劳动生产率的提高，科学技术是决定农业劳动生产率的关键因素。目前，我国农业科技发展水平与农户科技水平不容乐观。"十一五"期间，我国农业科技在经济增长中的贡献份额约占 50%，但农业科技成果的转化率只有 40% 左右，远低于发达国家 80% 以上的水平。[②]真正成效显著，形成规模化、产业化的技术不到 5%。农业科研的总体水平同世界先进水平相比相差 15～20 年。就农户对新技术的采用而言，目前农户在生产经营中积极依靠科技成果的占 33.3%，有一定关系但不重视的占 31.5%，基本上靠传统方式的占 35.2%（陈会营和郑强国，2001）。

2. 间接因素

（1）信息。信息是农户决策的基础和前提。农村大多处在半封闭状态，特别是中西部农村，信息不畅是已经成为农户经济发展的严重障碍。信息不畅主要表现在两个方面：一是农户所需要的技术、购销、市场信息传入不畅；二是农户要销售的产品信息传出不畅。正确通畅的信息会促使农户目标的顺利实现；错误或带有噪声的信息会增加农户实现目标的困难。据对湖北、江西、江苏、浙江和安徽 5 省 24 个村 359 户农民的调查，49.8% 的农户出现过信息失误。

（2）风险。任何经济活动在获得利润的同时，也会有一定的风险。一般来说，利润越大，风险也越大，利润与风险成正比。因此，农户在追求利润最大化时，也会充分考虑风险的存在，农户经过长期的自主经营锻炼，风险意识及承担风险的能力有一定的提高。在一般情况下，农户不愿意冒险经营；但在特殊情况下，如经济困难或利润极大时，也会"铤而走险"，从事经营活动。风险对农户的经济活动行为有重要的制约作用。

（3）市场。市场体系是否健全，市场结构是否合理，市场风险的大小，均构成农户实现经营目标的制约。农产品市场是完全竞争市场，由于农户经济行为的趋同性，使农产品的市场竞争十分激烈。要使农产品的竞争有所缓和，就需要提高农户的创新能力，这在短时间内是难以达到的。这是因为，当前我国的市场化程度还不高。据调查，农村经济较为发达的福建省，农村市场化整体发展程度才达到 53.2%，土地市场化程度仅为 22.6%。农户投入市场化份额最高的达 86.4%，最低仅为 18.7%（林鹰漳，2002）。

① 数据来源于全国农村固定观察点调查数据汇编（2000~2009）相关数据计算。

② http://news.xinhuanet.com/fortune/2011-11/08/c_111153743.htm。

（4）政策。政策约束在短期内一经形成就相对地被视为一种必然事件和刚性约束，因而，体现国家经济工作指导思想的各种政策，对人们经济生活、经济行为的影响也是长期的、深远的。农户是社会经济活动中的弱势群体，他们需要国家的扶植、指导。国家政策的任何调整、变化，都会影响到农户的既得利益。因此，国家政策是影响农户经济行为的重要因素。

（5）环境。"三农"作为社会大系统的一个组成部分，它的发展离不开社会的发展，社会成为"三农"发展的环境因素，社会政治经济环境的任何变化，都会深深地影响农户的经济行为，如"文化大革命""通货膨胀""金融危机""加入WTO"等。健康、良好的社会经济发展环境，会使农户收入增加；反之，会减少农户收入。根据社会经济环境的变化，适时地调整自己的经济行为，是农户必然的、正确的选择。

3.4 贫困农户与一般农户的差异分析

3.4.1 研究对象的选择

2010年，国家扶贫标准线为农民人均纯收入1274元，同期全国农民人均纯收入为5919元。受资料可获性影响，本部分讨论的贫困农户和一般农户的相关资料，借用《中国农村贫困监测报告》2011年发布的按农村居民人均纯收入五等份分组的农村居民家庭基本情况数据。在五等份分组中，20%低收入户的农民人均纯收入为1203.8元，低于并接近2010年的国家贫困线标准，这一组农户的家庭情况可以近似地等同为贫困农户家庭情况。20%高收入户的农民人均纯收入为6929.2元，略高于2010年全国农民人均纯收入平均水平，这一组农户的家庭情况可以近似地视同为全国农户家庭的一般情况，本书界定为一般农户。以下的分析基于以上对象界定而展开。

3.4.2 两者的对比分析

1. 家庭人口及资产构成特征

《中国农村贫困监测报告》表明（表3-2），贫困农户平均每户家庭人口规模较大。2010年，平均每户常住人口为4.8人/户，劳动力数量为3.3人/户，分别比一般农户的人口规模多出20个和22.2个百分点。每个劳动力负担人口数上，贫困农户相对较重，每个劳动力达到1.5人，比一般农户高出0.2人。

较多的人口使得贫困农户对耕地资源的人均占有水平进一步下降。2010 年，贫困农户人均耕地面积 2.1 亩/人，比一般农户少 27.59 个百分点。与此同时，贫困农户家庭资产积累相对较少，拥有的生产性固定资产原值和住房面积都少于一般农户。2010 年，贫困农户拥有的年末生产性固定资产原值为 7001.0 元/户，其中钢混结构原值 3534.8 元/户，分别比一般农户少 1.14 个、7.44 个百分点。在住房面积上，贫困农户达到 20.4m²/人，其中钢混结构面积为 3.0m²/人，分别比一般农户少 36.65 个、62.50 个百分点。较多的人口基数和较少的资产积累水平，使得本已贫困的农户家庭与其他农户的发展差距进一步拉大。

表 3-2　中国贫困农户与一般农户家庭人口及资产构成情况（2010 年）

项目	单位	贫困农户	一般农户
1. 平均每户常住人口	人/户	4.8	3.5
2. 劳动力数量	人/户	3.3	2.7
劳动力负担人口	人/劳动力	1.5	1.3
3. 耕地面积	亩/人	2.1	2.9
水田、水浇地面积	亩/人	0.5	1.0
4. 住房面积	m²/人	20.4	32.2
钢混结构面积	m²/人	3.0	8.0
住房价值	元/m²	216.9	270.4
5. 年末生产性固定资产原值	元/户	7 001.0	7 081.7
钢混结构原值	元/户	3 534.8	3 818.8

资料来源:《中国农村贫困监测报告 2011》

2. 家庭人力资本积累特征

表 3-3 显示，贫困农户家庭劳动力的受教育水平明显低于一般农户。2010年，贫困农户家庭劳动力中，高中及以上文化程度的劳动力比重仅占 9.6%，比一般农户少 40.74 个百分点。相反，贫困农户小学及以下文化程度的劳动力比重却高达 46.0%，比一般农户高出 25 个百分点，贫困农户文盲或半文盲劳动力比重更是比一般农户高出 56.25 个百分点。可见，贫困农户劳动力受教育程度较低，制约了贫困地区的经济发展。值得欣慰的是，在儿童入学率方面，贫困地区义务教育阶段儿童入学率同以往相比有了较大提高。《中国农村贫困监测报告 2011》对扶贫重点县的监测显示，2010 年 7～12 岁儿童在校率达98.3%，13～15 岁儿童在校率达 96.8%。值得指出的是，在各年龄段，女童的在校率稍低于男童，入学儿童在校率的性别差距并不明显。这反映出贫困地区农户近年来在人力资本投资上意识的较大转变。

表 3-3　中国贫困农户与一般农户家庭劳动力文化程度现状（2010 年）

（单位:%）

项目	贫困农户	一般农户
1. 文盲或半文盲	12.5	8.0
2. 小学	33.5	29.0
3. 初中	44.5	46.9
4. 高中	7.3	10.7
5. 中专	1.4	3.2
6. 大专及以上	0.9	2.3

资料来源:《中国农村贫困监测报告 2011》

3. 家庭收入及构成特征

2010 年，贫困农户家庭全年人均纯收入 1203.8 元，仅为一般农户人均纯收入的 17.37%。在贫困农户的人均总收入中，人均现金收入为 1524.1 元，占人均总收入的 67.73%，而一般农户现金收入占总收入的比重为 81.21%。这说明贫困农户的收入水平仍然很低，并且收入的流动性较差，现金支付能力低于一般农户所表现的支付能力。在纯收入的构成上，贫困农户和一般农户均以家庭经营收入来主要来源，家庭经营收入占纯收入的比重均在 50% 以上，但贫困农户的工资性收入比一般农户低近 4 个百分点，说明贫困农户的收入来源渠道仍然十分狭窄，收入结构比较单一。

表 3-4　中国贫困农户与一般农户家庭总收入及纯收入构成情况（2010 年）

（单位：元/人）

项目	贫困农户	一般农户
1. 全年总收入	2 250.1	8 814.9
工资性收入	393.2	2 535.7
家庭经营收入	1 634.4	5 508.2
2. 全年纯收入	1 203.8	6 929.2
工资性收入	393.2	2 535.7
家庭经营收入	619.1	3 684.4
财产性收入	20.7	139.3
转移性收入	170.8	569.9
3. 全年现金收入	1 524.1	7 158.3
工资性收入	392.1	2 530.7
家庭经营收入	921.0	3 911.6

资料来源:《中国农村贫困监测报告 2011》

4. 家庭生产与投入特征

生产方面，从主要农产品的生产量来看，相比一般农户，贫困农户人均农产品的生产量较为低下。表 3-5 显示，2010 年贫困农户人均生产谷物 340.2kg，蔬菜 77.2kg，肉类（猪肉、牛肉和羊肉）20.2kg，相当于一般农户人均粮食、蔬菜和肉类生产量的 43.87%、41.89% 和 33.3%。从年末存粮水平看，贫困农户人均 321.7kg，相当于一般农户 60.48% 的水平。

表 3-5　中国贫困农户与一般农户家庭主要农产品产量（2010 年）

（单位：kg/人）

项目		贫困农户	一般农户
1. 主要农产品产量	谷物	340.2	775.5
	棉花	1.6	18.0
	油料	9.7	32.2
	蔬菜	77.2	184.3
	水果	18.8	73.9
	猪肉	15.7	47.9
	牛肉	2.0	5.9
	羊肉	2.5	6.8
	家禽	2.2	5.2
	禽蛋	1.5	8.4
	奶类	3.6	20.1
2. 年末存粮		321.7	531.9

资料来源：《中国农村贫困监测报告 2011》

投入方面，贫困农户生产费用投入相比一般农户要高。2010 年，贫困农户人均生产费用支出 915.2 元，人均生产费用支出占家庭总支出的比重比一般农户高 6.21 个百分点，说明贫困农户近年来倾向于为改善家庭生活境况而注重生产投入。在生产费用支出构成中，贫困农户家庭经营费用支出的占比却明显低于一般农户，2010 年贫困农户家庭经营费用支出比重仅为 7.50%，比一般农户低 4.32 个百分点（表 3-6）。

表 3-6　中国贫困农户与一般农户家庭生产费用支出情况（2010 年）

（单位：元/人）

项目	贫困农户	其他农户
总支出	2 895.1	6 617.4
生产费用支出	915.2	1 680.9
家庭经营费用支出	68.6	198.7

资料来源：《中国农村贫困监测报告 2011》

5. 家庭生活消费特征

贫困农户家庭的生活消费特征，突出表现在以下两个方面。

其一，贫困农户满足基本生存需要的消费结构明显。表3-7显示，2010年贫困农户用于满足基本生存需要的吃、穿、住三项支出额分别为984.5元、106.4元、257.5元，三项合计1348.4元，占生活消费支出总额1795.2元的比重高达75.11%，这一比重比一般农户高出7.8个百分点。而且，在贫困农户消费支出总额中，食品支出所占的比重（即恩格尔系数）为54.84%，大大高于一般农户的41.68%的水平。从恩格尔系数取值范围看，一般农户处于小康水平，而贫困农户仅仅处于温饱阶段。

表3-7　中国贫困农户与一般农户家庭生活消费支出情况（2010年）

（单位：元/人）

项目	贫困农户	一般农户
生活消费支出	1 795.2	4 319.1
现金支出	1 334.8	3 557.6
1. 食品	984.5	1 800.3
2. 衣着	106.4	240.0
3. 居住	257.5	867.0
4. 家庭设备用品及服务	78.3	251.2
5. 医疗保健	130.8	429.0
6. 交通通信	102.4	328.0
7. 文教娱乐用品及服务	108.4	323.8
8. 其他商品及服务	27.0	79.8

资料来源：《中国农村贫困监测报告2011》

其二，贫困农户家庭耐用消费品拥有量相对不足。受收入水平的制约，贫困农户家庭耐用消费品拥有量与一般农户相比还有很大差距。表3-8显示，2010年，贫困农户每百户拥有冰箱冰柜23.8台、彩色电视机94.8台、自行车46.5辆、摩托车45.0辆、固定电话和移动电话128.4部，分别为一般农户家庭年末耐用消费品拥有量的52.65%、84.79%、48.44%、76.27和65.08%。

表3-8　中国贫困农户与一般农户家庭主要耐用消费品拥有量（2010年）

项目	单位	贫困农户	一般农户
冰箱冰柜	台/百户	23.8	45.2
彩色电视机	台/百户	94.8	111.8

项目	单位	贫困农户	一般农户
自行车	辆/百户	46.5	96.0
摩托车	辆/百户	45.0	59.0
固定电话和移动电话	部/百户	128.4	197.3

注：受数据可获性影响，本表所列贫困农户、其他农户分别用全国扶贫开发重点县农户和中国农村住户家庭的平均水平代替

资料来源：《中国农村贫困监测报告 2011》、《中国住户调查年鉴 2011》

6. 社区环境与自然资源特征

从社区基础设施来看，贫困农户所在社区的公路、通信、供水、电视收看基础设施等虽有所改善，但与其他农户相比仍有相当大的差距。表 3-9 显示，2001 年在公路、通信、供水、电视收看基础设施等方面，贫困农户比一般农户分别低 5.2 个、14.5 个、14.1 个、2.8 个百分点。另外，在自然条件与自然资源方面，贫困农户所在地总的来说自然条件较差，自然资源短缺。贫困农户生活在山区的比重高达 48.3%，而一般农户只占 22.7%。贫困农户粮食产量很低，平均粮食产量为 3031.5kg/hm²，比一般农户低 32.1%。

表 3-9　中国农村贫困农户社区环境与自然资源特征比较（2000～2001 年）

项目		贫困农户		一般农户		全国平均	
		2001 年	2000 年	2001 年	2000 年	2001 年	2000 年
1. 社区基础设施	所在村通公路的比重/%	91.3	90.1	96.5	95.5	96.0	95.0
	所在村通电话的比重/%	77.8	68.6	92.3	89.2	90.8	87.0
	所在村能看电视节目的比重/%	95.6	95.3	98.4	98.1	98.3	98.1
	农户通电的比重/%	96.0	95.0	98.6	98.5	98.1	97.8
	农户有安全饮用水的比重/%	54.3	52.0	68.4	66.2	67.0	64.7
2. 自然条件与自然资源	山区户比重/%	48.3	47.8	22.7	22.9	25.3	25.3
	土地拥有量/(hm²/人)	0.14	0.14	0.13	0.13	0.13	0.13
	粮食产量/(kg/hm²)	3031.5	3306.0	4435.5	5442.0	4435.5	4435.5

注：在最新的中国农村贫困监测报告中，未有按收入分组的社区基础设施和自然条件与自然资源的相关数据，故本表数据没有更新

资料来源：《中国农村贫困监测报告 2002》

3.4.3　基本结论

通过上述对比分析可以发现，相比一般农户，贫困农户无论是经济差距还

是社会差距都是明显的，其差距特征主要表现在：①贫困农户家庭劳动力素质低、负担重，就业结构单一，乡内就业比重占90%，且88%集中在农业；②贫困农户家庭收入低、家底薄，收入水平落后全国10年左右，拥有的生产性固定资产与耐用品等资产储备不足；③贫困农户家庭农产品生产量和销售量低下，投入水平低且渠道单一，以农业尤其是种植业投入为主，维持性投入特征十分明显；④贫困农户家庭生活消费水平低，满足基本生存需要的消费结构明显，生活消费的自给性特征明显；⑤贫困农户家庭所在社区发展环境差，自然资源短缺。

由此，新阶段的反贫困对策设计必须充分考虑贫困农户的上述差距，有必要找出差距所在的主客观和内外部原因，对症下药，方能真正实现贫困农户的脱贫致富奔小康的最终目标。

3.5　反贫困进程中农户、贫困县与上级政府的博弈

由于贫困县是我国实施区域开发式和集中连片扶贫战略制定和实施的基本单元和依托单位，因而在反贫困进程中，贫困县处于一个核心和特殊的位置。与上级政府博弈时，贫困县代表着贫困农户利益；与贫困农户博弈中，贫困县又代表着政府立场（张新伟，2001）。在这里，本书以专项扶贫项目为例来分析农户与贫困县、贫困县与上级政府之间的博弈行为，并试图弄清反贫困各参与主体之间的行为特征和行动机理。

3.5.1　贫困农户与贫困县的"智猪博弈"分析

博弈论（game theory）是现代经济学的基础理论之一，在假定"局中人（player）"理性的前提下，研究人们的决策选择及相应的均衡问题。"智猪博弈"是其经典案例之一。该案例说的是猪圈里有两头猪，一头大猪，一头小猪。猪圈的一头有一个猪食槽，另一头安装一个电钮，控制猪食的供应。按一下电钮会有10个单位的猪食进槽，但谁按电钮就需要付2个单位的成本。两头猪的选择是等待（让对方按钮）或按钮（自己主动按电钮）。在不同的选择之下，各自得到的结果不同。如果大猪按电钮，小猪等待，大猪可得猪食6个单位，扣除成本后得4个单位，小猪亦得4个单位。如果小猪按电钮，大猪等待，大猪得猪食9个单位，小猪得1个单位，扣除成本后得–1个单位。如果同时按，大小猪各得猪食7个与3个单位，扣除成本后，各得5个与1个单位。如果谁都不按，无食可吃，皆为零。

在这两种可能的选择中，小猪的选择一定是等待，因为大猪按电钮时，小猪的收益最大（吃4个单位食物），其他选择都不如它。即使大猪不按电钮，小猪自己也不能按（因为按电钮的结果得–1个单位）。而大猪则必须采取主动按电钮的策略，因为不去按，自己也吃不到任何东西，按电钮则可以吃到4个单位食物。

这个博弈案例表明，在博弈双方力量不对等的情况下，力量强的一方的最优策略是主动出击，力量弱的一方的最优策略是等待，搭强者的便车。这个案例可以说明并解释许多现象。在专项扶贫项目实施中，借助外界利益的介入，农户与贫困县间的博弈关系是典型的"智猪博弈"。面对外来利益即中央的专项扶贫资金，贫困县具有明显的优势，它控制着信息渠道和资源的实际供给。"智猪博弈"是合作博弈，对于贫困县，它的利益不仅仅是在与农户的博弈中瓜分来自上级的扶贫投入，它的收益还包括根据项目完成情况所决定的政绩，所以它需要与农户的合作，从而达到完成项目的目的或达到共同应对上级监督检查的目的。农户也需要从与贫困县政府合作中获得资金、技术、信息等免费的资源。它也是一个不稳定均衡、利益分割的状况，不仅与两者的力量对比有关，还与外部上级政府的监督有关。

基于上述分析，也就不难理解为何在扶贫过程中有的农户表现为很强的依赖思想，即"等、靠、要"行为，放弃自食其力、自力更生的正常劳动完全等待政府的救济支持，从对政府的绝对依附顺从中获得利益。产生这种行为的原因有多种可能。首先，我国原有的扶贫是一种救济式扶贫，为贫困农户无偿提供粮食、资金等，使得部分贫困农户形成了依赖等待思想；其次，很多扶贫项目的实施是不连贯的，往往一个扶贫项目只有开头而没有结果，很多农户的劳动与生产热情被一次次的项目执行失败所浇灭，最后不得不采取附会顺从的行为，因为采取依赖行为对其是有利的；再次，部分地方官员在项目立项和执行过程中形成的"吃拿卡要"等腐败行为，使贫困农户对扶贫项目正常运转可能带来的好处丧失了信心；最后，面对强势政府，一些不具备扶贫项目实施条件的农户被强制进行，农户在不能选择反抗的情况下，只有选择依赖行为，顺应政府的要求。

3.5.2 贫困县与上级政府的"混合策略"博弈分析

贫困县及其上级政府在反贫困进程中的角色，实际上是一种"委托-代理"关系。委托人即上级政府是行为影响的一方，它的行动目标是消除绝对贫困，实现社会稳定发展；代理人即贫困县是行为人，它的行动目标则是具体负责调度与使用上级政府分配的扶贫资源。在委托人对代理人监督不力和扶贫资源的投向不可观测的情形下，贫困县为得到上级政府下一期较为丰厚的扶贫投入，会将有限的扶贫资源按其意愿投放到对当地经济发展有益的项目上，同时把贫困农户的贫困状况作为要价条件，继续要求上级政府增加至少维持投放扶贫资源。这样代理人贫困县在达到他们自己的目的时，就有可能偏离上级政府特别是中央政府既定的扶贫宗旨和目标，有时候甚至不惜以牺牲委托人的利益为代价，消极脱贫由此成为贫困县的一种理性选择。

这里可以借助支付矩阵（图3-3）来具体分析两者之间的行为选择。

图 3-3　贫困县与上级政府的博弈矩阵

在这个博弈模型中，贫困县有两个策略选择：脱贫或不脱贫；上级政府也有两个策略选择：扶贫或不扶贫。上级政府想帮助贫困县，但财力是有限的，后者必须尽力寻找方法脱贫，否则，这种帮助是上级政府无法负担的，是无意义的，上级政府将选择不予帮助；而贫困县往往在得到帮助后，安于现状，不思进取，相反，在得不到上级政府帮助时才会想办法脱贫，但又面临资金不足的困境。上述矩阵可以描述为函数形式如下：“U_A（扶贫，脱贫）= 3；U_B（扶贫，脱贫）= 2”；“U_A（不扶贫，脱贫）= −1；U_B（不扶贫，脱贫）= 1”；“U_A（扶贫，不脱贫）= −1；U_B（扶贫，不脱贫）= 3”；“U_A（不扶贫，不脱贫）= 0；U_B（不扶贫，不脱贫）= 0”。

在此博弈问题中，不存在事前的不确定性，称其为完全信息的，所有参与人同时选择行动且只选择一次，称其为“静态”的，即这是一个完全信息静态博弈模型。通过分析可知，在这一博弈模型中，若给定上级政府扶贫，贫困县的最优策略是不脱贫；给定贫困县不脱贫，政府的最优策略是不扶贫；给定上级政府不扶贫，贫困县最优策略是脱贫；而给定贫困县脱贫，上级政府的最优策略是扶贫。这是一个典型的混合策略纳什均衡问题。进一步分析可知，若上级政府选择扶贫的概率为1，即一定扶贫，则贫困县的最优策略一定是不脱贫；即使上级政府选择扶贫的概率为0.5，即扶贫或不扶贫的可能性各占一半，也仅会引导0.2的贫困县去试图寻找办法脱贫。而当前地方政府一味地想通过无偿拨款来使贫困县摆脱贫困，显然是难以甚至无法达到其预期目的的。

3.6 本章小结

在分析和探讨农户具体的经济行为之前，界定、评述与农户经济相关的基本概念，构建分析的理论框架，为后续研究的开展作好铺垫和准备，不仅在方法上是必需的，而且在内容安排上是必不可少的。本章首先界定了与农户经济密切相关的家庭、住户和农户三个最基本的概念，通过对农户性质的全面分析发现，当前我国农户既不属于传统农户，也不同于现代农户，而是介于二者之间的过渡农户，对这一性质的认定将有助于本书对农户各种经济行为的合理把握，并从三个方面论述了加强农户经济行为研究对区域反贫困的重要意义。其次，对于经济理性的理解是研究农户经济行为的前提，结合前文对农户性质的分类和认定，本书对我国传统农户、过渡农户和现代农户的经济理性行为进行了一般解读，并着重分析了约束条件下中国农户理性行为的表现及特点。再次，基于过渡农户性质的认定和有限理性行为特点的认知，本书从理论上分析探讨了我国农户经济行为的一般特征、影响因素和运行机制。为深入把握贫困农户和一般农户的行为差异，为后续章节的研究作好铺垫，本章从六个方面剖析考察了贫困农户与一般农户的行为特征。最后，运用博弈论基本原理，对区域发展和反贫困进程中三个基本参与主体——农户、贫困县及其上级政府之间的相互关系进行了博弈分析。

　　农业的发展，一靠政策，二靠科技，三靠投入。其中，政策是先导，科技是核心，投入是关键。农业投入直接决定着农业再生产的补偿和扩张能力。随着中国市场经济体制的建立和完善，以及中国加入 WTO 的客观要求，农业投资主体发生了显著的变化，从过去的国家、集体为主的单一投资组合转变为以国家财政投入为导向，以金融部门信贷资金为支柱、以农村集体和农户投入为基础的多元化农业投入的新格局。其中最为显著的特征就是由于家庭承包责任制的确立和深化，农户在新的投资结构中已占据主导地位（表4-1）。农户作为经济行为微观主体，既是生产组织，又是消费单位，其经济活动是多方面的，其中包括投资、消费、储蓄、借贷、技术应用等。而农户投资作为农户经济行为研究的主要方面，是解析农户行为逻辑的"窗口"。因为农户投资的数量影响到未来收入的高低，农户投资的方向决定着农村产业结构的发展趋势。因此，研究中西部地区农户的投资行为以发挥农户微观投入的潜力和优势，保护和激励农户对农业生产持续投入的积极性，对实现农户家庭收入的稳定增加和区域农业和经济可持续发展具有很强的现实意义。

表4-1　中国农业投资的比例构成（1980~1997 年）　　（单位:%）

年份	政府	集体	企业	农户	外资	全部
1980	29	50	8	13	0	100
1981	18	52	10	20	0	100
1982	23	36	13	27	1	100
1983	27	15	16	41	1	100
1984	22	20	16	40	2	100
1985	20	18	16	43	3	100
1986	19	19	16	43	3	100
1987	17	23	16	42	2	100
1988	12	24	17	44	3	100

年份	政府	集体	企业	农户	外资	全部
1989	16	22	23	49	1	100
1990	18	17	21	40	4	100
1991	18	18	20	39	5	100
1992	19	19	23	34	5	100
1993	17	15	24	33	11	100
1994	17	23	22	32	6	100
1995	15	28	10	55	6	100
1996	14	27	8	46	5	100
1997	15	29	8	44	4	100

资料来源：刘承芳等（2002）

4.1 农户投资的概念界定及其形式

经济学研究中，投资与资本是一对密切相关的概念。Keynes（1936）在《通论》中指出，通俗意义上的投资是指一个私人或一个法人购买一件新的或旧的资产，同时他认为，投资应包括一切资本设备之增益，不论所增者是固定资本还是流动资本。Samuelson（1989）在其名作《经济学》中论及投资问题时指出，对于经济学家而言，投资的意义总是实际的资本形成——增加存货的生产，或新工厂、房屋和工具的生产，即房屋、设备和存货的净增加额。对于一般人而言，投资的意义仅仅是购买几只股票，购买地基或开立储蓄存款的户头。但仅就这种行动而论，经济学家认为投资和储蓄都没有增长。只有当物质资本形成产生时，才有投资；只有当社会的消费少于它的收入，把资源用于资本时才有储蓄（萨缪尔森，1989）。J·哈维（1985）在《现代经济学》中指出，投资是一定时期花在资本货物（房屋、工厂、机器等）生产上或净增加存货（原材料、商店中的消费品）上的支出。只有当资本货物或存货有实际净增加时，才产生投资。

可见，投资的含义受到资本涵盖范围的影响。而关于资本的定义，正如查尔斯·P. 金德尔伯格（1991）所言："在任何情况下，资本的定义都是武断的，但在不发达国家中要比发达国家更为武断。例如，教育被划入消费之列……但它越来越被视为'在人力资本上的投资'。"金德尔伯格的论述表明，资本不应仅仅包括通常意义上的物质资本，还应包括人力资本。对于人力资本的表述，最有影响力的当属 Schultz 和 Bechker 的研究。Schultz（1960）最早提到人力资本思想时指出："人们获得了有用的技能和知识……这些技能和知识是一种资本形态，这种资本在很大程度上是慎重投资的结果。""本书之所以称这种资本为人力的，是由于它已经成为人的一部分，又因为它可以带来未来的满足或者收入，所以将其称为资本。"之后 Bechker（1987）对人力资本作了明确的定义，即人力资本为体现在人身上的资本，如劳动者的智力、知识、技能和健康等。Bechker 认为，所有用于"增加人的资源并影响未来货币收入与心理收入的活动"构成人力资本投资，而人力资本投资是多方面的，其中主要是教育支出、保健支出、劳动力国内流动支出或用于移民入境的支出等形成的人力资本。

我国学者朱舟（1999）对人力资本作过比较完整的表述，"人力资本是指通过劳动生产力市场工资和薪金决定机制进行间接市场定价的，由后天学校教育、家庭教育、职业培训、卫生保健、劳动力迁移和劳动力就业信息收集与扩展等途径而获得的，能提高投资受体未来劳动生产率和相应劳动市场工资的、凝结在投资受体身上的技能、学识、健康、道德水平和组织管理水平的总和"。张改清和王孟欣（2004）认为，人力资本是指通过教育、培训和健康等投资，以及劳动力迁徙等手段而凝结在人身上的知识、品质及能够提高劳动效率的技能存量总和。

按照资本外延的扩大，本书在此将投资扩展为物质资本投资与人力资本投资两种形式，并将投资定义为：一定的经济主体为获得预期不确定收益的一种现期投入的过程。根据这一概念，农户投资可以界定为：农户为追求自身效用最大化而投入资金及形成相应资本的过程。这里的资本指农户物质资本和人力资本。其中，农户物质资本指农户在生产经营过程中所耗费的一切生产资料，包括两部分：一部分是当年全部转化为产品的物质投入，如化肥、农药、地膜、柴油、农家肥、自留种等；另一部分为逐年转化为产品的固定资产，如牲畜、大中型铁木农具、运输用大中小型拖拉机、生产用房等。农户人力资本指通过对农户家庭人口的教育投资、技术培训、健康投资及劳动力流转而形成的凝结在人体中能使价值增值的知识、体力和技能存量的总和。

本书接下来的分析中，将首先对一般意义上的农户投资①即物质资本投资

---

① 从既有文献来看，当前学术界在使用农户投资这一术语时，通常包含两层含义，一是农户的生产性和非生产性投资（如股票、债券等家庭外投资）的总和，二是专指生产性投资的总和。在我国，尤其是中西部地区，受收入水平限制，加之资本市场发育水平低下，农户很少涉及非生产性投资，如2009年西部农户家庭经营外投资额仅占其家庭全年总支出的0.43%，东部农户也仅占0.81%，因而本书重点分析的是农户生产性投资行为。在指标选择上，本书以人均生产费用支出来衡量农户生产性投资水平，它包括家庭经营费用支出（短期投资）和购置生产性固定资产支出（长期投资）两部分。如果没有特殊说明，本书的农户投资即是指农户生产性物质资本投资。

情况，从农户投资水平、结构变动趋势及其影响因素等方面进行考察，最后对农户投资的特殊意义即人力资本投资进行专门探讨和阐释。

4.2　中西部地区农户投资行为的统计分析

本部分所用数据资料来源于中共中央政策研究室和农业部农村固定观察点办公室发布的《全国农村社会经济典型调查数据汇编（1986～1999）》和《全国农村固定观察点调查数据汇编（2000～2009）》农户固定观察数据。需要指出的是，由于1992年和1994年观察点系统因故未开展全国性的调查，故这两年的数据缺乏，本书在分析中对这两年的数据进行了平滑处理，即对缺失年份的数据通过求前后两年的算术平均数来加以填补。此外，因2003年后全国农村固定观察点部分指标统计变动，书中有部分数据（如作物种子投入金额、农户家庭第一产业投工量等）只能更新至2003年。

4.2.1　投资水平的变化及趋势

反映农户投资水平，可以通过人均生产费用支出、人均生产费用现金支出、人均家庭经营费用支出（短期投资）、人均生产性固定资产支出（长期投资）等4项指标来衡量。

人均生产费用支出反映农户总体投资水平。表4-2显示，1986～2009年中西部地区农户人均生产费用支出有较大增长。从增长速度看，东部最快，西部次之，中部最慢。2009年西部地区农户人均生产费用支出2255.54元，同1986年相比，增长11.73倍，年均增长11.69%；中部地区农户人均生产费用支出2159.86元，比1986年增长8.83倍，年均增长10.45%。同期，东部地区农户人均生产费用支出增长12.60倍，年均增长12.02%。从绝对量上看，三大地区农户人均生产费用支出在绝大多数年份是不断增加的，且呈现阶段性变化特征。1986～1997年，三大地区农户人均生产费用支出总额，东部>中部>西部；1998～2009年，西部地区农户人均投资额超过中部地区农户，表现为东部>西部>中部。

表4-2　东中西部地区农户人均生产费用支出与现金支出比重（1986～2009年）

年份	人均生产费用支出总额/元			现金支出所占比重/%		
	东部	中部	西部	东部	中部	西部
1986	281.69	219.69	177.21	80.03	65.43	62.23

年份	人均生产费用支出总额/元			现金支出所占比重/%		
	东部	中部	西部	东部	中部	西部
1987	374.60	284.32	189.61	79.79	70.87	66.16
1988	521.91	359.47	274.58	83.03	74.95	71.33
1989	567.07	403.78	291.78	82.91	73.98	72.44
1990	525.36	367.54	305.49	83.23	72.48	73.03
1991	683.16	405.17	341.09	87.36	76.75	76.61
1992	809.99	463.54	454.49	86.48	74.26	75.60
1993	938.86	524.30	572.32	85.82	72.25	74.98
1994	1 113.95	749.42	751.01	87.16	71.32	71.87
1995	1 294.02	983.04	933.46	88.16	70.81	69.93
1996	1 585.09	1 096.53	989.47	86.06	70.21	70.39
1997	1 625.41	1 068.81	1 029.05	82.76	70.36	68.24
1998	1 811.76	994.21	1 050.10	73.54	69.66	69.79
1999	1 911.30	1 016.96	1 027.23	73.97	71.01	71.26
2000	1 914.37	992.54	1 096.08	67.04	67.85	63.71
2001	2 124.02	988.38	1 251.83	62.28	67.61	48.08
2002	1 902.22	1 123.46	1 354.69	63.51	67.24	51.13
2003	2 345.59	1 202.22	1 510.20	65.99	73.63	69.24
2004	2 369.08	1 303.64	1 898.43	66.33	76.41	55.37
2005	2 597.87	1 454.32	1 871.28	69.74	80.09	60.76
2006	2 449.80	1 449.46	2 133.12	69.43	84.39	59.61
2007	3 203.17	2 615.94	1 665.96	60.83	53.92	76.02
2008	3 448.87	1 920.67	2 066.90	63.13	78.22	71.75
2009	3 831.91	2 159.86	2 255.54	85.78	82.41	78.23

资料来源：1986~1999 年数据来自《全国农村社会经济典型调查数据汇编（1986~1999）》；2000~2009 年数据来自《全国农村固定观察点调查数据汇编（2000~2009）》

现金性支出占生产费用总支出的比重反映农户的现金投资能力大小。由表4-2 可见，三大地区农户投资均是以现金投资为主。中部地区农户比重在65%以上（2007 年稍低），西部地区农户绝大多数年份在60%以上，而东部地区农户在2000 年之前在70%以上，2000 年以后趋于降低，基本不足70%。特别需要指出的是，2000 年随着国家西部大开发战略的深入推进，国家加大了对西部地区包括农户在内的各类补贴和投入支持，西部地区农户的现金投入水平在

21 世纪增长迅速，由 2001 年的 48.08% 增加到 2009 年的 78.23%，增长了 30.15 个百分点。

在农户生产费用支出中，三大地区农户投资均以短期投资（家庭经营费用支出）为主，但变动趋势不同。表 4-3 显示，西部地区农户短期投资呈下降趋势，相应地长期投资（生产性固定资产支出）呈上升趋势，2009 年西部地区农户购置生产性固定资产支出比重达 10.55%，比 1986 年提高 2.74 个百分点。相比西部地区农户，东部和中部地区农户短期和长期投资的比重变化幅度不大，短期投资都维持在 90% 左右。值得指出的是，1998 年开始的大多数年份，生产性固定资产所占比重西部>中部>东部，这反映出在全国农户收入增速放慢的情况下，收入水平较低的西部地区农户更愿意通过追加长期投资来增加收入，改善生产生活状况。

表 4-3　东中西部地区农户短期与长期投资构成比较（1986～2009 年）

（单位:%）

年份	家庭经营费用支出所占比重			购置生产性固定资产所占比重		
	东部	中部	西部	东部	中部	西部
1986	92.16	90.33	92.19	7.84	9.67	7.81
1987	89.62	87.81	90.29	10.38	12.19	9.71
1988	89.48	88.41	89.88	10.52	11.59	10.12
1989	91.03	89.07	89.49	8.97	10.93	10.51
1990	90.97	90.17	89.90	9.03	9.83	10.10
1991	87.53	89.19	90.22	12.47	10.81	9.78
1992	85.69	90.61	88.71	14.31	9.39	11.29
1993	84.33	91.75	87.77	15.67	8.25	12.23
1994	84.28	90.70	90.44	15.72	9.30	9.56
1995	84.24	90.13	92.12	15.76	9.87	7.88
1996	85.98	92.36	89.69	14.02	7.64	10.31
1997	93.92	92.03	92.16	6.08	7.97	7.84
1998	92.94	92.16	89.33	7.06	7.84	10.67
1999	93.91	92.81	91.41	6.09	7.19	8.59
2000	94.82	94.20	85.40	5.18	5.80	14.60
2001	94.33	93.06	91.07	5.67	6.94	8.93
2002	93.93	91.79	92.51	6.07	8.21	7.49
2003	93.37	89.17	89.46	6.63	10.83	10.54

年份	家庭经营费用支出所占比重			购置生产性固定资产所占比重		
	东部	中部	西部	东部	中部	西部
2004	92.51	88.22	92.63	7.49	11.78	7.37
2005	93.76	89.69	90.54	6.24	10.31	9.46
2006	94.78	92.00	92.29	5.22	8.00	7.71
2007	96.21	94.44	90.27	3.79	5.56	9.73
2008	96.75	94.32	90.92	3.25	5.68	9.08
2009	94.39	90.66	89.45	5.61	9.34	10.55

资料来源：同表4-2

生产性固定资产投资数量反映农户物质资本积累水平。表4-4 显示，西部地区农户传统和现代工具并用，而中部和东部地区农户更偏重于现代工具。2000~2009 年，西部每百个农户役畜数量增加了 1 倍，达每百户 130 头，东部每百个农户增加了 8 头，而中部每百个农户减少了 13 头。在农林牧渔业动力机械数量上，2009 年西部每百个农户 20 台，比 2000 年增加了 1 倍；中部每百个农户 50 台，比 2000 年增加了 1 倍；东部每百个农户 30 台，比 2000 年增长30.43%。农林牧渔业动力机械马力数，2009 年西部每百个农户达 381 马力，比 2000 年增长 3.33 倍；中部每百个农户达 721 马力，比 2000 年增长 2.47 倍；东部每百个农户 612 马力，比 2000 年增长 2.04 倍。在运输用大中小型拖拉机数量上，西部地区农户增长明显，2009 年每百个农户达到 190 台，比 2000 年增长 18 倍，而中部每百个农户同一时间段仅增长了 25%，东部地区农户甚至出现了递减。横向比较，2009 年反映现代化投资水平的农林牧渔业动力机械无论数量还是马力数，都是中部地区农户最高，东部地区农户次之，西部地区农户最低。

表4-4　东中西部地区农户主要生产性固定资产投资数量比较（2000 年与 2009 年）

项目	东部		中部		西部	
	2000 年	2009 年	2000 年	2009 年	2000 年	2009 年
役畜/（头/百户）	22	30	33	20	65	130
大中型铁木家具件数/（件/百户）	87	70	139	120	129	290
农林牧渔业动力机械台数/（台/百户）	23	30	25	50	10	20
农林牧渔业动力机械马力数/（马力/百户）	201	612	208	721	88	381
运输用大中型拖拉机/（台/百户）	1	0	1	0	1	180

项目	东部		中部		西部	
	2000 年	2009 年	2000 年	2009 年	2000 年	2009 年
运输用小型拖拉机/(台/百户)	11	10	7	10	9	10
胶轮车/(辆/百户)	16	10	15	10	19	20
生产用户面积/(m²/户)	93.81	26.9	22.01	22.7	51.18	24.2

资料来源：同表 4-2

4.2.2 投资结构的变化及趋势

随着农户经济收入水平的不断提高，农户的投资结构相应发生了变化。本书在此重点分析 1986~2009 年农户家庭经营费用支出结构。可以从农业与非农业投资结构变动、农业内部投资结构变动和种植业内部投资结构变动等三个方面来反映农户投资结构的变化及其趋势（表 4-5）。

表 4-5 东中西部地区农户投资的三大产业构成比较（1986~2009 年）

（单位:%）

年份	东部			中部			西部		
	第一产业	第二产业	第三产业	第一产业	第二产业	第三产业	第一产业	第二产业	第三产业
1986	61.05	17.32	21.63	79.63	8.70	11.68	77.97	9.28	12.75
1987	53.16	30.28	16.56	73.04	12.54	14.42	81.08	7.03	11.89
1988	57.42	26.84	15.73	71.10	16.33	12.57	72.80	14.68	12.52
1989	58.15	24.15	17.70	77.02	11.61	11.37	76.50	10.16	13.35
1990	64.84	18.24	16.92	79.42	10.92	9.66	80.64	6.47	12.88
1991	60.32	20.50	19.17	75.52	11.37	13.11	78.55	6.72	14.72
1992	55.77	24.30	19.93	74.10	12.19	13.71	71.31	7.31	21.39
1993	52.27	27.22	20.51	72.99	12.84	14.17	66.69	7.68	25.63
1994	60.31	18.96	20.73	73.35	13.19	13.46	71.11	8.69	20.20
1995	66.32	12.78	20.90	73.56	13.38	13.06	73.75	9.29	16.97
1996	57.23	23.34	19.43	68.25	15.13	16.62	73.36	6.37	20.27
1997	55.06	24.27	20.67	72.73	12.35	14.92	73.14	6.29	20.58
1998	53.24	15.02	31.74	70.60	14.87	14.53	68.11	9.07	22.82
1999	52.86	21.30	25.85	67.59	16.83	15.58	66.03	11.37	22.59
2000	53.10	22.41	24.50	69.61	14.31	16.08	57.90	16.82	25.27

年份	东部			中部			西部		
	第一产业	第二产业	第三产业	第一产业	第二产业	第三产业	第一产业	第二产业	第三产业
2001	53.32	23.43	23.25	71.74	11.65	16.61	50.98	21.46	27.56
2002	51.13	24.41	24.46	70.48	13.63	15.89	51.33	21.78	26.89
2003	52.76	26.87	20.38	66.03	18.36	15.61	46.33	24.74	28.93
2004	54.04	26.60	19.35	75.44	10.57	13.99	41.02	39.64	19.33
2005	60.04	22.96	17.00	77.85	7.94	14.21	48.62	30.13	21.24
2006	52.85	30.76	16.39	72.62	10.56	16.83	41.62	28.46	29.93
2007	48.65	32.21	19.14	71.59	11.57	16.83	60.53	5.32	34.14
2008	55.77	25.24	18.99	73.80	9.39	16.81	57.17	8.87	33.96
2009	55.95	23.18	20.87	70.18	10.68	19.14	53.57	15.95	30.48

资料来源：同表 4-2

1. 农户投资的三大产业构成比较

整体分析，由图 4-1 可知，中西部地区农户仍以农业投资为主体，但表现出明显的非农投资倾向，农业投资所占比重逐渐下降，非农投资比重逐渐上升。表 4-5 显示，从农业投资比重来看，西部地区农户由 1986 年的 77.97% 下降为 2009 年的 53.57%，下降 24.40 个百分点；中部地区农户由 1986 年的 79.63% 下降为 2009 年的 70.18%，下降 9.45 个百分点；东部地区农户由 1986 年的 61.05% 下降为 2009 年的 55.95%，下降 5.10 个百分点。在变动幅度上，西部>中部>东部。从非农业投资来看，西部地区农户第二产业投资比重由 1986 年的 9.28% 上升为 2009 年的 15.95%，上升 6.67 个百分点，第三产业投资比重由 1986 年的 12.75% 上升为 2009 年的 30.48%，上升 17.73 个百分点；中部地区农户第二产业投资比重由 1986 年的 8.70% 上升为 2009 年的 10.68%，上升 1.98 个百分点，第三产业投资比重由 1986 年的 11.68% 上升为 2009 年的 19.14%，上升 7.46 个百分点。同期，东部地区农户第二产业比重上升 5.86 个百分点，第三产业比重下降 0.76 个百分点。可见，西部和中部地区农户非农业投资以第三产业为主，而东部地区农户以第二产业为主。

2. 农户农业内部投资构成比较

整体分析，由图 4-2 可以看出，中西部地区农户农业投资以种植业和畜牧业为主，而林业和渔业投资比重较低。纵向分析，表 4-6 显示，西部地区农户种植业比重几无变化，由 1986 年的 52.97% 下降为 2009 年的 52.91%，仅下

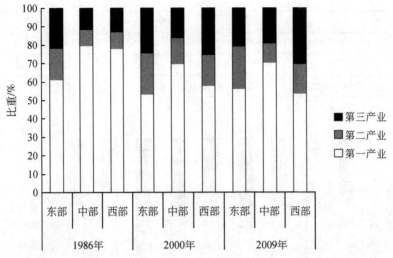

图 4-1   东中西部地区农户三大产业投资比例构成（1986～2009 年）

降 0.06 个百分点，而畜牧业比重出现了下降，由 1986 年的 45.42% 下降为 2009 年的 44.27%，下降 1.15 个百分点。中部地区农户种植业比重呈现上升趋势，由 1986 年 55.32% 上升到 2009 年的 64.14%，上升 8.82 个百分点，而畜牧业比重有所下降，由 1986 年的 43.26% 下降为 2009 年的 31.05%，下降 12.21 个百分点。横向比较，东部地区农户种植业和畜牧业比重下降较为迅速，而渔业比重则上升迅猛。1986～2009 年种植业和畜牧业比重分别下降 20.22 和 6.76 个百分点，渔业比重则上升了 27.14 个百分点。值得指出的是，随着西部大开发战略的推动和实施，作为"退耕还林（草）"主要实施地的西部地区，农户对林业的投资比重有较大幅度增加，而东部地区农户投资比重却下降，这表明"退耕还林（草）"政策在实施一定的时期后，农户逐渐意识到了生态环境建设与维护的重要性，从而在逐步加大了对林业的投入力度。实践中，这一力度尚需进一步加大。

表 4-6   东中西部地区农户第一产业投资构成比较（1986～2009 年）

（单位:%）

产业	东部			中部			西部		
	1986 年	2000 年	2009 年	1986 年	2000 年	2009 年	1986 年	2000 年	2009 年
农业	100	100	100	100	100	100	100	100	100
种植业	54.41	34.42	34.19	55.32	55.29	64.14	52.97	48.23	52.91
林业	0.83	0.92	0.67	0.76	0.72	1.86	0.89	0.87	1.64

产业	东部			中部			西部		
	1986 年	2000 年	2009 年	1986 年	2000 年	2009 年	1986 年	2000 年	2009 年
畜牧业	40.77	39.06	34.01	43.26	41.53	31.05	45.42	48.49	44.27
渔业	3.98	25.60	31.12	0.66	2.47	2.94	0.71	2.41	1.18

资料来源：同表 4-2

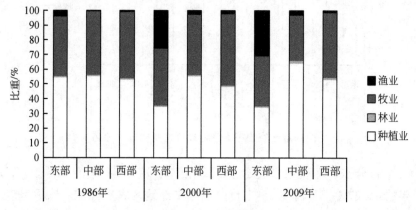

图 4-2 东中西部地区农户农业投资比例构成（1986～2009 年）

3. 农户种植业内部投资比较

整体分析，表 4-7 和图 4-3 显示，中西部地区农户种植业投资以传统农作物投资为主体，但农作物投资比重呈下降趋势。在农作物内部，粮食作物投资占绝对比例，但同样呈现下降趋势。纵向分析，西部地区农户农作物投资比重由 1986 年的 90.66% 下降为 2009 年的 88.98%，下降 1.68 个百分点，相应地果桑茶等作物投资比重上升 1.68 个百分点；中部地区农户农作物投资比重由 1986 年的 99.11% 下降为 2009 年的 95.48%，下降 3.63 个百分点，相应地果桑茶作物比重上升 3.63 个百分点。

表 4-7 东中西部地区农户种植业投资构成比较（1986～2009 年）

（单位：%）

产业	东部			中部			西部		
	1986 年	2000 年	2009 年	1986 年	2000 年	2009 年	1986 年	2000 年	2009 年
种植业	100	100	100	100	100	100	100	100	100
农作物	94.34	90.32	83.03	99.11	97.14	95.48	90.66	87.70	88.98
粮食作物	68.73	60.16	57.05	82.59	78.85	80.41	82.21	70.56	66.04

产业	东部			中部			西部		
	1986 年	2000 年	2009 年	1986 年	2000 年	2009 年	1986 年	2000 年	2009 年
经济作物	19.08	13.98	15.84	13.60	13.84	15.06	10.04	17.96	13.32
其他作物	12.19	25.86	27.11	3.81	7.31	4.53	7.75	11.48	20.64
果桑茶作物	5.66	9.68	16.97	0.89	2.86	4.52	9.34	12.30	11.02

资料来源：同表 4-2

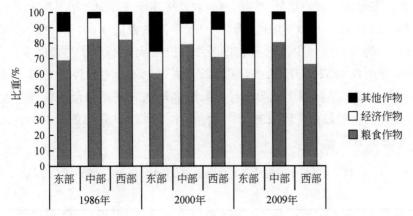

图 4-3　东中西部地区农户种植业投资比例构成（1986～2009 年）

　　在农作物内部，西部地区农户粮食作物投资占农作物投资的比重由 1986 年的 82.21% 下降为 2009 年的 66.04%，下降 16.17 个百分点，经济作物比重则由 1986 年的 10.04% 上升到 2009 年的 13.32%，上升 3.28 个百分点，而饲料等其他作物比重上升幅度最大，达 12.89 个百分点；中部地区农户农作物投资变动相对较小，粮食作物比重由 1986 年的 82.59% 下降为 2009 年的 80.41%，下降 2.18 个百分点，经济作物比重由 1986 年的 13.60% 上升为 2009 年的 15.06%，上升 1.46 个百分点，而饲料等其他作物比重上升 0.72 个百分点。横向比较，同期东部地区农户农作物比重下降 11.68 个百分点，果桑茶作物比重相应上升 11.68 个百分点，变动幅度上西部>中部>东部；在农作物内部，2009 年东部地区农户与西部地区农户的构成大致相同。

4.2.3　投资倾向的变化及趋势

　　投资倾向用来衡量农户投资能力的大小。有平均投资倾向和边际投资倾向之分。平均投资倾向是指农户人均生产费用支出占人均纯收入的比重，而边际投资倾向是指一定时间内农户人均生产费用支出增量占人均纯收入增量的比重。

表 4-8 给出了 1986～2009 年我国东中西部地区农户平均投资倾向和边际投资倾向的计算结果。由于时间跨度以 4～5 年为期，避免了年度间投资倾向的短期波动，更能够如实反映投资倾向的长期变动趋势。就平均投资倾向而言，横向比较，从图 4-4 可以看出，在 1995 年之前，中部地区农户最高，东部和西部地区农户互有高低；1995 年之后，西部地区农户最高，中部地区农户次之，东部地区农户最低。西部地区农户平均投资倾向经历了先上升后下降的趋势，由 1986 年的 0.4889 上升为 1999 年的最大值 0.6313，之后逐渐下降到 2009 年的 0.4106；中部地区农户平均投资倾向也经历了类似的变化趋势，由 1986 年的 0.4852 上升到 1991 年的最大值 0.5693，以后逐渐下降，到 2009 年达到 0.3343，下降幅度较为明显。而东部地区农户变动最为剧烈，大致呈"M"形分布，经过两个阶段的先升后降变化，到 2009 年达到 0.4166，大致与 1986 年的水平持平。

表 4-8　东中西部地区农户投资倾向比较（1986～2009 年）

（单位：元/人）

区域	项目	1986 年	1991 年	1995 年	1999 年	2004 年	2009 年
东部	人均纯收入	674.25	1 244.56	3 154.73	3 580.33	5 416.58	9 198.79
	人均生产费用	281.69	683.16	1 294.02	1 911.30	2 369.08	3 831.91
	平均投资倾向	0.417 8	0.548 9	0.410 2	0.533 8	0.437 4	0.416 6
	边际投资倾向	—	0.704 0	0.319 8	1.450 4	0.249 3	0.386 8
中部	人均纯收入	452.77	711.72	1 836.56	1 904.71	3 578.61	6 460.58
	人均生产费用	219.69	405.17	983.04	1 016.96	1 303.64	2 159.86
	平均投资倾向	0.485 2	0.569 3	0.535 3	0.533 9	0.364 3	0.334 3
	边际投资倾向	—	0.716 3	0.513 7	0.497 7	0.171 3	0.297 1
西部	人均纯收入	362.47	678.74	1 663.33	1 627.28	3 420.75	5 492.98
	人均生产费用	177.21	341.09	933.46	1 027.23	1 898.43	2 255.54
	平均投资倾向	0.488 9	0.502 5	0.561 2	0.631 3	0.555 0	0.410 6
	边际投资倾向	—	0.518 2	0.601 6	-2.601 1	0.485 8	0.172 3

资料来源：同表 4-2

就边际投资倾向来看，由图 4-5 可知，三大地区农户变动较为剧烈，年度间互有大小。西部地区农户变化尤为剧烈，由 1991 年的 0.5182 上升为 1995 年的 0.6016，受 1997 年开始的连续 3 年收入下降影响，1999 年迅速下降为

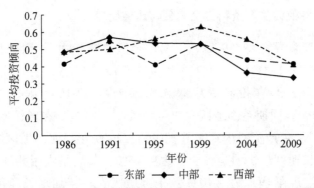

图 4-4　东中西部地区农户平均投资倾向变化趋势（1986～2009 年）

−2.6011，之后随着收入水平的稳步提高，边际投资倾向又迅速回升为 2004 年的 0.4858，到 2009 年下降为 0.1723。中部地区农户则变动平稳，整体趋于下降趋势。由 1991 年的 0.7163 稳步下降为 2009 年的 0.2971。东部地区农户则同西部地区农户刚好相反，先由 1991 年的 0.7040 下降为 1995 年的 0.3198，然后迅速上升为 1999 年的 1.4504，到 2009 年又迅速下降为 0.3868。

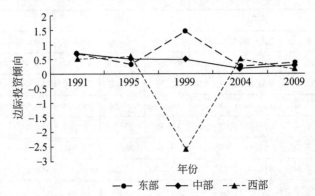

图 4-5　东中西部地区农户边际投资倾向变化趋势（1991～2009 年）

4.2.4　种植业生产资料投资方向与购买渠道变化分析

为全面剖析中西部地区农户投资行为，在对农户投资水平、结构和倾向进行分析之后，本书在此对农户种植业生产资料投资方向和购买渠道作一分析，来进一步深入揭示农户农业投资行为的特征与变化趋势。

1. 农户种植业生产资料投资总额与比重比较

从绝对量来看，表 4-9 显示，西部地区农户 2009 年用于种植业生产资料的投资总额为 1451.93 元/户，比 1993 年增长 1.60 倍，年均增长 6.15%；中部地区农户 2009 年投资额为 2119.87 元/户，比 1993 年增长 3.35 倍，年均增长 9.62%。同期东部地区农户年均增长 8.11%。在增长速度上，中部>东部>西部。从生产资料内部来看，1993~2009 年，西部地区农户生产资料投资年均增长速度最快的是种子，达 9.46%，其次是农用柴油，达 8.54%，而化肥增长速度最慢，为 5.01%；中部地区农户年均增长速度最快的是农用柴油，达 11.68%，其次是农药，达 11.43%，最慢的是农用塑料薄膜，为 7.32%；而东部地区农户年均增长速度最快的是种子和农用塑料薄膜，均为 9.96%，其次是农用柴油，达 9.59%，最慢的是化肥，为 7.46%。由此可见，种子和柴油投资对于不同地区农户种植业生产来说，均是首要的投入选择（图 4-6）。

表 4-9 东中西部地区农户种植业生产资料投资额与比重（1993~2009 年）

项目		东部			中部			西部		
		1993 年	2001 年	2009 年	1993 年	2001 年	2009 年	1993 年	2001 年	2009 年
投资额/(元/户)	种子	51.27	113.90	234.25	67.64	112.23	346.02	68.91	107.06	292.55
	化肥	353.13	490.25	1115.85	322.26	511.67	1244.92	393.65	434.12	860.42
	农药	74.27	120.48	281.59	46.07	107.64	260.23	44.91	68.11	129.51
	农膜	16.41	39.78	74.98	12.36	23.35	38.29	24.43	45.09	69.28
	柴油	19.76	52.54	85.58	39.34	88.96	230.41	26.99	70.35	100.17
	合计	514.84	816.95	1792.25	487.67	843.85	2119.87	558.89	724.73	1451.93
比重/%	种子	9.96	13.94	13.07	13.87	13.30	16.32	12.33	14.77	20.15
	化肥	68.59	60.01	62.26	66.08	60.64	58.73	70.43	59.90	59.26
	农药	14.43	14.75	15.71	9.45	12.76	12.28	8.04	9.40	8.92
	农膜	3.18	4.87	4.18	2.53	2.77	1.81	4.37	6.22	4.77
	柴油	3.84	6.43	4.78	8.07	10.53	10.86	4.83	9.71	6.90
	合计	100	100	100	100	100	100	100	100	100

资料来源：同表 4-2

从相对量来看，表 4-9 显示，中西部地区农户种植业生产资料投资呈现以化肥为主，以种子和农药为辅的格局，但化肥比重呈下降趋势，而种子和农药比重呈上升趋势。西部地区农户化肥投资比重由 1993 年的 70.43% 下降为

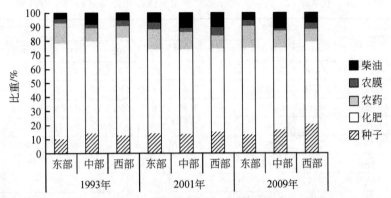

图 4-6　东中西部地区农户种植业生产资料投资比例构成（1993~2009 年）

2009 年的 59.26%，下降 11.17 个百分点，而同期种子和农药比重分别上升 7.82 个和 0.88 个百分点；中部地区农户化肥投资比重由 1993 年的 66.08% 下降为 2009 年的 58.73%，下降 7.35 个百分点，同期种子和农药比重分别上升 2.45 和 2.83 个百分点。横向比较，中西部地区农户种子和柴油投资比重高于东部地区农户，而农药和化肥投资比重低于东部地区农户（图 4-6），表明随着国家产业结构调整和生态农业建设的推进，农户种植业生产资料投资结构与方向正趋向优化，逐渐摆脱了靠传统的追加化肥和农药来谋取产量的格局，而更加注重农业生产力的持续提升。

2. 农户农作物种子投资总额和比重比较

从绝对量看，表 4-10 显示，2003 年西部地区农户种子投资总额 123.06 元/户，同 1993 年相比，增长 78.58%，其中，粮食作物种子投资额 73.28 元/户，比 1993 年增长 60.24%，经济作物种子投资额 17.06 元，比 1993 年增长 1.41 倍；中部地区农户种子投资总额 141.07 元/户，比 1993 年增长 1.09 倍，其中，粮食作物种子投资额 105.56 元/户，比 1993 年增长 1 倍，经济作物种子投资额 21.77 元/户，比 1993 年增长 1.94 倍。同期，东部地区农户种子投资总额增长 1.17 倍，其中，粮食作物种子投资额增长 1.13 倍，经济作物种子投资额增长 95.88%。在种子总额和粮食作物种子增长速度上，东部>中部>西部，而在经济作物种子增长速度上，则中部>西部>东部。

表4-10　东中西部地区农户农作物种子投资数额与比重（1993～2003 年）

项目		东部			中部			西部		
		1993 年	1998 年	2003 年	1993 年	1998 年	2003 年	1993 年	1998 年	2003 年
投资数额/(元/户)	粮作种子	29.49	70.87	62.67	52.74	98.39	105.56	45.73	73.18	73.28
	经作种子	7.76	11.09	15.20	7.41	8.75	21.77	7.09	14.58	17.06
	其他种子	14.02	35.44	33.33	7.49	9.77	13.74	16.09	26.68	32.72
	合计	51.27	117.40	111.20	67.64	116.91	141.07	68.91	114.44	123.06
比重/%	粮作种子	57.52	60.37	56.36	77.97	84.16	74.83	66.36	63.95	59.55
	经作种子	15.14	9.45	13.67	10.96	7.48	15.43	10.29	12.74	13.86
	其他种子	27.34	30.18	29.97	11.07	8.36	9.74	23.35	23.31	26.59
	合计	100	100	100	100	100	100	100	100	100

注：2003 年后全国农村固定观察点指标变动，作物种子投入金额不再分粮食作物、经济作物和其他作物统计，而是统计农作物和园地作物，故本表数据仅更新至 2003 年

资料来源：1986～1999 年数据来自《全国农村社会经济典型调查数据汇编（1986～1999）》，2000～2003 年数据来自农业部农研中心网站 http：//www.rcre.org.cn/sjzl/

从相对量来看，由图 4-7 大致可以看出，三大地区农户农作物种子投资均以粮食作物种子为主体，饲料等其他作物种子比重次之，而经济作物种子比重最低。纵向分析，西部地区农户粮食作物种子投资比重由 1993 年的 66.36% 下降为 2003 年的 59.55%，下降 6.81 个百分点，经济作物种子投资比重由 1993 年的 10.29% 上升为 2003 年的 13.86%，上升 3.57 个百分点，其他作物种子比重由 1993 年的 23.35% 上升为 2003 年的 26.59%，上升 3.24 个百分点；中部地区农户粮食作物种子投资比重由 1993 年的 77.97% 下降为 2003 年的 74.83%，经济作物种子投资比重由 1993 年的 10.96% 上升为 2003 年的

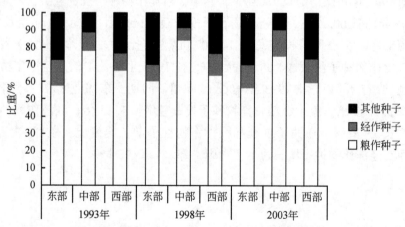

图 4-7　东中西部地区农户农作物种子投资比例构成（1993～2003 年）

基于农户行为逻辑的区域反贫困理论与实证研究

15.43%，上升 4.47 个百分点，其他作物种子比重由 1993 年的 11.07% 下降为 2003 年的 9.74%，下降 1.33 个百分点。东部地区农户三类作物种子投资比重变动幅度相对平稳，粮食作物、经济作物种子比重分别下降 1.16 个和 1.54 个百分点，其他作物种子比重上升 2.63 个百分点。

3. 农户化肥投资总额和比重比较

从绝对量来看，表 4-11 显示，2009 年西部地区农户化肥投资总额 860.42 元/户，同 1993 年相比，增长 1.19 倍；中部地区农户化肥投资总额 1244.92 元/户，比 1993 年增长 2.86 倍。同期东部地区农户化肥投资总额增长 2.16 倍。可见，在化肥投资总额增长速度上，中部地区农户最快，东部地区农户次之，西部地区农户最慢。从化肥内部类别来看，除其他肥料外，1993~2009 年西部地区农户化肥投资年均增长速度最快的是钾肥，达 6.66%，其次是磷酸二铵，达 5.89%，而尿素投资量出现负增长，达-0.70%；中部地区农户化肥投资年均增长速度最快的是钾肥，达 9.75%，其次是磷酸二铵，达 3.92%，而碳酸氢铵和过磷酸钙出现负增长，分别为-3.29% 和-2.18%；东部地区农户年均增长速度最快的同样是钾肥，达 10.22%，其次是磷酸二铵，达 5.57%，而碳酸氢铵和过磷酸钙也同样出现负增长，分别为-396% 和-0.01%。

表 4-11　东中西部地区农户农作物化肥投资数额与比重（1993~2009 年）

项目		东部			中部			西部		
		1993 年	2001 年	2009 年	1993 年	2001 年	2009 年	1993 年	2001 年	2009 年
投资数额/(元/户)	尿素	122.69	173.18	133.22	103.38	163.24	154.13	160.75	159.55	143.88
	磷酸二铵	37.49	65.62	89.2	70.25	128.41	130.02	65.16	120	162.77
	碳酸氢铵	78.55	60.63	42.22	72.00	59.05	42.89	71.11	56.58	73.41
	过磷酸钙	36.10	39.38	36.04	37.83	34.33	26.77	46.10	39.48	49.52
	钾肥	13.91	31.41	65.97	11.61	22.81	51.47	13.96	6.41	39.79
	其他肥料	64.39	120.03	616.85	27.19	103.83	696.25	36.57	52.11	253.32
	合计	353.13	490.25	1115.85	322.26	511.67	1244.92	393.65	434.12	860.42
比重/%	尿素	34.74	35.32	11.94	32.08	31.90	12.38	40.84	36.75	16.72
	磷酸二铵	10.62	13.39	7.99	21.80	25.10	10.44	16.55	27.64	18.92
	碳酸氢铵	22.24	12.37	3.78	22.34	11.54	3.45	18.06	13.03	8.53
	过磷酸钙	10.22	8.03	3.23	11.74	6.71	2.15	11.71	9.09	5.76
	钾肥	3.94	6.41	5.91	3.60	4.46	4.13	3.55	1.48	4.62
	其他肥料	18.23	24.48	55.28	8.44	20.29	55.93	9.29	12.00	29.44
	合计	100	100	100	100	100	100	100	100	100

资料来源：同表 4-2

从相对量看，由图 4-8 知，除其他肥料外，三大地区农户化肥投资基本以尿素为主，但尿素投资比重呈现下降趋势。西部地区农户尿素投资比重由 1993 年的 40.84% 下降为 2009 年的 16.72%，下降 24.12 个百分点；中部地区农户尿素投资比重由 1993 年的 32.08% 下降为 2009 年的 12.38%，下降 19.70 个百分点；而东部地区农户同期下降 22.80 个百分点。从其他化肥投资比重来看，三大地区农户钾肥投资比重整体呈上升趋势，碳酸氢铵和过磷酸钙投资比重则呈下降趋势。1993~2009 年，在钾肥投资比重上，西部地区农户分别上升 1.07 个百分点，中部地区农户上升 0.53 个百分点，东部地区农户上升 1.97 个百分点；在碳酸氢铵和过磷酸钙投资比重上，西部地区农户分别下降 9.53 个和 5.95 个百分点，中部地区农户分别下降 18.89 个和 9.59 个百分点，东部地区农户分别下降 9.87 个和 6.99 个百分点。

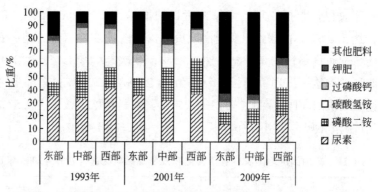

图 4-8　东中西部地区农户化肥内部投资比例构成（1993~2009 年）

值得一提的是，1993~2009 年，三大地区农户尿素投资额之所以出现大幅度减少的趋势，主要原因在于其他肥料的投资比重呈现出了大幅度增加的趋势。其他肥料投资中，主要是复合肥的使用量在近年来大量增加，使得中部和东部地区农户其他肥料投资额比重在 2009 年甚至超过了一半以上，西部地区农户也接近三分之一。

4. 农户种植业生产资料购买渠道[①]比较

由表 4-12 和图 4-9 可以看出，中西部地区农户种植业生产资料购买渠道

---

　　① 按全国农村固定观察点的统计，农户种植业生产资料购买渠道主要有 5 类：a. 从国有商业、供销社购买，指通过国家各种生产资料专营部门及其代销点购买，如生产资料公司（或其门市部）等；b. 从工业部门购买，主要指直接从生产厂家（其中包括乡、村厂家和合伙、合股、私营生产企业）购买；c. 从集体和合作经济组织购买，指从各级农技服务组织，乡、村社区合作组织，民间合作组织或专业技术组织购买；d. 从个体商贩购买，指从个体生产资料经销商（含个体工商户）、个体生产资料生产、加工者（不含合伙、合股、私营企业）购买；e. 其他，指从除以上各种之外的渠道购买。

以国有商业、供销社和个体经销商为主体，只不过在不同时间主体渠道有明显不同。就西部地区农户而言，其种植业生产资源购买来源，在2001年之前基本以国有商业、供销社为主，占六成以上，至2009年这一渠道发生了变化，转为以个体经销商为主。2009年，个体经销商这一渠道的比重达59.94%，比1993年提高42.11个百分点。相应地，国有商业、供销社这一渠道的比重更是急剧下降了64.42个百分点。中部地区农户的变动情况与西部地区农户差不多。1993~2009年，中部地区农户种植业生产资源购买渠道同样由以国有商业、供销社为主转为以个体经销商为主，个体经销商渠道比重上升了44.89个百分点，国有商业、供销社渠道则下降了45.83个百分点。

表4-12　东中西部地区农户种植业生产资料购买渠道比较（1993~2009年）

项目		东部			中部			西部		
		1993年	2001年	2009年	1993年	2001年	2009年	1993年	2001年	2009年
资金数额/(元/户)	国有商业、供销社	271.34	315.64	141.44	290.38	473.54	249.48	416.47	456.84	117.36
	工业部门	12.81	12.20	8.31	4.95	10.99	25.49	4.02	11.44	26.53
	集体和合作组织	72.08	226.98	43.02	51.81	70.65	70.30	31.38	70.31	54.13
	个体经销商	176.56	353.68	1216.55	102.95	294.68	1384.40	102.42	198.16	870.24
	其他	10.52	21.35	382.93	54.00	10.90	390.21	20.12	5.06	383.66
	合计	543.31	929.85	1792.25	504.09	860.76	2119.88	574.41	741.81	1451.92
比重/%	国有商业、供销社	49.94	33.95	7.89	57.60	55.01	11.77	72.50	61.58	8.08
	工业部门	2.36	1.31	0.46	0.98	1.28	1.20	0.70	1.54	1.83
	集体和合作组织	13.27	24.41	2.40	10.28	8.21	3.32	5.46	9.48	3.73
	个体经销商	32.50	38.04	67.88	20.42	34.23	65.31	17.83	26.71	59.94
	其他	1.94	2.30	21.37	10.71	1.27	18.41	3.50	0.68	26.42
	合计	100	100	100	100	100	100	100	100	100

资料来源：同表4-2

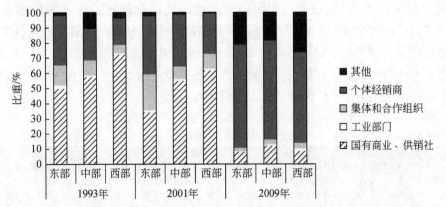

图4-9　东中西部地区农户种植业生产资料购买渠道比例构成（1993~2009年）

相比较，东部地区农户种植业生产资料购买渠道与中西部地区农户基本一致，但东部地区农户对集体和合作经济组织的利用更加充分，这也反映出集体和合作经济组织的发达程度在东部地区相对更高。值得指出的是，作为国家销售种植业生产资料专职部门的国有商业、供销社，在农户购买渠道中所占的比例近年来呈现明显下降的趋势，这应该与当前农业社会化服务体系的逐步发育和日渐完善有关。特别是经营形式灵活且与农户接触最直接的个体经销商，其在提供种植业生产资料方面具有独特的优势，从而能逐渐成为当前农户购买生产资料的主要选择。需要注意的是，由于一些个体经销商经营欠规范，近年来时常发生"坑农害农"事件，实践中需要政府加强规范和引导。

4.2.5 家庭投工量的变化及趋势

尽管从严格意义上家庭经营投工量[①]并不能算作农户投资行为，但分析农户家庭经营投工量的变化及其趋势，有助于本书更全面、深刻地把握农户生产性投入行为的特征与规律，进而更全面地理解农户经济行为。

1. 农户家庭经营三大产业投工量比较

整体分析，1986~2003年三大地区农户家庭经营投工总量逐渐减少。表4-13显示，2003年西部地区农户户均投工量469.27日，比1986年减少17.36%；中部地区农户户均投工量342.50日，比1986年减少21.25%。同期，东部地区农户家庭投工量减少16.17%。从三大产业构成来看，三大地区均以农业投工为主，但农业投工呈下降趋势，非农投工以第三产业为主（图4-10）。在农业投工量所占比重上，西部地区农户由1986年的85.57%减少为2003年的76.97%，下降8.60个百分点；中部地区农户由1986年的84.70%减少为2003年的78.13%，下降6.57个百分点；东部地区农户由1986年的76.76%减少为2003年的62.05%，下降14.71个百分点。在第二产业投工所占比重上，西部地区农户下降0.23个百分点，中部和东部地区农户则分别上升0.60个和1.57个百分点。在第三产业投工所占比重上，东中西部地区农户分别上升13.14个、5.96个、8.83个百分点。

---

① 按全国农村固定观察点办公室的解释，家庭经营投工量是指年内直接从事本家庭各业生产、经营（包括私人经营）的男女整半劳动力所投入的全部劳动天数。包括家庭成员劳动天数，雇请临时工、长期工的劳动天数。女劳力、半劳力劳动天数不必折算成男整劳力劳动天数，有1天算1天。零星劳动，可按8小时折1天计算。家务劳动天数不包括在内。

表 4-13　东中西部地区农户家庭经营三大产业投工量比较（1986~2003 年）

项目		东部			中部			西部		
		1986 年	1995 年	2003 年	1986 年	1995 年	2003 年	1986 年	1995 年	2003 年
投工量/(日/户)	第一产业	311.97	267.85	217.08	351.73	324.57	267.61	471.24	455.67	361.21
	第二产业	34.45	34.36	35.16	21.21	21.77	19.56	27.86	25.98	22.67
	第三产业	59.98	82.59	97.59	42.34	48.96	55.33	51.63	72.61	85.39
	合计	406.40	384.80	349.83	415.28	395.30	342.50	550.73	554.26	469.27
比重/%	第一产业	76.76	69.61	62.05	84.70	82.11	78.13	85.57	82.21	76.97
	第二产业	8.48	8.93	10.05	5.11	5.51	5.71	5.06	4.69	4.83
	第三产业	14.76	21.46	27.90	10.20	12.39	16.16	9.37	13.10	18.20
	合计	100	100	100	100	100	100	100	100	100

注：因 2003 年后农村固定观察点分地区农户调查指标变动，2003 年及之后年份的第一产业投工量数据不再统计，故本表数据仅更新至 2003 年。表 4-14 与表 4-15 涉及同样原因

资料来源：1986~1999 年数据来自《全国农村社会经济典型调查数据汇编（1986~1999）》，2000~2003 年数据来自农业部农研中心网站 http://www.rcre.org.cn/sjzl/

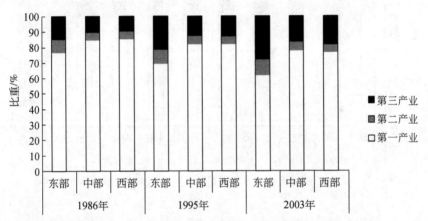

图 4-10　东中西部地区农户三大产业家庭投工量比例构成（1986~2003 年）

2. 农户农业投工量构成比较

由表 4-14 和图 4-11 可看出，三大地区均以种植业投工为主体，其次是畜牧业，而林业和渔业所占比重极小。从种植业投工量所占比重来看，西部地区农户由 1986 年的 66.19% 增加到 2003 年的 68.80%，上升 2.61 个百分点；中部地区农户由 1986 年的 65.14% 增加到 2003 年的 70.92%，上升 5.78 个百分点。同期，东部地区农户种植业投工量所占比重下降 0.27 个百分点。从畜牧业投工量所占比重看，西部地区农户由 1986 年的 29.78% 减少为 2003 年的

28.22%，下降 1.56 个百分点；中部地区农户由 1986 年的 30.98% 减少为 2003 年的 25.19%，下降 5.79 个百分点。同期，东部地区农户畜牧业投工量所占比重下降 4.43 个百分点。

表 4-14　东中西部地区农户第一产业投工量比较（1986～2003 年）

（单位：%）

产业	东部			中部			西部		
	1986 年	1995 年	2003 年	1986 年	1995 年	2003 年	1986 年	1995 年	2003 年
种植业	71.07	69.99	70.80	65.14	71.84	70.92	66.19	69.46	68.80
林业	2.09	2.80	3.54	3.24	3.23	2.98	3.32	2.75	2.13
畜牧业	24.14	22.52	19.71	30.98	23.74	25.19	29.78	27.10	28.22
渔业	2.70	4.69	5.95	0.65	1.19	0.91	0.70	0.69	0.85

资料来源：同表 4-13

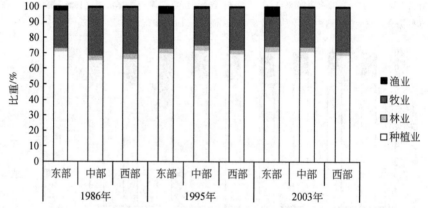

图 4-11　东中西部地区农户农业家庭投工量比例构成（1986～2003 年）

3. 农户种植业投工量构成比较

表 4-15 显示，三大地区农户种植业投工以农作物为主体，但农作物投工量所占比重呈下降趋势，而果桑茶作物投工量呈上升趋势。1986～2003 年，东中西部地区农户果桑茶作物投工量所占比重分别上升了 3.76 个、3.33 个、5.35 个百分点。在农作物内部，图 4-12 显示，三大地区均以粮食作物投工为主体，占 60% 以上，但粮食作物投工量占农作物投工量比重呈下降趋势。1986～2003 年，东中西部地区农户粮食作物投工量所占比重分别下降 5.43 个、6.34 个、9.15 个百分点，饲料等其他作物投工量所占比重分别上升 3.76 个、3.33 个、5.35 个百分点。

表 4-15　东中西部地区农户种植业投工量比较（1986～2003 年）

（单位:%）

产业	东部			中部			西部		
	1986 年	1995 年	2003 年	1986 年	1995 年	2003 年	1986 年	1995 年	2003 年
农作物	93.36	90.31	89.60	98.29	96.16	95.09	96.22	92.06	90.38
粮食作物	66.34	66.37	60.91	74.32	69.65	67.98	80.07	73.42	70.92
经济作物	22.12	15.64	18.25	18.85	19.71	18.63	10.84	14.22	12.99
其他作物	11.54	17.99	20.85	6.83	10.64	13.39	9.09	12.35	16.09
果桑茶作物	6.64	9.69	10.40	1.71	3.84	5.04	3.78	7.94	9.13
合计	100	100	100	100	100	100	100	100	100

资料来源：同表 4-13

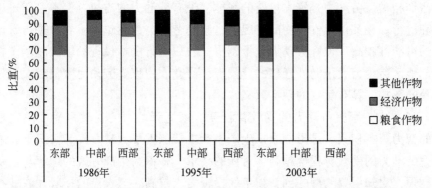

图 4-12　东中西部地区农户种植业家庭投工量比例构成（1986～2003 年）

综上所述，1986～2009 年，中西部地区农户投资水平不断提高，投资方式以现金为主体。短期投资占绝对比例，但长期投资比重呈微弱上升趋势。从三大产业构成来看，以农业投资为主体，但投资的非农化倾向明显。从投资倾向来看，平均投资倾向不断提高，但边际投资倾向变化不稳，年度间变动剧烈。在投资方向上，化肥和种子仍是投资的首选，化肥中尿素和磷酸二铵占有比重是最大的。在生产资料购买渠道上，个体经销商是主要渠道，国有商业、供销社日渐淡出农户视野。农户家庭投工量构成情况与农户投资额构成基本一致，表明农户投工与投钱的总体方向是一致的，都是围绕如何提高家庭经营绩效从而增加家庭人均纯收入来从事农业生产投资行为的。

4.3　中西部地区农户投资水平影响因素分析

如前所述，农户投资已经成为我国农业投资的主体，其投资规模和结构直接决定着我国农业产业结构的调整和农业经济的发展速度。大量研究证实，农户收入、农地收益、农地规模、农户借贷、农户土地产权强度等成为影响农户投资的关键因素（屈艳芳和郭敏，2002；陈铭恩和温思美，2004）。然而对于我国中西部贫困地区，这些影响因素对农户投资行为具有怎样的制约和促进？贫困地区农户投资行为是否与其他农户具有相同的倾向和特征？本书在此以中西部地区农户为例对这一问题进行实证分析。

4.3.1 农户投资水平影响因素的理论分析

通常情况下，农户投资水平会受到以下各大因素的客观影响。

（1）农户家庭劳动力数量状况。农户家庭劳动力数量，与农户的投资行为密切相关。劳动力是资本投资的载体，没有劳动力的支撑，资本投资难以延续和进行。在其他条件不变的情况下，家庭劳动力数量越多，农户进行资本投资的可能性越高；家庭劳动力数量越少，农户进行资本投资的动机越弱。在中西部地区劳动力大量向外迁移的背景下，研究农户家庭劳动力数量对农户投资水平的影响，具有重要的现实意义。

（2）农户家庭劳动力的受教育程度。家庭劳动力的受教育程度决定着家庭的智力资本积累，是影响农户生产生活决策的重要因素。一般情况下，农户家庭劳动力的受教育程度越高，对新的技术、知识与生产方式的理解与接受能力越强，对知识集约型的创新技术的投资需求越高。但农户的一般性农业投资不同于二三产业的生产投资，对知识积累的要求相对较低。因此，农户家庭劳动力的受教育程度对农户投资水平的影响方向和程度需要进一步通过计量分析来验证。

（3）农户家庭经营的耕地规模大小。农户家庭经营的耕地规模大小对投资水平的影响与农户家庭劳动力数量类似。一般来说，在其他条件不变的情况下，农户的耕地规模越大，其对农业投资的动机会越强；农户的耕地规模越小，其投资农业生产的动机会越弱。本书将通过对中西部地区农户家庭经营耕地规模大小与投资水平关系的实证分析，来进一步揭示两者之间的内在联系。

（4）农户的生产性固定资产保有量。农户家庭拥有的生产性固定资本存量与农户进一步投资的关系，是需要进行重点揭示的关键问题。一般情况下，农户的生产性固定资本存量越高，农户进一步投资农业生产的可能性越大。本书将利用中西部地区农户固定观察点数据，对两者的关系进行计量检验。

（5）农户家庭收入状况。农户家庭收入与农户投资具有密切关系。一般认为，农户的收入水平越高，其进行农业生产性投资的可能性越大；农户的收入水平越低，其进行农业生产性投资的可能性越小。

4.3.2 农户投资水平影响因素的实证分析

1）变量选择

因变量选择。本书选择农户生产性固定资产支出作为因变量。在现有统计口径中，农户生产性固定资产支出是反映农户投资水平的一个很重要的变量，采用人均生产性固定资产支出这一指标作为衡量农户投资水平的因变量具有可行性。

自变量选择。基于已有研究成果和理论分析，本书在计量分析中主要考虑以下可能会影响农户投资水平的因素：第一，农户家庭劳动力数量（人），预期对农户投资水平影响为正。第二，农户家庭劳动力的受教育程度。以家庭劳动力中文盲、半文盲比例（%）来反映。第三，农户家庭经营的耕地规模。以农户家庭人均耕地面积（亩/人）来表示，预期对农户投资水平影响为正。第四，农户的生产性固定资产保有量。以农户家庭人均生产性固定资产原值（元/人）作为衡量指标，预期其对农户投资水平影响为正。第五，农户家庭收入状况。以农户家庭人均纯收入（元/人）来反映，预期这一指标的影响为正。

2）模型设定与数据来源

本书利用我国中部与西部地区 2000～2009 年的农户面板数据（具体来源于《全国农村固定观察点调查数据汇编（2000—2009）》），建立 Panel Data 模型进行计量分析。鉴于数据的长面板性质，本书选择可行广义最小二乘法（FGLS）进行估计，并对异方差和一阶自相关（AR1）进行处理。回归时时对绝对数变量采用了对数形式，模型具体形式设定如下：

$$\text{Ln}(Y_{it}) = \alpha_i + \beta_1 \text{Ln}(x_{1it}) + \beta_2 x_{2it} + \beta_3 \text{Ln}(x_{3it})$$
$$+ \beta_4 \text{Ln}(x_{4it}) + \beta_5 \text{Ln}(x_{5it}) + D_i + \varepsilon_{it} \qquad (4\text{-}1)$$

式中，t 代表不同的年份，$t=1$，2，3，$\cdots$，n；i 代表不同的地区，$i=1$，2；ε_{it} 为随机误差项；α_i 为各地不同的截距项；β_1，β_2，$\cdots$，β_5 为待估参数，D_i 为地区虚拟变量。$x_1 \sim x_5$ 分别代表农户家庭劳动力数量，家庭劳动力中文盲、半文盲比例，农户家庭人均耕地面积，人均生产性固定资产原值和农户家庭人均纯收入。

3）相关指标的描述性统计

样本数据的基本统计分析见表 4-16。

表 4-16　样本数据统计分析

变量	均值	最大值	最小值	标准差
Y	141.31	237.92	57.65	44.28
x_1	2.79	3.01	2.47	0.16
x_2	0.10	0.17	0.01	0.03
x_3	2.11	2.91	1.38	0.66
x_4	1 722.43	2 267.04	1 103.45	347.57
x_5	3 772.82	6 460.58	2 032.42	1 430.17

4）结果分析

本书使用可行广义最小二乘法（FGLS）对模型进行估计，估计结果如表4-17所示。表4-17显示，农户家庭劳动力数量、农户家庭劳动力的受教育程度与农户的生产性资本存量对农户投资水平具有显著的影响。而农户家庭人均耕地面积与农户人均收入状况对投资的影响不显著。

表 4-17　模型估计结果

自变量	系数	Z 值	标准差
Ln（x_1）	2.33 **	2.31	1.01
X_2	4.80 ***	2.94	1.63
Ln（x_3）	−0.26	−0.48	0.56
Ln（x_4）	0.90 *	1.66	0.54
Ln（x_5）	−0.01	−0.03	0.25

*、**、*** 分别代表10%、5%、1%的显著性水平

具体来说，实证分析结果表明以下几点。

首先，中西部地区农户家庭劳动力数量对农户投资水平具有显著的正向影响。这意味着，农户家庭劳动力越多，农户对农业生产的投资水平越高。这一研究结论与理论预期相一致。在中西部地区劳动力大量外出务工的情况下，农户家庭劳动力数量的减少，可能会对农户的投资行为产生不利的影响。

其次，中西部地区农户家庭劳动力的受教育水平与农户投资水平负相关。也就是说，农户家庭劳动力受教育水平越高，其家庭的投资水平和倾向越低。这一结果看似与理论分析相悖。但结合农村地区社会经济状况进一步分析不难发现，农户家庭中受教育程度比较高的劳动力，具备较高的文化水平与寻求非农工作的能力，更倾向于外出务工，农业生产对其越来越不具吸引力，其投资农业的可能性很小。而受教育程度不太高的农户，以农业生产为主业，会有更

大的农业投资可能性。

第三,总的来说,中西部地区农户的生产性固定资本保有量越高,农户进行长期投资的可能性越大,农户的投资水平越高。这反映了对于相对落后的中西部地区,家庭初始生产资料的积累对农户投资水平的影响及重要性。

4.3.3 小结

本部分通过构建2000~2009年我国中西部地区农户投资行为相关的面板数据集,对影响我国中西部地区农户投资水平的主要因素进行了研究。结果表明,农户劳动力数量是影响投资水平的重要因素,当前中西部地区农村劳动力的流失,对农业投资产生了消极的影响。同时,具有较高人力资本的劳动力的转移,也使得农业投资主体的人力资本水平相对较低,可能会对农业投资的效率产生不利影响。最后,农户的生产性固定资产保有量,对农户继续投资的倾向和水平具有积极的影响。在资本存量相对较低的中西部农村地区,提高政策扶持力度,为农户的资本积累提供初始动力,从长远来看对于农户投资水平的提高具有极为重要的现实意义。

4.4 农户投资行为对区域经济发展的影响分析

4.4.1 投资与经济增长的关系

按照经济学理论,投资与经济增长之间存在着相互促进、相互制约的辩证关系。一方面,根据乘数原理,投资对经济增长有着重要的不可替代的贡献,是经济增长的主要动力之一;另一方面,根据加速原理,经济增长又强烈地影响和决定着投资行为。投资对经济增长的贡献可分为供给效应和需求效应。乘数原理表明,投资的增减会引起收入增减,并能刺激或抑制消费的增长。投资对经济增长的影响程度与投资乘数直接相关,而投资乘数受边际储蓄倾向、边际纳税水平和边际进口倾向等多个变量的共同影响。在改变储蓄、税收和进口水平的条件下,可以影响投资需求,进而影响收入水平。加速理论则说明了收入的增减反过来对投资产生影响,即收入(产量)的增加,会导致生产产品所需资本设备的大量增长,从而加速经济增长;同样,收入(产量)的微小下降,将引起投资的迅速下滑。经济周期理论可以用投资的乘数原理和加速原理圆满解释。在经济萧条时期,增加投资,通过投资的乘数效应,使收入倍增，刺激生产，经济就会慢慢走向复苏；在经济繁荣时期，通过减少投资，降低收入，在加速原理的作用下，收入的减少使得消费锐减，从而把过热的经济降温，使经济发展恢复到正常水平，这就是乘数原理和加速原理的作用过程。

现代宏观经济学强调投资供给对长期经济增长的贡献，认为技术变革、人力资本等有效供给的效应决定着经济周期的波动；投资的需求效应在宏观上分析主要是对当前经济增长的贡献。理论上讲，投资对经济增长的贡献重在供给而不是需求。研究投资，在宏观层面上实际就是研究投资结构、投资规模与投资政策。投资结构合理，规模适当，投资有宏观效益，投资政策是合适的；反之，则投资政策不适当。

武剑（1999）采用动态递推模型对我国的经济增长进行了量化分析。动态递推模型能够抓住经济变量间的内在联系，建立动态仿真流程，并在此基础上模拟经济系统的长期运行状态。其采用的模型基本结构如下：

$$Y_t = A_t \cdot K_t^{\alpha} \cdot L_t^{\beta} \tag{4-2}$$

$$K_t = K_{t-1} + S_{t-1} \cdot Y_{t-1} + f_{t-1} \cdot Y_{t-1} \tag{4-3}$$

$$A_t = A_{t-1}(1 + a_t) \tag{4-4}$$

$$L_t = L_{t-1} \cdot (1 + l_t) \tag{4-5}$$

$$s_t = 1 - C_t / Y_t \tag{4-6}$$

$$a_t = e_1 + (\lambda \cdot s_{t-1} + \tilde{\omega} \cdot f_{t-1}) \cdot M_t \tag{4-7}$$

$$C_t = \theta_1 \cdot C_{t-1} + \theta_2 \cdot Y_t + (1 - \theta_1 - \theta_2) \cdot Y_{t-1} \tag{4-8}$$

式中，Y_t为第 t 年国内生产总值；K_t为本国资本存量；L_t为第 t 年劳动力数量；A 为全要素生产率；e_t为由社会体制改革引起的生产率的增长速度；s_t为本国储蓄率；f_t为外资流入与 GDP 之比；M_t为发展中国家的后发优势，主要源于落后经济与发达经济之间的技术差距。

方程（4-2）为生产函数。方程（4-3）表明本国资本的增量等于国内储蓄加外资流入。方程（4-7）说明生产率增长取决于经济体制改革、国内投资率、外资流入率和后发优势。方程（4-8）是根据持久收入理论建立的消费函数。

武剑的计量结果显示，资本形成对我国经济增长的贡献度呈不断上升的趋势。改革开放以来，资本投入对总产出的推动作用超过其他要素总和，达到53.6%；随着经济体制改革的不断深入，这一趋势日趋显著（表4-18）。武剑进一步预测，21 世纪头 20 年，资本贡献度将超过60%，成为支持我国经济持续增长的重要因素。

表 4-18 我国经济增长因素分析（1979~2020 年）   （单位:%）

增长因素	1979~1983 年	1984~1988 年	1989~1993 年	1994~1998 年	1999~2010 年	2011~2020 年
经济增长率	8.32	11.93	8.93	9.54	6.79	5.15
贡献度	100	100	100	100	100	100
资本增长率	7.52	8.03	8.63	11.49	9.20	6.85
贡献度	49.3	51.7	54.3	57.6	60.1	64.4
劳动增长率	2.88	1.91	1.68	1.33	0.71	0.25
贡献度	6.62	5.93	5.54	5.02	4.8	1.3
全要素增长率	3.35	3.86	3.51	3.27	3.12	2.88
贡献度	44.1	42.5	41.1	37.4	35.1	34.3
体制变革	5.64	5.40	4.21	3.76	1.04	0.51
贡献度	24.4	21.7	19.8	16.5	11.5	9.3
国内投资	2.55	2.96	2.63	2.34	1.76	1.32
贡献度	11.9	12.5	13.2	15.8	19.3	24.8
外资流入	1.42	1.77	1.46	1.22	0.32	0.11
贡献度	7.8	8.3	8.1	5.1	4.3	2.2

资料来源：武剑（1999）

一个经济落后的地区要加速经济增长、实现经济起飞，要解决的第一个难题无疑是筹措大量资金和扩大投资的问题。在中西部地区，投资对经济增长也有举足轻重的作用。中西部地区绝大多数区域都处于经济发展的起步阶段，对投资的依赖性较强，因而，投资对中西部区域经济发展的推动作用较之东部沿海经济发达区域要来得更为直接、更为强烈。因此，投资在区域间的差异是导致区域经济增长差异及其变化的重要原因之一。

4.4.2 农户投资对区域经济发展的影响

经济增长中，资本的投入是不可缺少的。农业作为国民经济的第一产业，其增长规律同整个国民经济是一致的。农业资金投入对农业发展的贡献是不言而喻的。农业投资的多少是农业发展或停滞、国民经济稳定协调发展与否的关键因素，这一点，马克思在关于简单再生产与扩大再生产的理论中作了十分精彩的阐述："生产逐渐扩大是由于两个原因。第一，由于投入生产资本物的不断增长；第二，由于资本使用效率是不断提高的。"许多国家农业发展的实践也证明，农业增长与农业投资需求增长存在着密切的正相关关系。表 4-19 反映了这种关系。

表4-19　美、日、英、法两种增长率比较（1950～1980年）（单位:%）

国别	农业总产值增长率	农业投资需求增长率	产值增长率与投资需求增长率之比
美国	4.6	5.4	1∶1.17
日本	8.1	13.6	1∶1.68
英国	5.4	7.7	1∶1.42
法国	6.2	11.7	1∶1.88

资料来源：毕宝德（1997）

现阶段我国中西部地区农户投资存在着不利于区域农业可持续发展的行为，对区域经济持续发展产生了负面影响，表现在以下方面。

第一，农户农业投资行为的短期化，必然对农业生产物质技术条件的改善产生消极影响，使得农业可持续发展的技术基础缩小，农业生产持续发展难度增加，农业发展的后劲可能不足。

第二，因短视而出现的化肥、农药过量施用，破坏了农业生产和生态环境。大量剩余的化肥、农药汇入土壤和水体不仅造成严重的环境污染，而且使土壤结构恶化，土质下降，农业可持续发展的资源环境条件低劣化。同时由于大量或超量施用化肥，化肥支出现已成为众多贫困地区种植业生产中最大的成本项目，一般要占到总成本的40%～50%，使农业经济再生产的可持续性受到严峻挑战。

第三，农户农业投资行为中分散化、兼业化倾向，加剧了农业资源的流出状况。农业资本的持续净流出，削弱了农业生产力基础。农户投资的"羊群心理"及随之而来的投资失败所导致的农业投资额下降及投资方向的非农化，造成农户农业投资绝对额的降低，使得本已捉襟见肘的农业积累状况越加恶化。同时，伴随着投资方向的变化，大批有知识、有文化的青年农民因不安于现状而离土离乡。这部分非剩余农业劳动力的退出，导致农业劳动力素质更趋低化，最终必然表现为农业可持续发展基础的削弱。

4.5　农村人力资本投资：更值得关注的问题

4.5.1　贫困地区经济增长中的人力资本投资

一般地，只要资本边际收益递减规律成立，高水平的投资率并不能保证经济的长期快速增长。只有在人力资本和技术水平实现同步增长以后，资本的快速积累才有可能转化为经济的长期快速增长。舒尔茨（1961）很早就认识到了人力资本对于经济增长的重要性，强调教育、劳动者素质对经济发展的作用，被视为一种比物质资本更为重要的促进经济增长的因素。据测算，劳动力受教育的平均时间每增加 1 年，GDP 就能够提高 9% （田春生，2001）。人力资本投资可以提高劳动者的生产技能 （Lucas，1988），也可以为研究开发提供充足的人力资源 （Romer，1996）。人力资本理论认为，人力资本 （human capital） 表现为知识、技能、体力 （健康状况） 价值的总和，是通过投资于卫生、教育等方面而形成的，是一种比土地、资金、劳动力数量等物质资本更为重要的一种资本。人力资本投资收益远大于物力资本的投资收益。因此，资本积累应从物质资本积累转向人力资本积累。特别是随着信息时代的到来，21世纪的竞争主要在于人才的竞争。而人才是通过人力资本投资形成的。这给予中西部经济的启示是，人力资本投资是中西部经济增长摆脱物质资本投入困境的有效途径，它可以弥补中西部地区物质资本投资的不足，同时对地区经济协调发展具有重要影响，主要表现在以下几个方面。

1. 影响贫困地区的经济增长速度，进而阻碍区域差距的缩小

地区发展严重不平衡是地区发展不协调的重要表现。近代以来，中国地区之间一直存在着发展上的不平衡，主要表现为沿海和内地发展的不平衡。新中国成立之后的前 30 年，中国政府为平衡地区发展，对内陆地区进行了大量的人力、物力和财力投入，在一定程度上改善了地区发展的不平衡状况。但改革开放之初，地区之间的差别仍在相当程度上存在着。改革开放后期，由于经济发展战略的转变和沿海地区发展战略的实施，地区发展的绝对差距又呈不断扩大之势。根据相关的国际比较，中国的地区差距已属于世界上最严重的情况之一 （侯永志，2002）。

改善地区发展不平衡的状况，必须加快贫困地区的经济增长速度。遗憾的是，20 世纪 90 年代以来，中西部各省 （自治区、直辖市） 的经济增长速度普遍低于东部各省 （自治区、直辖市）。虽然 21 世纪随着西部大开发和中部崛起战略的实施，中央政府加大了对中西部尤其是西部的投入，但是，与东部地区相比，中西部各省 （自治区、直辖市） 平均经济增长速度仍然存在着明显的差距。本书第 2 章已经述及，中西部各省 （自治区、直辖市） GDP 平均增长速度均低于东部的平均水平。

如前所述，一个地区的经济增长不仅取决于物质资本的投入，还取决于人力资本的投入。东中西部地区之间经济增长率的差别，与物质资本投入差别有关，也与人力资本投入差别有关。例如，1999 年西部地区的投资增长率最高，但其 GDP 增长速度最低；2000 年西部地区的投资增长率高于东部地区 3.45 个百分点，但其 GDP 投资增长率却低于东部地区 1.76 个百分点。东中西部地区 GDP 增长率的差别部分地可以由中西部地区人力资本投入的增长低于东部来解释。

2. 影响贫困地区贫困人口的脱贫，从而危及社会的稳定和谐

改革初期，中国农村有贫困人口 2.5 亿人。经过 30 多年的努力特别是"国家'八七'扶贫攻坚计划"和"中国农村扶贫开发纲要（2001～2010 年)"的实施，在扶贫标准大幅度提高的情况下，至 2010 年，中国农村贫困人口减少到 2688 万人，农村贫困发生率也由 1978 年的 30.7% 下降到 2.8%。前文述及，中国贫困人口的分布具有明显的地域特征，主要分布在中西部地区。2010 年，农村贫困人口有 95.4% 集中于中西部地区，西部 12 省（自治区、直辖市）共有 1751 万贫困人口，占全国贫困人口的 65.1%。2008 年底，贫困发生率大于 5% 的 9 个省份，全部为西部大开发确定的 12 省（自治区、直辖市）。导致贫困的因素有多种，有自然的，也有人文的；有历史的，也有现实的。其中，人力资本不足是重要因素之一。2010 年，国定贫困县的文盲率、半文盲率高达 10.3%，高于全国平均水平 4.6 个百分点；国定贫困县只有 9.1% 的劳动者参加过培训，低于全国平均水平 3 个百分点。① 国家统计局所作的对国定贫困县贫困影响因素的分析表明，在其他条件一定的情况下，户主的学历为大专的农户比户主学历为文盲或半文盲的农户成为非贫困户的可能性会增加 12%～15%（国家统计局，2001）。人力资本不足，一方面影响了当地资源有效与合理的开发，另一方面也阻断了贫困人口外出打工、挣钱糊口之路。

3. 影响经济增长方式的转变，进而束缚可持续发展的实现

进入 21 世纪，中国的生态环境恶化问题十分严峻。全国水土流失面积高达 295 万 km^2，约占国土面积的 30.7%，其中西部占水土流失面积的 80% 左右，每年新增水土流失面积约 1 万 km^2。统计显示，我国 76% 的贫困县和 74% 的贫困人口生活在水土流失严重区。退化、沙化、盐碱化草地总面积已达 135 万 km^2，其中，北方和青藏高原草地"三化"面积已达 90%。每年新增荒漠化面积 2460 km^2，其中大部分在西部地区。日益恶化的生态环境，正在威胁着中国的长远发展。另外，中国属于自然资源总量丰富而人均稀少的国家，人均水资源只有世界平均水平的 28%，人均耕地不足 40%，人均森林面积只有 17%。显然，中国的经济发展特别是西部地区的发展必须摆脱对自然资源的过

---

① 此处数据为 2002 年统计结果。

度依赖。

为遏制生态恶化的趋势，国家实施了天然林保护工程，加强了长江上游、黄河上中游地区的造林绿化；在广大西部地区，实行了退耕还林（草）等生态建设工程。这些工程将对中国的生态改善起到积极的作用。但是，要想从根本上解决中国的生态问题，必须解决贫困地区特别是西部贫困地区人口的生存和发展问题，必须为那里的人口开创一条生存和发展之路。为此，必须加大对贫困地区的资金支持。然而，资金投入必须与人力资本相结合才能发挥应有的效用。人力资源的不足不利于中西部地区摆脱对自然资源的依赖，从而不利于全国可持续发展的实现。

4.5.2 中西部贫困地区人力资本投资现状描述

人力资本投资不足是中西部贫困地区经济长期落后的主要制约因素。人力资本投资包括为提高人口素质而在教育和培训、健康、适应于变换就业机会的迁移等方面的支出。中西部贫困地区人力资本积累的现状表现在以下几方面。

1. 人口素质低，教育水平差

这种现状主要表现在：①教育发展落后。以西部 12 省（自治区、直辖市）为例，表 4-20 的数据显示，2012 年全国农村居民劳动力中文盲、半文盲比重为 5.3%，而西部 12 省（自治区、直辖市）这一比重达 8.0%，比全国平均水平高近 3 个百分点。在 12 省（自治区、直辖市）中，除内蒙古、广西、重庆和新疆低于全国平均水平外，其余 8 省（自治区、直辖市）文盲、半文盲的比重都高于全国平均水平，其中，贵州、云南、西藏、甘肃、青海、宁夏6 省份的比重高于西部地区的平均水平，青海和西藏更是高达 18.3% 和36.0%。2012 年，西部 12 省（自治区、直辖市）共有普通高等学校 595 所，在全国所占的比例仅为 24.4%；普通高等学校专任教师 337 707 人，占全国的比例仅为 23.4%。②政府教育投入少。2011 年西部 12 省（自治区、直辖市）国家财政性教育经费投入 4672.76 亿元，占全国教育经费投入的 25.1%，比东部少 18.1 个百分点。③人力资源开发程度低，人力资本供给短缺。西部地区具有大专及以上学历和专业技术人员占全国的比例分别为 22% 和 27%，均低于其总人口占全国人口的比例；每万人拥有的大学生人数为 17 人左右，仅为东部地区水平的 35%；每万人拥有的科学家和工程师人数仅为 8 人，还不到东部地区水平的 28%。这表明，西部地区人力资本供给十分短缺，存在着巨大的人才缺口（表 4-20）。

表 4-20 西部 12 省（自治区、直辖市）农村居民劳动力文化程度构成（2012 年）

（单位：%）

地区	不识字或识字很少	小学程度	初中程度	高中程度	中专程度	大专及大专以上
全国	5.3	26.1	53.0	10.0	2.7	2.9
西部 12 省份	8.0	32.0	47.9	7.8	2.2	2.1
内蒙古	5.1	26.3	52.1	11.3	1.9	3.3
广西	2.8	25.0	57.2	9.9	3.0	2.1
重庆	4.3	30.9	52.1	8.7	2.1	1.9
四川	7.7	33.8	48.7	6.6	1.9	1.3
贵州	10.4	38.1	43.7	4.3	1.9	1.6
云南	8.8	41.2	40.7	6.0	2.0	1.3
西藏	36.0	56.8	6.1	0.7	0.3	0.0
陕西	6.1	21.7	54.6	10.8	3.0	3.8
甘肃	10.7	26.8	45.6	11.3	2.9	2.8
青海	18.3	43.9	28.4	5.6	1.5	2.3
宁夏	14.2	32.2	42.4	7.3	1.8	2.1
新疆	2.4	29.8	56.9	6.0	2.6	2.3

资料来源：《中国农村统计年鉴 2013》

2. 卫生条件差，健康存量少

人力资本理论把每个人的健康状况都当做是一种资本的储备，即健康资本，并认为其作用是提供健康服务（西奥多·W. 舒尔茨，2001）。国内外长期的历史资料研究表明，人们的健康存量与收入水平存在着正的相关关系。贫困地区经济发展缓慢，人均收入低下，极大地限制了人们在健康方面的投资。《中国统计年鉴》的数据显示，2010 年西部 12 省（自治区、直辖市）人均预期寿命为 72.62 岁，比全国低 2.21 岁，比东部低 4.66 岁。[①] 人均预期寿命最低的 5 个省份全部分布在西部 12 省（自治区、直辖市），分别是甘肃、贵州、青海、云南、西藏，其中最低的西藏人均预期寿命 68.17 岁，比全国平均预期低 7 岁。另外，作为后续人力资本储备的儿童，其健康状况在贫困地区也令人担忧。表 4-21 显示，2000 年西部农村 5 岁以下儿童低体重率达 19.9%，生长迟缓率达 27.6%，分别比全国农村平均水平高 6.1 个和 7.3 个百分点。贫困地区健康状况不佳的直接原因在于区域内卫生条件差。统计资料显示，2012 年

---

① 此处数据为西部和东部各省人均预期寿命的算术平均数。

西部 12 省（自治区、直辖市）拥有卫生机构数 30.03 万个，占全国的 31.6%；医疗机构床位数 160.96 万张，占全国的 28.1%。2012 年宁夏每千农村人口拥有床位 2.39 张，拥有乡村卫生技术人员 2.91 人，两项指标与东部的山东相比，分别少 44.5%、37.8%。

表 4-21　我国东西部农村 5 岁以下儿童营养不良状况（2000 年）

（单位:%）

指标	全国平均	全国农村	东部农村	西部农村
低体重率	11.1	13.8	9.1	19.9
生长迟缓率	16.0	20.3	14.2	27.6

资料来源:《中国农村贫困监测报告 2003》

3. 人才储备少，外流严重

中西部地区人力资本的最大问题，一方面是如上所述的人才储备不足，另一方面是人才外流严重。人才的外流，原因是多方面的，既有专业技术人员不能充分发挥个人才干的问题，也有社会经济条件落后等方面的原因。和其他地区一样，中西部尤其是西部地区人才流动仍然存在问题。一是人才流动渠道仍然不尽畅通，阻碍人才合理流动的制度性因素此消彼长，不能适应社会主义市场经济发展和知识经济新形势的需要。二是投资主体和收益主体错位。凝聚在人才中的人力资本在形成过程中需要大量财力投入，在现实生活中，国家作为人力资本投资主体之一，其权益得不到保障，非投资主体"搭便车"现象普遍，影响了人力资本投入机制的良性循环。三是人才流动的部门和区域流向失衡。部门方面，国有部门人才、技术流失现象突出；中西部人才流失普遍，国家向中西部地区及中西部地区自身向教育的投入以人力资本形式经由人才流动转移到沿海地区和非国有部门，扩大了地区差距。

4.5.3　中西部贫困地区人力资本投资的路径选择

从上面的分析中，本书显然已经认识到人力资本投资在中西部地区发展中的重要作用，但同时中西部地区又面临着人力资本投资的经费短缺和严重的人力资本流失问题。如何解决这一矛盾呢？连玉君（2003）认为应该注意到人力资本作用的阶段性，即在工业化初级阶段，物质资本的作用更为重要，当物质资本的收益率下降时，人力资本的作用增强并逐渐上升为主导地位，成为经济增长的持久动力。这启发本书，在不同的阶段，人力资本的投资要与经济发展的水平相协调。"百年大计，教育为本"，制约中西部地区发展的所有问题最终都会落脚到教育上来，都得靠教育水平的提升来作铺垫。20世纪60年代以来教育在经济增长中的作用越来越受到重视。教育从两个方面推动经济增长。其一，受教育程度越高的人，有更多的知识应用于工作中，而且教育也能提高人的"干中学"的能力，这样教育就提高了个人的生产率。从地区经济增长的角度看，一个地区平均受教育水平提高会使整个地区的学习能力普遍提高。相应地，地区之间平均受教育水平的差异可能会导致经济增长速度的差距（都阳，2002）。其二，教育有着正外部性，更多的教育能够增强一个地区经济增长的能力。教育的正外部性可以通过教育的社会收益和私人收益两个方面得到反映。Topel（1999）通过对近100个国家教育与GDP之间关系进行分析发现，教育的社会收益率要大大高于其私人收益率，普及教育能够增加地区的社会能力。

考虑到中西部贫困地区的发展尤其是西部开发是一个长期的过程（美国的西部开发就持续了百年之久），因此本书认为中西部地区人力资本投资应分为两个阶段来进行：

第一阶段，在未来的10~20年重点普及基础教育、大力发展中等教育。这是由中西部贫困地区现阶段的经济结构决定的。西部很多省（自治区、直辖市）的第一、二产业占有很大的比重，许多地区的成人识字率不足70%。通过基础教育和职业教育的普及，可以很大程度上造就工业化所急需的熟练工人，促进对先进技术知识的吸收和引进设备的利用。部分节约下来的人力资本投资可以通过对发达地区和国家的先进技术设备的引进，来发挥中西部地区作为技术跟随者的后发优势，进行低成本的模仿以实现初始的物质资本和人力资本的积累。毕竟，中西部贫困地区如果通过本地区的人力资本技术创新来实现经济增长，无论从时间上还是从成本上来讲都是不经济也是不现实的。具体而言，要不断加大对贫困地区的基础教育投资；在农村开办扫盲班和技术培训班；对企业工人进行定期的技术培训以不断提高其技能水平；对部分员工采取委托培养、进修，同时高薪引进外部人才来满足高层人力资本的需求；开放教育市场，鼓励私人教育投资等。这样既保证了本地区与经济增长相适应的人力资本积累，同时又不至于使人力资本投资过度流失。

第二阶段，随着物质资本积累的增加和产业结构的调整，不断加大对高等教育的物质和人力投入。这是就长期而言，中西部地区得以保证经济持续增长并赶超东部地区的必要条件。经过第一阶段一定数量的物质资本积聚，以及短期内大量初级和中级人力资本的积累，经济体系对人力资本会有更高的要求，而且物质资本的提高也可以达到高水平人力资本的高回报要求，此时高级人才的培养就具有了可行的经济基础，而且高级人才也会有发挥作用的产业环境。

需要指出的是，所谓两阶段的划分并不是绝对的，只是不同阶段的投资重点有所侧重而已。由于教育本身存在滞后效应，所以，在实施这一人力资本积累策略时要有一定的前瞻性，东部发达地区和发达国家的经验都是很好的借鉴。

4.6　本章小结

随着家庭承包经营责任制的确立和深化，以及投资体制的改革和完善，农户在新的投资结构中已占据主导地位。农户投资作为农户经济行为研究的主要方面，是农户行动的"窗口"，农户投资的多寡影响到农户自身未来收入的高低，农户投资的方向决定着农村产业结构的发展趋势。本章首先对农户投资的概念进行了界定，指出农户投资不仅指物质资本的投资，而且包含人力资本的投资。其次，从投资水平、投资结构、投资倾向、种植业生产资料投资方向与购买渠道及家庭投工量五个方面，实证剖析了中西部地区农户投资行为的特征与规律。再次，重点对西部地区农户投资行为的影响因素作了相关分析，回归分析的结果显示，西部地区农户投资行为受农户收入、农地收益、农户借贷及农村基础设施状况等的正向影响，受非农就业的劳动力比重、土地产权强度等的负向影响，并且随着这些因素的变化而不断发生变化。对农户投资行为与区域经济发展的相互关系进行了辩证分析。最后，在上述分析的基础上，本书指出，农户物质资本投资固然是发展生产必不可少的手段，但从长远考虑，加强人力资本投资的力度对家庭经济发展的影响将更为重要和深远。在对当前中西部地区农村人力资本积累现状和问题进行分析的基础上，指出分阶段加强教育是其摆脱人力资本困境的根本出路。

第 5 章
中西部地区农户消费行为分析

5.1 农户消费行为分析的理论铺垫

5.1.1 农户消费行为分析基础：家庭消费最优化

基于农户行为逻辑的区域反贫困理论与实证研究

120

消费行为是一个综合性的范畴，它是指消费主体通过货币和信用等支出，取得自己生存、享受和发展所需要的商品和劳务的经济行为（马鸿运，1993）。农户消费行为是指农户通过货币和信用支出，在自身自给性消费的基础上，取得生存、享受和发展所需要的商品和劳务的经济行为。

获取收入，只是家庭活动的手段，家庭活动的最终目的是消费，是使家庭所有成员在物质和精神上得到最大限度地满足，因此家庭的基本身份首先是消费者。追求享乐是人的本性，而且由于享乐引起的消费欲望是无限的，但是每个家庭的收入却又是有限的，所以每个家庭都必须在有限收入和享乐欲望及方式之间进行选择，实现最佳组合。

研究家庭消费行为的办法通常是利用消费的效用函数。家庭决策的原则是使家庭整体消费效用最大化。较早分析家庭最优消费选择并模型化的学者是拉姆齐（Ramsy，1928）。

家庭是经济中一种基本行为主体。它通过获取收入进行消费，同时也提供劳务。家庭决策者安排消费计划时，既考虑自己，也考虑父母、子女等家庭其他成员。完整的拉姆齐模型如下：

$$U = \int_0^\infty u\{c(t)\} e^{nt} e^{-pt} \mathrm{d}t \tag{5-1}$$

$$w + ra = c + na + a \tag{5-2}$$

$$约束：L(t) = e^{nt} \tag{5-3}$$

$$\lim_{n \to \infty} \{a(t) \cdot \exp[r(v) - n] \mathrm{d}v\} \geqslant 0 \tag{5-4}$$

式（5-2）是财产收入约束；式（5-3）是人口增长方程；式（5-4）是信用约束。在式（5-1）中，反映了消费的近期偏好性，即人们对近期福利看重甚于远期。

在拉姆齐模型中，影响家庭消费决策的最优化一般有四个重要因素：①收入和财产对消费的制约；②风险的回避，近期消费效用大于远期；③理性消费者，追求消费效用最大化；④借贷消费是可行的。但是，一个家庭的长期人均债务的增长速度是有限的。在上面各项约束下，拉姆齐导出了一个消费的最优函数。

除了这种理论上的家庭消费行为分析之外，从凯恩斯开始，产生了一系列以实证方法为特点的消费函数。这些消费函数建立的思想一部分源自新古典框架分析，另外一些则突破了新古典分析的框架，将预期和不确定性纳入模型，如臧旭恒（1996）、朱信凯（2003）等。

一般地，家庭消费行为具有以下特征：

第一，家庭消费与收入水平之间存在着一定的依存关系。如果用 Q 表示家庭消费支出，Y 表示家庭收入水平，便可得到下面的家庭消费函数：$Q = f(Y)$。Q 随 Y 的变化而变化，也就是收入水平的增加或减少会直接影响家庭消费的增加或减少。通常情况下，收入水平越高，家庭消费就会增加，收入水平越低，家庭消费也会缩减。比如，一个人的月收入是 300 元时，他出门会乘坐公共汽车，当月收入增加至 1000 元时，他出门就可能乘坐出租车了，也就是说随着收入水平的增加，这个人用于交通工具方面的消费支出增加了。

第二，家庭的消费支出并不完全由当前收入的绝对数量决定，实际消费开支有时可能不会因为收入减少而减少，甚至会超过收入的增长（贺维，2000）。这是因为：①在实际收入比以前减少的情况下，在较短时间内由于受过去已经达到的消费水平的影响，既有的家庭消费水平很难降低，另外，物价上涨也会使得一定量的实物消费开支不得不增大。②某一家庭的消费还受攀比效应的影响，倾向于向高标准攀比看齐。这样，一旦短期内家庭实际收入水平下降，但消费却很难随之降低。③家庭消费支出还受实有总财富和预期收入的影响。如果家庭总财富规模较大，即使当前收入下降，也暂时不会影响当前消费支出。而预期收入越大，当前的负债消费越有可能，如年轻人的预期收入大于老年人，前者的负债消费可能就比后者大。④当前消费开支的增长快于当前收入的增长，还可能产生于对家庭耐用消费品的集中购买。比如，买一台彩电需要 4000 元，但某家庭当前收入仅有 2000 元，这样就需要负债 2000 元，而在此以前及以后都有可能表现为消费的增长慢于收入水平的增长。

5.1.2 几种西方消费函数理论的比较与评价

1. 西方主要消费函数理论简要回顾

自从 1936 年凯恩斯的《就业、利息和货币通论》出版以来，消费函数，即消费和收入之间的关系，已经在宏观经济研究中占据了重要位置，起到了核心作用，消费函数理论分析和实证研究的进展层出不穷。下面简要回顾西方主要的消费函数理论。

1）凯恩斯（Keynes）的绝对收入假说消费函数（AIH）

凯恩斯认为，在短期内，影响个人消费的主观因素是比较稳定的，消费者的消费主要取决于收入的多少，随着收入的增加，人们的消费也在增加，消费是"完全可逆"的，但消费的增长低于收入的增长，即著名的"边际消费倾向递减规律"。在这一理论假设下，可得到如下的个人消费函数：

$$C_t = \alpha + \beta Y_t + \varepsilon$$

式中，C_t 为第 t 期的消费支出；Y_t 为第 t 期的绝对收入；常数 α 表示自发性消费，即在没有收入的情况下也必须要支出的消费；β 为边际消费倾向。$\alpha>0$，$0<\beta<1$。

2）杜森贝利（Duesenberry）的相对收入假说消费函数（RIH）

杜森贝利认为，一方面，消费者的消费支出不仅受其自身收入的影响，而且也受周围人的消费行为及收入与消费相互关系的影响，即消费具有"示范性"或"攀比性"；另一方面，消费者的消费支出不仅受自己目前收入的影响，而且也受自己过去收入和消费水平的影响，特别是过去"高峰"时期收入和消费水平的影响，即消费又具有"不可逆性"。根据这一理论假设，杜森贝利的相对收入假设消费函数可近似地简化为下式：

$$C_t = \alpha + \beta_1 Y_t + \beta_2 C_{t-1} + \varepsilon$$

式中，C_{t-1} 为第 $t-1$ 期的消费支出。

3）莫迪里亚尼（Modigliani）的生命周期假说消费函数（LCH）

莫迪里亚尼认为，消费者是理性的，他只是根据效用最大化原则来使用一生的收入，安排其一生的消费，使一生中的收入等于一生的消费。因此，消费者现期消费不仅与现期收入有关，而且与消费者以后各期收入的期望值、开始时的资产和个人年龄大小有关。消费者一生中各期消费支出流量的现值要等于一生中各期期望收入流量的现值，这种行为可称作"前瞻行为"，用简单的线性模型来描述这一假设的消费函数可得下式：

$$C_t = \beta_1 Y_t + \beta_2 A_t + \varepsilon$$

式中，A_t 为第 t 期消费者所拥有的资产。

4）弗里德曼（Friedman）的持久收入假说消费函数（PIH）

弗里德曼认为，消费者的消费支出主要不是由他的现期收入决定的，而是由他的持久收入决定的。所谓"持久收入"是指消费者可以预计到的长期收入，即他一生中可得到的收入的平均值。弗里德曼假定，持久消费与持久收入之间存在一个固定比例，而暂时消费与暂时收入是不相关的，在此基础上的消费函数的形式为

$$C_{pt} = K(r,\ w,\ u)Y_{pt} + \varepsilon$$

式中，C_{pt} 为第 t 期的持久消费，k 为比例系数，是持久的消费和收入之间的边际消费倾向，它受到利率 r、非人力财产与持久收入的比率 w 及其他因素 u 的影响，Y_{pt} 为第 t 期的持久收入，弗里德曼用实际收入 Y_t 的几何级数来对其进行测定。对上式进行考伊克变换，可得如下的消费函数模型：

$$C_t = \beta_1 Y_t + \beta_2 C_{t-1} + \varepsilon$$

2. 西方主要消费函数理论的比较与评价

上述建立在不同的消费者行为假设基础之上的消费函数，从建立计量经济模型的角度考察，消费函数无非是这样两大类：一类不考虑滞后因素的影响，只以现期的绝对收入作为主要解释变量，即凯恩斯绝对收入假设的消费函数；另一类考虑滞后因素的影响，即以现期收入和前期消费作为主要解释变量。

对于居民消费行为的研究，国内外众多学者致力于从理论上不断完善持久收入生命周期假说。根据 LCH/PIH 模型，从效用最大化原则出发，消费者会在生命周期中平滑其消费量，未来的消费计划取决于未来收入和财产的平均值。这一结论是在确定性条件下得出的，故被称为确定性均衡理论（certainty equivalence）。LCH/PIH 在西方经济中得出了较好的验证。然而在资本市场尚不完善的中国，尤其是在几乎不存在消费信贷的中国农户经济中，农村居民的消费并不是平滑的，流动性约束、保险市场的缺失及农业生产的季节性等大量不确定性的存在对 LCH/PIH 理论提出了挑战（朱信凯，2005）。

20 世纪 70 年代中期，以自适应预期机制为基础的持久收入生命周期模型的预测精度明显下降。因为按 LCH/PIH 理论，两种消费函数本质上都应该是前瞻性的，但弗里德曼和莫迪里亚尼所进行的模型设立和变量计算的方法却是后顾的。霍尔（Hall，1978）为克服这种矛盾，采用理性预期假说，用随机方法修正 LCH/PIH，提出了"随机游走"（random walk）模型，即 $C_t = C_{t-1} + \varepsilon_t$（$C_t$ 表示第 t 期的消费，ε 是随机变量）。随机游走假说意味着消费的变化是不

可预测的，个人收入的预期增长率与消费的预期增长率无关，在每一期预期的下一期消费都等于当期消费，有关未来收入的不确定性对消费没有影响。在随后的经验研究中，大多数经验检验却发现消费的变动并非不可用收入来预测，大量实证研究成果证明消费变动与收入变动之间存在显著的相关性，即消费对现期收入具有"过度敏感性"（excess sensitivity）（Flavin，1981；Hayashi，1982；Campbell and Mankiw，1989；1990；1991；Carroll，1994；臧旭恒，1996），理性预期持久收入生命周期假说在现实中难以成立。

针对霍尔假说，1989年坎贝尔（Cambell）和曼丘（Mankiw）运用工具变量法（instrumental variables）检验理性预期生命周期假说以克服检验的缺陷，提出了一个混合模型（hybrid model）。他们假设 λ 比例的消费者按照经验规则行事，消费由当期收入决定，$1-\lambda$ 比例的消费者服从 LCH/PIH 模型，消费由持久收入决定，这里 λ 可称为过度敏感性系数。如果 $\lambda = 0$ 则消费与收入变动之间不存在相关性，消费者完全遵循随机游走假说。若 $\lambda \neq 0$ 则至少有一部分消费者的消费对收入存在过度敏感性。在这种假设下，消费的变化可表示为

$$\Delta C_t = \alpha + \lambda \Delta Y_t + (1 - \lambda)\Delta \varepsilon_t \tag{5-5}$$

式中，C_t、Y_t 分别表示当期消费和收入；$\Delta \varepsilon_t$ 指消费者从 $t-1$ 期到 t 期的持久收入估计值的变化量，也即对消费造成扰动的"白噪声"（white noise）；α 表示常数项。

这一混合模型的核心内涵可以归纳为：一部分消费者由于受到流动性约束影响[1]，仅仅花费其现期收入，其行为遵循凯恩斯的绝对收入假说，而其余部分的消费者不受流动性约束影响，花费其持久收入，其行为遵循理性预期生命周期假说。

5.1.3 我国农户消费行为的一般分析

随着改革的逐步深化，市场化进程的加快，农户消费面临的多种外在约束条件弱化。农户的消费权限有进一步强化的趋势（戎刚和姚勇，2000）。当前，分析农户消费行为，应该以如下几点认识为基础和前提。

1. 理性的消费主体

西方经济学研究的前提之一就是理性主体，消费者追求效用最大化。作为农户，其消费行为追求家庭消费效用的最大化。作为一家之主的消费决策者，

---

[1] 流动性约束表现为：农户收入预期不好，不敢借款消费；农户不能从正式金融机构借款跨时消费。

不仅要考虑自己消费欲望的满足，也要考虑其他家庭成员，特别是子女、老人消费需要的满足。与单个农民消费行为比较，农户消费追求整体消费效用的最大化。

2. 消费的时间偏好

由于传统因素的影响，农户的消费决策者更多考虑到向前、向后的一代约束，既要考虑老人的赡养，也要顾及子女的成长和教育。农户的消费至多面临一期的预算约束。在消费的时序选择上，农户更看重眼前的消费，即偏好现时的消费。

3. 消费品的选择自由

中国市场化进程的改革已达 30 年之久，国内消费品市场多样且供给充足。改革开放后，消费主体曾经面临的短缺和消费品配给基本上不存在，消费品的价格完全放开，农户有完全的消费品自由选择权。

4. 消费的价格弹性

价格弹性是指在其他条件不变的情况下，农户购买商品和劳务的数量或支出对价格变化的反应敏感程度。一般情况下，如果价格下降，农户对其消费数量增加，相反，消费数量减少。这种增加或减少的幅度受商品和劳务价格弹性的影响，如果价格弹性较大，则购买数量的变化幅度就较大，相反幅度较小。商品和劳务价格的变化受市场供求关系影响，当供给大于需求时，价格下降；当需求大于供给时价格上升。因此，商品价格的变化及其弹性的大小对农户消费商品有影响。

5. 消费的流动性约束

流动性约束是涉及金融制度和实践中较复杂的问题，主要包括消费信贷或资本市场的完全程度。流动性约束大小，反映农户能够用未来收入实现现时消费的可行程度大小，或者是其消费在不同时期的转换能力大小。如果农户消费的流动性约束程度越高，消费在不同时期的转换能力就越差，反之亦然。

6. 预算与资产约束

预算约束是指农户消费商品时受其收入的限制，即 $Y \geqslant P_i X_i$，$i=1, 2, \cdots, n$。这里，Y 是农户的收入，P 是商品的价格，X 是商品消费数量，下标 i 是消费品的种类。预算约束反映农户消费商品的数量受其收入多少的限制，当然在没有流动性约束的条件下，农户也可以用借贷的手段来实现现有消费，这种约束称为跨时预算约束，这时上式变为 $\sum Y \geqslant \sum P_i X_i$。其中，$\sum Y$ 表示农户终生全部收入，$\sum P_i X_i$ 表示农户一生消费商品的全部数量或消费支出。因此，跨时预算约束反映农户用未来的收入进行现时的消费，以实现其预期生命周期内的效用最大化，这就要求靠借贷等方式来加以实现，即没有流动性约束。

此外，作为农村中基本的经营单位，农户的生产积累基本上来源于家庭自身，加上农村中住房消费完全由农户家庭负担，因而，累积的资产在农户的消费中起着重要作用，资产会对农户家庭消费选择产生重要影响。通过把资产划分为固定资产和流动资产两大类进行的回归分析表明，固定资产对于农户家庭消费选择具有显著影响，流动资产的影响则不显著。但是，从具体的消费类别上来看，固定资产对于农户家庭医疗保健消费的影响并不显著，流动资产对于农户家庭衣着消费、家庭设备及其用品消费、文化教育娱乐消费及医疗保健消费刚存在显著的影响。

5.2 中西部地区农户消费行为的统计分析

5.2.1 消费水平的变化

消费水平反映的是农户在一定时期内每个成员平均消费的生活资料和服务的数量，它着重从平均水平方面反映农户的消费善及其物质和文化生活需要的满足程度。可从人均生活消费支出、人均各种实物消费量（农产品、耐用品等）和人均服务消费量等指标来衡量农户的消费水平。

在人均生活消费支出方面，西部地区农户从 1985 年的人均 263.21 元提高到 2010 年的 3528.11 元，增加 12.40 倍，年均增长 10.94%；中部地区农户从 1985 年的人均 311.09 元提高到 2010 年的 4026.35 元，增加 11.94 倍，年均增长 10.79%。中部与西部地区农户人均生活消费支出增长速度大致相当。但与东部地区农户相比，中西部地区却偏低。东部地区农户 1985～2010 年人均生活消费支出年均递增 11.15%，分别比中部和西部快 0.36 个和 0.21 个百分点。增长速度的差异，使东部地区农户与西部地区农户生活消费水平的差距，由 1985 年的 173.18 元扩大到 2010 年的 2606.03 元，18 年扩大了 15.05 倍。从全国范围分省（自治区、直辖市）来看，2010 年东部地区农户人均生活消费支出超过全国平均水平 4381.80 元的省（自治区、直辖市）有 9 个，占 81.82%，而西部 12 省（自治区、直辖市）只有内蒙古一个省（自治区、直辖市）超过该水平，其中东部最高省（自治区、直辖市）上海市与西部12省（自治区、直辖市）最低省西藏之间相差7543.60元，而1999年这一数字为3099.60元，11年间差距扩大4444.00元。可见，由于经济发展差距的存在，中西部地区农户的人均生活消费水平显著低于东部地区。在人均主要农产品消费量方面，除了粮食和蔬菜等需求收入弹性较低的必需食品外，中西部地区农户其他农产品消费量均有较大提高。例如，瓜果消费量，西部地区农户由1985年的人均3.8kg上升到2010年的17.3kg，年均递增6.25%；中部地区农户由1985年的人均2.6kg上升到2010年的22.1kg，年均递增8.94%。猪牛羊肉消费量，西部地区农户由1985年的人均13.0kg上升到2003年的19.8kg，年均递增2.36%；中部地区农户由1985年的人均10.2kg上升到2010年的19.8kg，年均递增2.69%。家禽消费量，西部地区农户由1985年的人均0.8kg上升到2010年的3.2kg，年均递增6.53%；中部地区农户由1985年的人均1.0kg上升到2003年的2.6kg，年均递增5.71%。水产品消费量，西部地区农户由1985年的人均0.3kg上升到2010年的1.3kg，年均递增6.04%；中部地区农户由1985年的人均1.2kg上升到2010年的4.4kg，年均递增5.33%（表5-1）。上述各主要农产品人均消费量与东部地区相比，仍然差距明显。如在水产品消费量方面，1985～2010年东部地区年均增长7.82%，分别比西部和中部地区农户快1.78个和2.49个百分点。2010年，东部地区农户人均水产品消费量分别是西部和中部地区农户的8.08和2.39倍。可见，中西部地区农户人均主要农产品消费量要显著低于东部地区农户。

表5-1　东中西部地区农户主要农产品消费量（1985～2010年）

（单位：kg/人）

	项目	1985年	1990年	1995年	2000年	2003年	2010年
东部地区	粮食	250.4	250.2	247.8	237.7	217.0	166.4
	蔬菜及制品	129.1	131.2	107.1	108.4	103.2	87.7
	食用油	3.9	5.1	5.7	7.8	6.6	7.4
	瓜果	3.6	7.0	15.8	21.7	19.3	23.7
	猪肉	9.9	9.9	10.2	12.1	12.8	13.9
	牛羊肉	0.3	0.5	0.5	0.6	0.6	1.4
	奶及奶制品	0.1	0.1	0.2	0.6	1.6	4.7
	家禽	1.4	1.9	2.9	3.2	4.8	5.8
	蛋及蛋制品	2.6	3.0	4.4	6.1	6.1	7.0
	水产品	1.6	4.2	6.1	7.0	7.9	10.5

	项目	1985 年	1990 年	1995 年	2000 年	2003 年	2010 年
中部地区	粮食	278.6	287.2	282.1	270.9	232.7	178.4
	蔬菜及制品	142.1	147.8	110.3	108.0	115.4	104.4
	食用油	4.5	5.7	6.4	7.0	6.8	7.1
	瓜果	2.6	4.3	12.5	17.6	17.3	22.1
	猪肉	9.9	9.9	9.4	13.8	11.7	11.5
	牛羊肉	0.3	0.5	0.4	0.7	0.8	0.6
	奶及奶制品	0.2	0.3	0.2	0.7	0.8	2.7
	家禽	1.0	1.0	1.4	3.5	2.6	3.2
	蛋及蛋制品	2.1	2.5	3.3	5.5	5.3	5.8
	水产品	1.2	1.4	2.7	3.2	4.2	4.4
西部地区	粮食	241.9	244.1	245.5	240.8	214.5	196.6
	蔬菜及制品	120.2	122.8	103.0	103.0	100.8	76.9
	食用油	3.6	4.6	5.1	5.4	4.9	5.4
	瓜果	3.8	6.0	9.6	14.8	14.7	17.3
	猪肉	11.7	12.3	12.4	12.5	17.2	15.4
	牛羊肉	1.3	1.5	1.3	1.9	2.6	4.4
	奶及奶制品	2.2	3.1	1.6	2.3	2.9	6.4
	家禽	0.8	1.0	1.3	1.5	2.5	3.2
	蛋及蛋制品	1.2	1.4	1.6	2.2	2.4	2.7
	水产品	0.3	0.4	0.7	1.1	1.2	1.3

注：1990 年以前水产品消费量为鱼虾消费量

资料来源：1985~2003 年数据根据《中国农村住户调查年鉴》各年计算整理，2010 年数据根据《中国住户调查年鉴 2011》计算整理

在平均每百户年末耐用消费品拥有量方面，近 30 年来中西部地区农户传统耐用品如自行车、黑白电视机等呈现下降趋势，而反映更高生活水平的现代家电等耐用品上升较快。例如，摩托车拥有量，西部地区农户从 1985 年的人均 2 辆上升到 2009 年的 44 辆，年均增长 13.75%；彩色电视机拥有量，从 1985 年的人均 16 台上升到 2009 年的 99 台，年均增长 7.89%；洗衣机拥有量，从 1985 年的人均 17 台上升到 2009 年的 59 台，年均增长 5.32%；电冰箱拥有量，从 1985 年的人均 4 台上升到 2009 年的 33 台，年均增长 9.19%；固定电话拥有量更是从无到有，由 1985 年的 0 部上升到 2009 年的 33 部。上述主要耐用品拥有量中部地区农户也均有较大程度的提高（表 5-2）。但与东部

地区农户相比，差距仍然巨大。尤其是近年来农村出现的一些新兴耐用消费品，如空调机、微波炉、移动电话、摄像机、家用计算机等，在还没有进西部地区农户家门时，东部地区农户却已普及。以2003年西部12省（自治区、直辖市）农民人均纯收入最高的内蒙古（2267.6元）和东部最低的海南（2588.1元）为例，海南省平均每百户拥有空调机1.0台，移动电话20.4部，摄像机0.6部，家用计算机0.8台，而内蒙古除了移动电话（17.1台/百户）外，其他几项几乎空白。西部最高收入水平的农户与东部最低收入水平农户的差距尚且如此，其他收入层次和不同地区农户的消费劣势更是显而易见（表5-2）。

表5-2 东中西部地区每百户农户主要耐用品拥有量（1993～2009年）

	项目	1993年	1997年	2001年	2005年	2009年
东部地区	自行车/辆	177	178	177	170	151
	摩托车/辆	5	18	35	50	68
	黑白电视机/台	58	54	44	20	14
	彩色电视机/台	25	46	70	100	116
	录音机/台	35	37	37	30	22
	洗衣机/台	26	38	46	50	70
	电风扇/台	120	143	166	200	358
	电冰箱/台	16	24	32	40	59
	照相机/架	4	5	7	10	13
	固定电话/部	3	22	58	80	75
中部地区	自行车/辆	119	128	125	140	103
	摩托车/辆	1	7	16	40	54
	黑白电视机/台	57	63	57	40	20
	彩色电视机/台	12	27	46	80	104
	录音机/台	21	28	27	20	16
	洗衣机/台	14	23	29	40	53
	电风扇/台	60	87	103	130	141
	电冰箱/台	5	9	13	20	41
	照相机/架	1	3	5	0	5
	固定电话/部	0	8	29	60	57

项目		1993 年	1997 年	2001 年	2005 年	2009 年
西部地区	自行车/辆	122	123	118	120	78
	摩托车/辆	2	6	15	30	44
	黑白电视机/台	47	55	47	20	15
	彩色电视机/台	16	26	48	80	99
	录音机/台	26	34	33	30	21
	洗衣机/台	17	19	27	40	59
	电风扇/台	31	53	68	80	86
	电冰箱/台	4	6	14	20	33
	照相机/架	4	3	5	10	6
	固定电话/部	0	3	17	50	55

资料来源：1993～1997 年数据来自于《全国农村社会经济典型调查数据汇编（1986～1999 年)》，2001～2009 年数据来自于《全国农村固定观察点调查数据汇编（2000～2009 年)》

　　在人均服务消费量方面，以交通通信、文教娱乐、医疗保健支出水平来代表农户的服务性消费情况。在增长速度上，表 5-3 显示，西部地区农户三项支出从 1985 年的人均 18.41 元上升到 2009 年的 853.83 元，年均增长 17.34%；中部地区农户从 1985 年的人均 26.28 元上升到 2009 年的 1060.94 元，年均增长 16.66%；东部地区农户从 1985 年的人均 39.64 元上升到 2009 年的 1754.63 元，年均增长 17.11%。西部略快于东部，并显著快于中部。从东中西三大地区之间人均服务消费量的比例关系看，由 1985 年的 2.15：1.43：1 变化为 2009 年的 2.06：1.24：1，西部与中部、东部地区农户之间的比例大小均趋降低，表明在国家强力推进西部大开发战略的带动下，西部的交通通信等基础设施建设的加强提升了西部地区农户在服务性消费方面的支出。

表 5-3　东中西部地区农户生活消费支出情况（1985～2010 年）（单位：元/人）

项目		1985 年	1990 年	1995 年	2000 年	2003 年	2010 年
东部地区	生活消费支出	436.39	811.42	1875.57	2414.22	2911.90	6134.14
	1. 食品消费支出	222.58	447.08	782.37	1074.75	1172.08	2379.21
	2. 衣着消费支出	39.96	63.08	130.47	141.70	163.98	371.78
	3. 居住消费支出	101.32	155.91	289.06	394.78	525.22	1185.79
	4. 家庭设备用品支出	27.90	52.68	117.50	124.24	137.35	305.87
	5. 交通和通信支出	8.87	26.43	60.04	145.16	283.95	738.33
	6. 文教娱乐消费支出	8.80	13.49	63.50	164.08	374.04	589.35
	7. 医疗保健支出	21.97	44.47	152.37	286.57	185.52	426.95
	8. 其他支出	5.00	8.28	44.80	82.94	69.78	136.90

基于农户行为逻辑的区域反贫困理论与实证研究

项目		1985 年	1990 年	1995 年	2000 年	2003 年	2010 年
中部地区	生活消费支出	311.09	556.56	1221.37	1502.66	1733.14	4026.35
	1. 食品消费支出	180.96	331.96	720.42	758.68	823.21	1630.96
	2. 衣着消费支出	32.26	46.38	93.65	91.16	106.11	263.58
	3. 居住消费支出	53.25	89.49	162.63	222.47	251.46	764.04
	4. 家庭设备用品支出	15.16	27.27	55.91	61.64	64.35	213.41
	5. 交通和通信支出	8.19	20.12	42.80	77.15	135.95	366.20
	6. 文教娱乐消费支出	5.37	7.60	26.14	75.06	210.84	367.33
	7. 医疗保健支出	12.72	30.36	101.05	169.13	105.18	327.41
	8. 其他支出	3.19	3.39	18.77	47.37	36.00	93.43
西部地区	生活消费支出	263.21	472.65	1002.94	1306.17	1494.23	3528.11
	1. 食品消费支出	165.71	296.19	635.41	693.36	731.25	1518.73
	2. 衣着消费支出	29.08	41.96	73.19	78.28	90.32	232.28
	3. 居住消费支出	35.46	66.43	115.14	176.76	224.38	669.63
	4. 家庭设备用品支出	11.70	22.01	48.55	52.63	58.83	187.93
	5. 交通和通信支出	6.13	13.93	32.39	67.42	107.43	349.16
	6. 文教娱乐消费支出	3.99	6.87	21.88	53.71	165.73	225.30
	7. 医疗保健支出	8.29	22.35	63.30	144.80	89.93	279.37
	8. 其他支出	2.85	2.91	14.30	34.34	26.39	65.73

注：1985 年东部数据不包括海南；1985 年、1990 年和 1995 年西部数据不包括重庆

资料来源：1985~2003 年数据根据《中国农村住户调查年鉴》各年计算整理，2010 年数据根据《中国住户调查年鉴 2011》计算整理

综上所述，中西部地区农户虽然近 30 年来生活消费水平提高迅速，但与东部地区农户相比，除了服务性消费支出增长相对较快外，其他方面的差距仍然是明显的。

5.2.2 消费结构的变化

消费结构反映的是各种不同内容、不同形式的消费在消费总体中所占的比重及它们之间的相互关系。随着消费水平的不断提高，中西部地区农户的消费结构逐步升级，不断朝着合理化的方向发展。具体表现在以下几个方面。

（1）人均食品消费支出，表 5-3 显示，西部地区农户从 1985 年的 165.71 元提高到 2010 年的 1518.73 元，年均递增 9.27%。但在消费结构中，食品支

出占生活消费总支出的比重（即恩格尔系数）明显下降，从 1985 年的 62.96% 下降为 2010 年的 43.05%，下降了 19.91 个百分点，整体达到小康生活水平。同期中部地区农户恩格尔系数下降 17.66 个百分点，东部地区农户下降 12.21 个百分点（表 5-4）。西部地区农户恩格尔系数下降幅度大于东部和中部地区农户，但在中西部地区农户处于小康生活水平时，东部地区农户却已迈入富裕生活阶段。从西部地区内部看，2010 年内蒙古、陕西、青海、宁夏 4 省（自治区、直辖市）农户恩格尔系数低于 40%，处于富裕生活阶段，其他 8 个省（自治区、直辖市）农户处于小康生活水平，但从恩格尔系数来看，绝大多数尚在 46% 及以上水平，属于刚刚迈过温饱生活的低水平小康阶段，内部差异较大。

表 5-4 东中西部地区农户消费结构比较（1985 年、2010 年）

（单位：%）

项目	东部地区		中部地区		西部地区	
	1985 年	2010 年	1985 年	2010 年	1985 年	2010 年
生活消费支出	100.00	100.00	100.00	100.00	100.00	100.00
1. 食品消费支出	51.00	38.79	58.17	40.51	62.96	43.05
2. 衣着消费支出	9.16	6.06	10.37	6.55	11.05	6.58
3. 居住消费支出	23.22	19.33	17.12	18.98	13.47	18.98
4. 家庭设备用品支出	6.39	4.99	4.87	5.30	4.45	5.33
5. 交通和通信支出	2.03	12.04	2.63	9.10	2.33	9.90
6. 文教娱乐消费支出	2.02	9.61	1.73	9.12	1.52	6.39
7. 医疗保健支出	5.03	6.96	4.09	8.13	3.15	7.92
8. 其他商品和服务支出	1.15	2.23	1.03	2.32	1.08	1.86

资料来源：根据表 5-3 计算

从食品内部膳食结构来看，食品消费已从数量扩张型逐步向质量营养型转变，并呈多样化、高级化变动趋势。全国农村固定观察点数据显示，西部地区农户膳食结构中，主食所占比重由 1986 年的 46.16% 下降为 2009 年的 27.46%，副食所占比重由 1986 年的 48.50% 上升为 2009 年的 51.89%，副食消费已占食品消费的半壁江山，成为西部地区农户的主要消费类型。与东部地区农户相比，2009 年西部地区农户主食支出比重高 8.20 个百分点，而副食支出比重却低 13.18 个百分点，可见，西部地区农户消费结构仍有较大的优化空间。

值得指出的是，近年来随着农户收入水平的提高及外出务工、求学的人数日益增加，农户在外就餐的机会也越来越多，食品消费的社会化程度不断提高。来自全国农村固定观察点的数据显示，2009 年西部地区农户的在外饮食支出达到人均 232.97 元，占食品消费支出的 17.02%，同 2000 年相比，增长 2.78 倍，年均增长 15.91%；中部地区农户 2009 年在外饮食支出人均 336.34 元，占食品消费支出的 21.32%，同 2000 年相比，增长 4.04 倍，年均增长 19.69%。东部地区农户 2009 年在外饮食支出人均 376.61 元，占食品消费支出的 17.55%，同 2000 年相比，增长 1.85 倍，年均增长 12.32%。上述分析意味着，中西部地区农户在外饮食支出的增长速度快于东部地区农户，且食品消费的社会化程度高于东部地区农户，但同一年度内支出总量要明显少于东部地区农户，如 2009 年西部和中部地区农户在外饮食支出分别为东部地区农户的 61.86% 和 89.31%。

（2）人均衣着消费支出，表 5-3 显示，西部地区农户由 1985 年的人均 29.08 元上升到 2010 年的 232.28 元，增长 8.99 倍；中部地区农户从 1985 年的人均 32.06 元上升到 2010 年的 263.58 元，增长 7.22 倍。但衣着支出在生活消费总支出中的比重却下降明显，西部地区农户由 1985 年的 11.05% 下降为 2010 年的 6.58%，中部地区农户由 1985 年的 10.37% 下降为 2010 年的 6.55%，分别降低 4.47 个和 3.82 个百分点（表 5-4）。同东部地区农户相比，无论是所占比重还是下降趋势中西部地区农户与之差别不大。此外，衣着消费更趋于成衣化，档次提高，购买力上升，如 2010 年四川农村居民户均购买服装支出 226.62 元，比 2007 年增长 44.67%。

（3）人均居住消费支出，表 5-3 显示，西部地区农户由 1985 年的人均 35.46 元增加到 2010 年的 669.63 元，增长 17.88 倍；中部地区农户从 1985 年的人均 53.25 元增加到 2010 年的 764.04 元，增长 13.35 倍。居住支出占生活消费支出的比重，西部地区农户由 1985 年的 13.47% 提高到 2010 年的 18.98%，增加 5.51 个百分点，同期中部地区农户增加 1.86 个百分点，而东部地区农户下降了 3.89 个百分点。从人均居住消费支出绝对量上分析，中西部地区农户明显落后于东部地区农户，2010 年东部地区农户人均居住消费支出 1185.79 元，分别是西部和中部地区农户的 1.77 倍和 1.55 倍。从西部地区农户居住环境来看，2009 年西部 12 省（自治区、直辖市）农户户均住房面积 239.83m²，同 2003 年相比，增加 86.06%。其中，钢筋混凝土结构住房面积户均 69.67m²，比 2003 年增加 83.34%；砖木结构住房面积户均 107.23m²，比 2003 年增加 1.13 倍。中部地区农户 2009 年户均住房面积 180.22m²，比 2003 年增加 48.33%。其中，钢筋混凝土结构住房面积户均 68.25m²，比 2003 年增加 54.41%；砖木结构 78.20m²，比 2003 年增加 19.39%。可见，中西部地区农户的居住环境已显著改善。

（4）人均家庭设备用品消费支出，表5-3显示，西部地区农户从1985年的人均11.70元增加到2010年的187.93元，递增15.06倍；中部地区农户从1985年的人均15.16元增加到2010年的213.41元，递增13.08倍。家庭设备用品支出占生活消费支出的比重，西部地区农户由1985年的4.45%上升为2010年的5.33%，上升0.88个百分点；中部地区农户由1985年的4.87%上升为2010年的5.30%，上升0.43个百分点，同期东部地区农户下降1.40个百分点。从前文提及的拥有的主要耐用品来看，中西部地区农户家庭设备的消费档次逐渐提高。

（5）人均交通和通信消费支出，表5-3显示，西部地区农户由1985年的人均6.13元快速上升到2010年的349.16元，增长55.96倍；中部地区农户由1985年的人均8.19元快速上升到2010年的366.20元，增长43.71倍。同期东部地区农户更是迅猛增长83.24倍。可见，随着全国基础设施建设的不断发展，农户用于交通和通信的消费支出增长迅速。从交通和通信支出占生活消费支出的比重看，西部地区农户由1985年的2.33%提高到2010年的9.90%，上升7.57个百分点；同期中部和东部地区农户分别上升6.47个和10.01个百分点。整体上，三大地带人均交通和通信消费支出占生活消费支出的比重差别不大。但从前文述及的拥有的主要耐用消费品上看，中西部地区农户的通信手段如移动电话、家用计算机等尚明显落后于东部地区农户。

（6）人均文教娱乐消费支出，表5-3显示，西部地区农户由1985年的人均3.99元提高到2010年的225.30元，增长55.47倍；中部地区农户由1985年的人均5.37元提高到2010年的367.33元，增长67.40倍。同期东部地区农户增长65.97倍。可见，改革开放以来，随着农村精神文明建设的进步，农户在文化教育方面支出的增长速度是迅猛的。从文教娱乐支出占生活消费支出的比重看，西部地区农户由1985年1.52%增加到2010年的6.39%，增长4.87个百分点；中部地区农户由1985年的1.73%增加到2010年的9.12%，增长7.39个百分点。同期东部地区农户增长7.59个百分点。值得注意的是，在农户人均文教娱乐消费支出中，用于学杂费的支出占了大多数，但近年来呈现下降趋势。来自全国农村固定观察点的数据显示，西部地区农户用于学杂费支出占文教服务支出的比重由2000年的83.84%减少到2009年的60.63%，下降23.21个百分点；中部地区农户由2000年的83.49%减少到2009年的57.19%，下降26.30个百分点；东部地区农户由2000年的91.39%减少到2009年的63.60%，下降27.79个百分点。随着农村义务教育的普及，农户用于学杂费方面支出比重的下降，在农户收入增长滞缓的情况下，成为减轻农民负担的有效举措。

(7) 人均医疗保健消费支出, 表 5-3 显示, 西部地区农户由 1985 年的人均 8.29 元增加到 2010 年的 279.37 元, 递增 32.70 倍; 中部地区农户从 1985 年的人均 12.72 元增加到 2010 年的 327.41 元, 递增 24.74 倍。同期东部地区农户递增 18.43 倍。从医疗保健支出占生活消费支出的比重看, 2010 年西部地区农户达 7.92%, 中部地区农户达 8.13%, 而东部地区农户略低, 达 6.96%。在广大农村尤其是西部农村医疗保健制度和社会保障制度尚不够健全的情况下, 西部地区农户能够高出东部地区农户医疗保健消费支出比例近 1 个百分点, 一定程度上说明西部地区农户的生活消费观念在转变, 消费结构在优化。

(8) 从农户生活消费支出的结构顺序来看, 近 30 年来变化是明显的。表 5-4 显示, 西部地区农户在 1985 年的支出顺序是食品、居住、衣着、家庭设备、医疗保健、交通通信, 到 2010 年变化为食品、居住、交通通信、医疗保健、衣着、文教娱乐, 近 30 年来交通通信、医疗保健在西部地区农户生活消费安排中已取代衣着和家庭设备而位居第三、四位。中部地区农户具有同西部地区农户大致一样的变动趋势, 只是近年来中部地区农户在文教娱乐消费支出上的比重更大, 居于第三的位置。东部地区农户与中西部地区农户相比, 1985 年的消费顺序是完全一致的, 2010 年的前二位顺序相同, 第三位顺序与西部地区农户相同, 是交通通信支出, 第四位是文教娱乐支出, 第五位与东部地区农户相同, 为医疗保健支出, 衣着支出后退为第六位, 其他相同。

综上所述, 通过对东中西三大地带农户生活消费结构的纵向和横向比较发现, 中西部地区农户消费结构逐步升级, 但从总体上仍未摆脱以必需品为主的生存型消费模式。一方面, 从恩格尔系数的变化来看, 虽然连年下降, 但 2010 年仍然在 40% 以上, 食品支出占生活消费支出比重与东部地区农户比偏大, 生活消费结构和层次不甚合理; 另一方面, 交通通信、文教娱乐和医疗保健等人力资本性消费支出比重虽渐趋上升, 但 2010 年三项支出之和仅占生活消费支出的四分之一左右。简言之, 中西部地区农户在维持生计的基础上, 谋求提高生活质量, 而东部地区农户在丰富生活内涵的基础上, 积极拓展消费空间。

5.2.3 消费倾向的变化

消费倾向反映的是居民生活消费支出占可支配收入的比重, 这是一个综合反映居民消费与收入关系的变量, 具体又包括平均消费倾向 AC (人均生活消费额与人均收入额的比值）和边际消费倾向 MC（人均消费增量与人均收入增量的比值）。

表 5-5 给出了 1980～2010 年 30 年间我国东中西部地区农户平均消费倾向和边际消费倾向的计算结果。由于时间跨度以 5 年为期，避免了年度间消费倾向的短期波动，更能够反映消费倾向的长期变动趋势。就平均消费倾向而言，从表中可以看出，1980～2010 年西部地区农户呈现出"M"形变化趋势，由 1980 年的 0.8651 上升到 1995 年的最大值 0.9160 后，到 2000 年下降到最低点 0.7983，之后到 2005 年快速上升到 0.8486，到 2010 年又下降到 0.8032。30 年间西部地区农户平均消费倾向整体下降了 7.71 个百分点；而中部和东部地区农户的整体变化趋势较为接近，分别由 1980 年的 0.8635 和 0.8364 下降为 2010 年的 0.7121 和 0.6872，分别下降了 21.26 个百分点和 21.71 个百分点。图 5-1 直观地反映了三大地带农户 AC 线的变动趋势。从图 5-1 可以看出，整体比较，西部地区农户的平均消费倾向大于中部地区农户，中部地区农户大于东部地区农户。

表5-5　东中西部地区农户消费倾向比较（1980～2010 年）

（单位：元/人）

	项目	1980 年	1985 年	1990 年	1995 年	2000 年	2005 年	2010 年
东部地区	人均纯收入	217.6	452.2	847.6	2127.2	3063.3	5123.40	8925.87
	人均消费支出	182.0	370.8	696.6	1670.8	2116.1	3755.14	6134.13
	平均消费倾向	0.8364	0.8200	0.8218	0.7854	0.6908	0.7329	0.6872
	边际消费倾向	—	0.8048	0.8240	0.7613	0.4757	0.7956	0.6256
中部地区	人均纯收入	181.0	377.8	632.9	1402.7	2077.1	3029.16	5654.51
	人均消费支出	156.3	306.6	543.2	1187.2	1518.0	2310.80	4026.33
	平均消费倾向	0.8635	0.8115	0.8583	0.8464	0.7308	0.7629	0.7121
	边际消费倾向	—	0.7637	0.9275	0.8366	0.4905	0.8327	0.6534
西部地区	人均纯收入	172.7	316.2	552.7	1116.8	1661.0	2355.61	4392.42
	人均消费支出	149.4	266.7	475.2	1023.0	1325.9	1999.02	3528.11
	平均消费倾向	0.8651	0.8435	0.8598	0.9160	0.7983	0.8486	0.8032
	边际消费倾向	—	0.8174	0.8816	0.9711	0.5566	0.9691	0.7507

资料来源：1980～2005 年数据根据各年《中国农村住户调查年鉴》计算整理，2010 年数据根据《中国住户调查年鉴2011》计算整理

就边际消费倾向而言，1985～2010 年三大地带农户 MC 年度间变化剧烈，有升有降，整体上同样呈现"M"形变化趋势。由图 5-2 可以看出，三大地带农户 MC 线大致都是遵循先升后降再升再降的趋势，但升降幅度不同。西部地

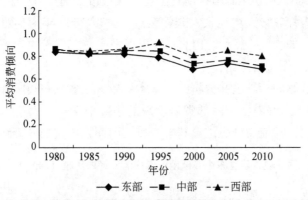

图 5-1 东中西部地区农户平均消费倾向变化趋势（1980~2010 年）

区农户由 1985 年的 0.8174 上升到 1995 年的最大值 0.9711，此后迅速下降为 2000 年的最小值 0.5566，之后又迅速上升为 2005 年的 0.9691，而后又下降到 2010 年的 0.7507，总体趋势是下降了 8.89 个百分点。中部地区农户由 1985 年的 0.7637 上升到 1990 年的最大值 0.9275，此后迅速下降为 2000 年的最小值 0.4905，之后又迅速上升为 2005 年的 0.8327，而后又下降到 2010 年的 0.6534，总体趋势是下降了 16.88 个百分点。东部地区农户边际消费倾向的变化趋势基本与中部地区农户相同，同期总体下降了 28.64 个百分点。从 1985~ 2010 年变动幅度来看，东部地区农户最大，中部地区农户次之，西部地区农户最为平稳。

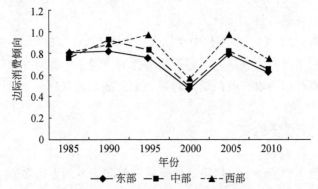

图 5-2 东中西部地区农户边际消费倾向变化趋势（1985~2010 年）

由于我国东中西部地区农户收入存在很大的差别，对不同收入层次倾向的可比性有一定影响。这里本书对同一收入层次的东中西部地区农户的消费倾向作一比较，看其是否与上述分析结论相一致。

本书选取了 2010 年海南省与安徽省、重庆市分别作为东中西部地区代表，因为这三个省份农户人均纯收入非常接近，并以 2000 年为参照系计算三省份的消费倾向，如表 5-6 所示。由表 5-6 可以看出，三省份农户平均消费倾向大小顺序是安徽>重庆>海南，中西部省份农户的平均消费倾向大于东部省份农户的平均消费倾向，与前文分析结论基本一致；三省农户边际消费倾向大小顺序是安徽>重庆>海南，中西部省份农户的边际消费倾向大于东部省份农户的边际消费倾向，与前文分析结论基本一致。因而，前文的分析结论是可信的。

表 5-6　同一收入层次东中西部地区农户消费倾向比较（2000 年、2010 年）

（单位：元/人）

项目	海南省		安徽省		重庆市	
	2000 年	2010 年	2000 年	2010 年	2000 年	2010 年
人均纯收入	2182.3	5275.4	1934.6	5285.2	1892.4	5276.7
人均消费支出	1483.9	3446.2	1321.5	4013.3	1395.5	3624.6
平均消费倾向	—	0.6533	—	0.7593	—	0.6869
边际消费倾向	—	0.6344	—	0.8034	—	0.6587

资料来源：根据《中国住户调查年鉴 2011》计算整理

此外，就同一地区农户的平均消费倾向 AC 与边际消费倾向 MC 相比较，三大地带农户在绝大多数年份都是 AC>MC，即边际消费倾向低于平均消费倾向，这也基本符合经济学家凯恩斯有关消费理论的基本结论，即边际消费倾向总是小于平均消费倾向，从而进一步说明中国农户至少在消费行为的表现上，符合经济学研究的理性"经济人"假定。

综上分析，20 世纪 80 年代中期以来，中西部地区农户无论是平均消费倾向还是边际消费倾向，整体上都是不断降低的，但在年度间变动剧烈。地区间相比较，中西部地区农户的消费倾向要大于东部地区农户。

5.2.4　消费性质的变化

消费性质主要反映的是居民消耗生活资料和服务的方法和形式，它具体包括货币性消费和实物性消费这两种形态。近 30 年来，中西部地区农户生活消费的货币化和商品化程度不断提高，但与东部地区农户相比，差距明显。

表 5-7 显示，2009 年西部地区农户生活消费的货币化程度达 72.87%，同 1986 年相比，提高 12.85 个百分点。其中，食品消费的货币化程度为 58.75%，燃料消费的货币化程度为 60.67%，分别比 1986 年提高 18.12 个和

12.92 个百分点。中部地区农户 2009 年生活消费的货币化程度达 72.26%，同 1986 年相比，提高 11.23 个百分点。其中，食品和燃料消费的货币化程度分别比 1986 年提高 30.76 个和 30.28 个百分点。同东部地区农户进行横向比较，2009 年西部地区农户生活消费的货币化程度低 10.15 个百分点，中部地区农户低 10.76 个百分点。其中，食品消费的货币化程度西部地区农户比东部地区农户低 21.22 个百分点，中部地区农户比东部地区农户低 10.47 个百分点；燃料消费的货币化程度西部地区农户比东部地区农户低 14.55 个百分点，中部地区农户比东部地区农户低 14.77 个百分点。

表 5-7　东中西部地区农户生活消费货币化程度（1986 年、2009 年）

项目	东部		中部		西部	
	1986 年	2009 年	1986 年	2009 年	1986 年	2009 年
生活消费支出/（元/户）	2489.58	6292.24	1778.89	4452.41	1633.40	3726.53
现金性支出/（元/户）	1955.12	5224.01	1085.67	3217.36	980.42	2715.55
货币化程度/%	78.53	83.02	61.03	72.26	60.02	72.87
食品支出/（元/户）	1171.88	2145.49	958.50	1577.78	1002.09	1368.45
现金性支出/（元/户）	723.45	1715.74	371.36	1096.60	407.11	804.00
货币化程度/%	61.73	79.97	38.74	69.50	40.63	58.75
燃料支出/（元/户）	109.60	221.40	106.13	171.99	88.10	148.54
现金性支出/（元/户）	44.89	166.54	32.02	103.97	42.07	90.12
货币化程度/%	40.96	75.22	30.17	60.45	47.75	60.67

资料来源：1986 年数据来自于《全国农村社会经济典型调查数据汇编（1986~1999 年）》，2009 年数据来自于《全国农村固定观察点调查数据汇编（2000~2009 年）》

随着农产品商品率和农户收入水平的提高，农户自给性、实物性消费的比重大大降低，依靠市场配置消费资料的作用也日益突出。但与市场经济下的新型消费模式相比较，目前中西部地区农户消费的市场化、商品化程度还是比较低的。2009 年西部地区农户的实物性消费仍达 27.13%，其中食品的实物性消费达 41.25%；中部地区农户实物性消费达 27.74%，其中食品的实物性消费达 30.50%。与东部地区农户相比，西部地区农户实物性消费高 10.15 个百分点，其中食品的实物性消费高 21.22 个百分点。此外，在食品消费中，粮食的商品化程度更为低下。表 5-8 显示，西部地区农户 2009 年粮食消费的商品化程度为 16.95%，虽然同 1986 年相比提高了 7.96 个百分点，但比东部地区农户低 18.45 个百分点。中部地区农户粮食消费的商品化程度 2009 年比东部地区农户也要低 0.86 个百分点。

表 5-8　东中西部地区农户粮食消费商品化程度（1986 年与 2009 年）

项目	东部		中部		西部	
	1986 年	2009 年	1986 年	2009 年	1986 年	2009 年
粮食（原粮）消费量/（kg/户）	1159.28	762.35	1404.93	797.35	1380.94	925.10
外购数量/（kg/户）	192.20	269.89	128.07	275.42	124.21	156.79
商品化程度/%	16.58	35.40	9.12	34.54	8.99	16.95

资料来源：同表 5-7

综上所述，近 30 年来，中西部地区农户消费行为的基本特征可简要概括为：消费层次不断提高，消费需求明显不足。中西部地区农户的消费层次不断提高，是改革开放以来我国不断成长和发展着的农村经济在居民消费行为上的必然体现。而中西部地区农户明显不足的消费需求，又反映着中西部地区与东部地区农户生活水平的进一步拉大和区域经济结构的进一步不平衡。这在很大程度上影响着我国区域经济的可持续发展。

5.3　中西部地区农户消费行为的影响因素及消费函数检验

5.3.1　影响中西部地区农户消费行为的主要因素

从前文提到的几种消费函数模型中不难发现，农户的消费需求主要取决于农户的收入水平和边际消费倾向。从中西部地区的实际来看，制约农户消费需求增加的因素很多，除受宏观经济发展、农业发展、消费品的价格水平等市场因素的影响外，还受地理环境、民族风俗、传统文化、消费伦理及教育水平等非市场因素的影响，但最终都可以归结为农户收入水平低、增长慢和农户边际消费倾向偏低两个因素。

1. 收入水平低、增长慢是中西部地区农户消费需求增加的根本障碍

农户消费水平与其收入水平具有高度的相关性，在收入水平较低、增长速度缓慢的情况下，消费水平必然较低，而且消费扩大与升级明显乏力。农户收入差距会影响整体消费水平的提高，一般而言，低收入地区消费欲望强，农户消费差异大，而高收入地区储蓄倾向强，农户消费差异小。中西部地区农户的收入状况直接验证了这一点。

首先，中西部地区农户收入的绝对水平低。2009 年，西部 12 省（自治区、直辖市）农户人均纯收入 5492.98 元，中部地区农户 6460.58 元，远低于东部地区农户 9198.79 元的收入水平。而且，非现金收入的比重西部地区农户占 18.83%，中部地区农户占 13.03%，分别比东部地区农户高 11.25 个和 5.45 个百分点。这样低的收入水平，只能使农户消费支出主要用于中低档的日常物质消费方面，而用于高档的物质消费和精神消费方面的支出较少，这就大大限制了农户消费的扩大和升级，从而使农户消费需求增长后劲不足。

其次，中西部地区农户收入的增长速度缓慢，甚至出现下降趋势。例如，西部 12 省（自治区、直辖市）人均纯收入年均增长速度由 1986 ~ 1990 年的 14.70% 下降为 1990 ~ 2000 年的 12.49%，并进一步下降为 2000 ~ 2009 年的 11.66%。这使得农户对未来增收的预期不确定性增加，农户消费需求增长缺乏有力的收入增长支持和保证，从而导致了农户消费能力弱化。

再次，消费品供给结构不合理产生的收入效应导致农户可支配收入减少。目前中西部地区农户正处在对彩电、冰箱、洗衣机等商品消费的初始阶段，电视、冰箱、洗衣机等商品的价格虽一降再降，但相对于中西部地区农户的收入水平仍然偏高，缺乏适合中西部地区农户消费水平和特点的同类商品。因而，消费品供给结构相对于需求结构明显不合理，出现了供给结构与需求结构的断层与错位。商品价格偏高会产生收入减少效应，即农户消费相同数量商品的支出增加或一定数量的消费支出购买的商品数量减少，这相当于农户的收入减少，使农户实际消费能力下降，从而表现为消费需求不足。

最后，中西部地区农户较低的收入导致消费潜力不强，从而抑制农户未来消费需求。收入水平是决定消费的一个根本因素，但收入水平并不能反映消费潜力，消费潜力并不取决于消费者还未消费什么，而取决于消费者在满足消费结构以后的剩余大小，可以把农户人均纯收入减去农户人均生活消费支出作为农户的消费剩余来反映消费潜力。从消费剩余来看，2009 年东部地区农户为人均 2906.55 元，西部地区农户为人均 1766.45 元，若以四口之家为例，东部地区农户家庭一年的平均消费剩余为 11626.2 元，而西部地区农户家庭一年的平均消费剩余仅为 7065.8 元，这就使得东西部地区农户的消费层次拉开了距离，东部地区农户家庭积累 1 年左右，便有能力消费万元级的高档耐用品，而西部地区农户仅能消费几千元的中档耐用品。

2. 边际消费倾向低是制约中西部农户消费需求增加的重要因素

前文述及，2010 年西部地区农户的边际消费倾向为 0.7507，尽管高于东部地区农户 0.6256 的水平，中部地区农户也只有 0.6534，但相对于中西部地区农户较低的收入水平而言偏低。导致中西部地区农户边际消费倾向偏低的原因既有主观因素，也有客观因素，主要有以下方面。

（1）传统的消费观念和模式转变缓慢。根据消费增长和国民收入增长的关系，消费模式一般可分为三种："同步型消费"即消费增长和国民收入增长保持同步；"超前型消费"即消费增长快于国民收入增长；"滞后型消费"即消费增长慢于国民收入增长。目前中西部地区农户的传统消费观念仍比较浓重，缺乏现代消费意识，主要表现为偏好储蓄积累，忽视现期消费；注重物质消费，忽视精神消费；习惯于维持性消费，舍不得更新换代；对"信贷消费"不敢涉足，等等。由此使农户消费增长长期慢于国民收入增长，从而使农户消费表现为典型的"滞后型消费"模式。

（2）消费品的低质量产生的替代效应导致农户消费支出减少。目前中西部地区消费品市场上，一般商品多，名优商品少，假冒伪劣商品充斥市场，大多数商品的技术含量和质量较低，从而使消费者的选择余地较小。这种状况会对消费者的消费产生替代效应，即使消费者对低质量消费品的消费倾向降低，对高质量消费品的消费倾向增加，但在消费者对高质量、高价格消费品消费能力有限，而高质量、低价格消费品供给不足的情况下，只能导致消费者边际消费倾向降低，消费需求减少。

（3）农户家庭负担较重，社会保障制度滞后。随着农业税的全面取消，农户的税费负担虽然得到缓解，但一些农村地区乱收费、乱集资、乱摊派现象依然屡禁不止，阻碍农户纯收入水平的提高，进而影响消费。农户预期支出增加，也抑制即期消费。主要表现在两个方面：一是医疗保健和交通通信支出增加，1985~2010年西部地区农户二者比重共上涨了12.34个百分点，中部地区农户上涨了10.51个百分点，农户要将很大一部分收入储存起来用于未来的医疗保健等方面的支出；二是子女教育费用增加，上中学后，子女的教育费用就开始逐年增加，特别是大学教育支出是农户家庭的一个沉重负担。前文述及，1993年以来，中西部地区农户用于学杂费的支出比重占文化服务支出的比重，一直在55%以上。在中西部地区农村社会保障制度尚不健全的情况下，农户对未来生活感到较大压力，再加上对今后的收入预期看低、支出预期看涨，造成农户对即期消费持谨慎态度，进而边际消费倾向降低，抑制了消费需求增加。

（4）基础设施建设落后，农村消费环境较差。以西部12省（自治区、直辖市）为例，欠佳的消费环境表现在：农村"村村通"公路建设滞后，特别是一些贫困山区仍然处于"晴通雨阻"的交通状态；农村信息化进程缓慢，有线电视网、互联网覆盖率低，加之农村电网设施落后、电压不稳、电价偏高，既制约了农户家庭购买电视、电脑等家用电器，也因为信息设施差异进一步拉大了城乡、地区之间的信息鸿沟，造成发展机会上的不均等。此外，中西部地区农村市场建设进程缓慢,既限制了本地农产品商品化,也阻碍了外部生产资料、消费资料和农业科技的输入,一定程度上制约了收入增长的同时,也抑制了消费的提高。中西部地区较差的消费环境导致农户边际消费倾向偏低,进而抑制了有效消费的实现。

5.3.2 中西部地区农户消费函数的构建、估计与检验

根据前文分析,中西部地区农户收入增长后劲乏力,农村金融市场发育迟缓,加上社会经济文化背景的原因,在古典消费函数理论内发展起来的,如持久收入和生命周期理论等跨时预算的前瞻性消费理论假设,在中西部地区农村难以成立。而凯恩斯理论把消费的解释力全部归于现期收入也明显单一。在以上分析中结合中西部地区农户消费行为的基本特点,并借鉴当代消费函数理论的基础上,本书认为我国中西部地区农户消费函数的基本理论应该符合相对收入假设理论。[①] 下面通过构建相对收入模型检验之。

1. 相对收入模型解释

前文述及,杜森贝利相对收入假说的核心内容是:人们的消费支出不仅受当期自身收入的影响,而且受周围人们的消费行为及收入与消费相互关系的影响;不仅受自己目前收入的影响,而且也受自己过去收入的影响。前者称为消费的"示范效应",后者称为消费的"不可逆性"。"示范效应"反映消费者的"攀附行为";消费的"不可逆性"也称"棘轮效应",反映消费者的实际生活水平不能低于过去的最高水平,具有明显的"刚性"特征。构建杜氏相对收入假设消费函数模型如下:

$$C_t = \alpha + \beta_1 Y_t + \beta_2 Y_0 \tag{5-6}$$

$$C_i = \alpha + \beta_1 Y_i + \beta_2 \overline{Y} \tag{5-7}$$

$$\overline{Y} = \sum Y_i / n \tag{5-8}$$

式(5-6)中 C_t 和 Y_t 分别表示消费者的现期消费和现期收入;Y_0 表示消费者前期曾达到的最高收入水平,此式主要用于测试消费不可逆性定理的适用性;式(5-7)中,C_i 和 Y_i 为不同消费者(单位或按收入、地域划分的群体)的消费和收入;式(5-8)中的 n 为消费者单位或群体的数目;式(5-7)主要用于

---

① 朱信凯(2003)曾对中国农户消费函数进行过实证分析,指出中国农户的消费函数理论也是符合相对收入假设理论。

测验消费示范效应和消费者的攀附行为。

2. 中西部地区农户"棘轮效应"检验

布朗（1952）曾从习惯坚持和消费行为的滞后性角度进一步发挥了消费"不可逆性"的观点，将过去的消费纳入其模型和框架体系，从而提出了广义相对收入假定。他指出人们只是缓慢的改变其消费行为，因此，前期消费影响现行消费及可支配收入。这意味着，无论收入的移动是向上还是向下，消费只朝着一个均衡值缓慢变化。鉴于此，布朗在模型中使用了滞后消费支出变量，取得了较好的效果。朱信凯（2000）对中国农户1979～1998年时序数据的检验也验证了中国农户符合布朗的广义相对收入假设的结论。

总的来讲，收入是不断上升的，所以在数据处理时可以近似认为 $Y_0 = Y_{t-1}$。本书为使研究结论更具包容性，也同时验证本期、前期收入及前期消费对现期消费的影响程度，以方程（5-6）为基础构建以本期 C_t 为被解释变量，以 Y_t、Y_{t-1}、C_{t-1} 为解释变量的方程，同时为避免 Y_t、Y_{t-1} 之间因高度相关所引致的多重共线性，在此以 Y_t 与 Y_{t-1} 的差 ΔY_t 代替 Y_t，利用表5-9数据估计结果如下：

$$C_t = 80.16 + 0.24\Delta Y_t + 0.27Y_{t-1} + 0.61C_{t-1} \qquad (5-9)$$
$$(2.10)(3.86)(3.55)(4.61)$$

$\text{Adjusted} R^2 = 0.99 \qquad \text{D. W.} = 1.68 \qquad F = 1381.72$

经检验，各项系数都在1%的水平上显著。

表 5-9　西部农户人均纯收入与生活消费支出情况（1986～2009 年）

（单位：元/人）

年份	人均生活消费支出 C_t	滞后一期消费支出 C_{t-1}	人均纯收入 Y_t	滞后一期人均纯收入 Y_{t-1}	$\Delta Y = Y_t - Y_{t-1}$
1986	306.45		362.47		
1987	346.91	306.45	411.96	362.47	49.49
1988	427.40	346.91	533.63	411.96	121.67
1989	482.97	427.40	550.09	533.63	16.46
1990	496.70	482.97	627.38	550.09	77.29
1991	531.49	496.70	678.74	627.38	51.36
1992	632.57	531.49	828.43	678.74	149.69
1993	737.60	632.57	983.96	828.43	155.53

年份	人均生活消费支出 C_t	滞后一期消费支出 C_{t-1}	人均纯收入 Y_t	滞后一期人均纯收入 Y_{t-1}	$\Delta Y = Y_t - Y_{t-1}$
1994	990.29	737.60	1320.12	983.96	336.16
1995	1248.28	990.29	1663.33	1320.12	343.21
1996	1423.52	1248.28	1660.27	1663.33	−3.06
1997	1392.60	1423.52	1832.98	1660.27	172.71
1998	1405.31	1392.60	1878.81	1832.98	45.83
1999	1402.68	1405.31	1627.28	1878.81	−251.53
2000	1461.81	1402.68	2036.03	1627.28	408.75
2001	1481.89	1461.81	2077.00	2036.03	40.97
2002	1611.56	1481.89	2247.28	2077.00	170.28
2003	1867.14	1611.56	3043.92	2247.28	796.64
2004	2010.54	1867.14	3420.75	3043.92	376.83
2005	2313.65	2010.54	3702.94	3420.75	282.19
2006	2557.30	2313.65	4194.35	3702.94	491.41
2007	3066.81	2557.30	4955.98	4194.35	761.63
2008	3402.40	3066.81	5540.17	4955.98	584.19
2009	3726.53	3402.40	5492.98	5540.17	−47.19

资料来源：1986～1999 年数据来自于《全国农村社会经济典型调查数据汇编（1986～1999 年）》，2000～2009 年数据来自于《全国农村固定观察点调查数据汇编（2000～2009 年）》

同理，按表 5-10 提供的数据对中部地区农户进行估计，其结果为

$$C_t = 178.28 + 0.18\Delta Y_t + 0.67Y_{t-1} - 0.02C_{t-1} \qquad (5\text{-}10)$$
$$(3.46)(2.59)(7.08)(-0.13)$$

Adjusted$R^2 = 0.99$　D. W. $= 0.88$　$F = 1016.46$

经检验，滞后一期消费的系数不显著，收入变化项系数在 5% 的水平上显著，滞后一期收入项在 1% 的水平上显著。

由方程（5-9）和方程（5-10）的各项检验值可以看出，该模型整体拟合良好。上述分析表明，中西部地区农户消费行为并不适合布朗的广义相对收入假定，却可用杜森贝利的相对收入假设得到较好解释，表明 20 世纪 80 年代中期以来中西部地区农户消费行为具有较强的"棘轮效应"，从而验证了本书前面的假定。

表 5-10　中部农户人均纯收入与生活消费支出情况（1986～2009 年）

（单位：元/人）

年份	人均生活消费支出 C_t	滞后一期消费支出 C_{t-1}	人均纯收入 Y_t	滞后一期人均纯收入 Y_{t-1}	$\Delta Y = Y_t - Y_{t-1}$
1986	371.38		452.77		
1987	531.60	371.38	427.11	452.77	−25.66
1988	499.43	531.60	619.24	427.11	192.13
1989	548.92	499.43	685.51	619.24	66.27
1990	593.46	548.92	709.46	685.51	23.95
1991	601.43	593.46	711.72	709.46	2.26
1992	678.42	601.43	866.15	711.72	154.43
1993	758.56	678.42	1026.90	866.15	160.75
1994	1061.58	758.56	1424.23	1026.90	397.33
1995	1376.03	1061.58	1836.56	1424.23	412.33
1996	1469.07	1376.03	1941.47	1836.56	104.91
1997	1530.54	1469.07	2021.70	1941.47	80.23
1998	1500.98	1530.54	1936.77	2021.70	−84.93
1999	1425.84	1500.98	1904.71	1936.77	−32.06
2000	1426.98	1425.84	2032.32	1904.71	127.61
2001	1438.38	1426.98	2213.03	2032.32	180.71
2002	1595.69	1438.38	2441.80	2213.03	228.77
2003	1837.16	1595.69	2940.03	2441.80	498.23
2004	2170.45	1837.16	3578.61	2940.03	638.58
2005	2459.12	2170.45	3874.98	3578.61	296.37
2006	2712.81	2459.12	4353.60	3874.98	478.62
2007	3201.06	2712.81	4610.19	4353.60	256.59
2008	3517.51	3201.06	6239.59	4610.19	1629.4
2009	4452.41	3517.51	6460.58	6239.59	220.99

资料来源：同表 5-9

3. 中西部地区农户"示范效应"检验

消费的社会学意义就是一定的社会阶层对代表其地位的消费标准的认同，以及对更高收入阶层消费时尚的模仿。在中国农村，农户处于一种关系非常密切的社会中，左邻右舍较为了解相互间的消费情况，农户消费行为具有较强的社会性。朱信凯（2000）研究认为，对于中国农户而言，地理位置越是靠近，其示范消费的压力越大，使得其不得不进行竞争性质的攀比消费。鉴于此，本书在式（5-7）基础上，构造以乡村为基本地域单位的中西部地区农户消费"示范效应"函数如下：

$$C_{ijk} = \alpha + \beta_1 Y_{ijk} + \beta_2 \overline{Y}_{jk} \tag{5-11}$$

$$\overline{Y}_{jk} = \sum_{i=1}^{10} Y_{ijk} \tag{5-12}$$

式中，k 代表县市；j 代表对应县市的乡村；i 代表对应乡村的农户。

受资料所限，本书在此仅以中部的湖北省和西部的贵州省为例来进行农户消费"示范效应"检验。数据来源于国家统计局农村社会经济调查总队提供的两省 2003 年农村住户调查资料。从湖北省随机抽取阳新、襄阳、罗田、浠水、松滋、监利、郧县、秭归、恩施、鹤峰 10 县市，每县市抽取 10 个乡村，每乡村再抽取 10 户居民，共计 1000 户，因而式（5-11）中的各角标的取值为：$k=1, 2, \cdots, 10$；$j=1, 2, \cdots, 10$；$i=1, 2, \cdots, 10$。湖北省抽中县市相关指标汇总见表 5-11。从贵州省随机抽取黎平、余庆、松桃、安顺、翁安、大方、德江、水城 8 县市，每县市抽取 10 个乡村，每乡村再抽取 10 户居民，共计 800 户，相应地，式（5-11）中的各角标的取值为：$k=1, 2, \cdots, 8$；$j=1, 2, \cdots, 10$；$i=1, 2, \cdots, 10$。贵州省抽中县市相关指标汇总见表 5-12。

表 5-11 湖北省抽中 10 县（市）及其相关统计指标汇总表（2003 年）

样本县（市）	样本数/户	人均生活消费支出/元	人均纯收入/元
阳新县	100	1548.23	1908.31
襄阳县	100	1534.65	3152.39
罗田县	100	1876.90	2214.97
浠水县	100	1936.71	2392.42
黄梅县	100	2021.89	2251.33
云梦县	100	2064.50	2977.27
仙桃市	100	1853.84	3532.26
松滋市	100	2048.79	2603.34
监利县	100	1773.27	2563.02
钟祥市	100	2089.44	3160.20

资料来源：国家统计局农村社会经济调查总队 2003 年农村住户调查资料

表 5-12 贵州省抽中 8 县（市）及其相关统计指标汇总表（2003 年）

样本县市	样本数/户	人均生活消费支出/元	人均纯收入/元
黎平县	100	1147.58	1435.42
余庆县	100	1820.09	2371.53
松桃县	100	1091.40	1388.07
安顺市	100	1292.35	1520.26
思南县	100	1109.86	1391.23
大方县	100	1200.67	1354.60
开阳县	100	1923.70	2389.79
水城县	100	1207.36	1399.51

资料来源：同表 5-11

考虑到样本容量较大，为避免估计中可能产生的因变量、自变量之间的非线性相关，这里对式（5-11）作双对数变换，即

$$\mathrm{Ln}(C_{ijk}) = \alpha + \beta_1 \mathrm{Ln}(Y_{ijk}) + \beta_2 \mathrm{Ln}(\bar{Y}_{jk}) \tag{5-13}$$

则湖北省最终的估计结果为

$$\mathrm{Ln}(C_{ijk}) = 4.29 + 0.54\,\mathrm{Ln}(Y_{ijk}) + 0.38\,\mathrm{Ln}(\bar{Y}_{jk}) \tag{5-14}$$
$$(10.74)\quad(15.41)\quad(17.65)$$
$$R^2 = 0.49 \quad D.W. = 1.54 \quad F = 1433.99$$

贵州省最终的估计结果为

$$\mathrm{Ln}(C_{ijk}) = 2.08 + 0.37\mathrm{Ln}(Y_{ijk}) + 0.26\,\mathrm{Ln}(\bar{Y}_{jk}) \tag{5-15}$$
$$(7.03)\quad(10.01)\quad(20.70)$$
$$R^2 = 0.53 \quad D.W. = 1.68 \quad F = 891.47$$

从回归结果看，t 和 F 的检验均较显著，虽然调整后的 R^2 较低，但根据统计检验的原则，当样本容量较大时，拟合优度可适当降低，F 检验通过即可。可见，式（5-14）和式（5-15）整体的拟合结果是理想的，能充分说明中部的湖北省和西部的贵州省的农户消费具有较强的"示范效应"。

5.3.3 结论与建议

消费能否实现的关键，一是消费者是否有余钱，二是消费者有无消费欲望，三是消费环境是否支持。其中收入是制约消费的决定因素。从我国目前情况来看，大部分的农村消费在千元级徘徊，而且相当多的贫困地区居民刚解决温饱问题。在这个收入水平上，要跨越千元级的消费水平，仅靠改善消费环

境，扩大销售网点难以在短期内实现，需要收入水平的大幅度提高。

1. 调整农村产业结构，切实提高农户收入

农村市场中，既有消费需求又有购买能力的群体只是少数，2010 年年底我国有 60％ 以上的农户人均纯收入在全国平均水平以下。要启动农村消费市场，就必须调整农业和农村经济结构，切实提高农户收入水平。首先应立足中西部地区的生物物种繁多、土地资源丰富、环境污染较轻、农村劳动力廉价且丰富、自然环境空间差异性大等农业资源优势，结合市场需求，组装配套农业高新技术，培育特色农业产业，发展特色农产品精深加工业，推进农业产业化进程；其次应依托小城镇发展第三产业，农户既是第三产业的消费者，又是第三产业的就业者，他们原先居住分散，收入来源单一，参与各种活动不多，不可能形成对第三产业的规模化需求，随着小城镇的壮大，农户的生活方式将逐步改变，城镇居住人口将增加，对第三产业的规模化需求随之增大；第三应将生态农业作为一种新兴产业来培育，把难以向非农产业转移的低素质农民集结起来，进行生态建设，发挥西部人力资源的体力及价格优势，使生态建设向产业化发展。最终实现农户收入稳定增长，消费信心和消费能力不断增强。

2. 健全农村社保体系，培育良好消费环境

对收入增幅的预期下降及对未来支出的预期增加制约着农户消费水平的提升，为此，必须建立完善的农村社会保障体系，以降低或免除农户现期消费的顾虑。目前正出台的各项改革措施，使农户的预期支出增大；另外农户的直接投资渠道少，金融证券市场风险大，农户缺乏经济安全感，因而会减少当前的消费。改善经济预期，关键在于完善包括医疗体制改革、社会保险制度改革、养老金制度改革和教育制度改革等在内的社会保障制度，增强农户的经济安全感。此外，要将西部开发与农村消费环境的改善结合起来，实施以工代赈措施，修建农村水利与道路，改善基础设施条件。从根本上减轻农民负担，继续推进农电"两改一同价"①，实施电话、电视"村村通"工程，加快小城镇、乡村道路建设，为农户提供便利的服务；瞄准农村居民的当前消费热点、承受能力，提供与其需求结构相匹配的消费品供给结构，只有这样，才能形成有效的现实需求，切忌出现供求结构错位；采取积极消费政策引导农户消费，形成合理收入差距，提高农户消费倾向，以利于农户消费结构升级。若收入趋同化，易导

---

① 农电"两改一同价"是改革农电管理体制、改造农村电网、实现城乡用电同网同价的简称，它是国务院在全国统一部署的旨在降低农村电价、减轻农民负担的重要举措，于 1998 年启动。

致低层次上的集中消费，而差距过大，低收入群体增加，不利于消费的增长。

3. 逐步推行信贷消费，激发农户消费潜力

中西部地区农户的耐用品普及率低，这并不能说明农户不需要彩电、冰箱、洗衣机等现代化的家用设备。农村的耐用品普及率之所以低是因为农户收入水平低，有些耐用消费品大大超出其购买能力和消费限度，只能望而却步。逐步推行并发展农村消费信贷，是激发农户消费潜力的有效途径。具体操作中应把握以下几点：①改变传统消费观念，提高农户消费倾向。农户的消费观念直接作用于消费倾向和消费偏好，进一步影响到消费信贷的发展。在中西部农村地区，传统的消费观念通常反对借债消费。因此，应该通过一些媒体宣传消费信贷对农户个体及其家庭的积极意义，使其意识到消费信贷并不是一种恶习，而是提高生活质量的一种现实手段。②银行应扩大农村信贷规模和品种，采取灵活多样的方式，扩大消费借贷的空间。关键是扩大集体资产产权抵押贷款范围，拓宽农村小额信贷覆盖面，简化小额信贷的程序和手续，切实为广大农户提供便捷、及时的信贷服务。③深化农村信用社体制改革，加快信用担保机制建设，重点探索面向贫困农户的贷款业务，在有条件的地区率先建立个人信用评估制度。健全农村金融体系，增加农村资金供给，尽快建立与消费信贷业务相配套的法律法规及风险防范制度。

4. 树立生态消费观念，改善农村生态环境

生态需要反映人与自然的关系，不仅是农户最基本、最重要的生存需要，也是农户很重要的享受需要和发展需要，是人的物质需要和精神需要的统一体。生态需要的满足是农户生产生活中产生愉悦感、舒适感的源泉。要满足生态消费，必须有良好的生态环境。改善农村生态环境，可采取如下措施：①通过开展各种形式的可持续发展宣传、教育和培训，引导和鼓励农户自觉地保护环境，节约资源，改变不可持续的生产和消费方式。②强化政府职能。政府最主要的职责是作出适宜的制度安排，包括诱发性和强制性制度安排，以诱导和强制采取预防和治理资源破坏和环境污染的措施。具体内容是：运用有关环境和资源保护的法律、法规和必要的行政手段，实施可持续发展战略；协调各级政府在资源开发和环境治理方面的利益与矛盾；创造管理农村环境所需的条件等。③加速生态技术创新和推广。随着农村经济快速发展，有些生态技术难以继续应用，这意味着生态技术创新、升级已成为越来越迫切的问题。为了最大限度地发挥技术创新在保护环境中的作用，政府应对生态技术的创新和推广给予有力的扶持。

5.4 农户消费行为对区域经济发展的影响

5.4.1 消费对经济增长影响的理论分析

经济学研究表明，消费是社会生产过程的重要环节，是拉动经济增长不可忽视的重要方面。从需求的角度看，消费对经济增长的作用更大。这是因为：第一，消费是社会生产的最终目的和归宿；第二，消费为经济增长提供不竭动力；第三，消费决定社会生产的规模范围和发展方向（刁永祚，2001）。正如马克思在《资本论》中所说："没有离开消费的生产，消费为生产提供最终的动力。"

众所周知，经济学中 GDP 增长率的一个常用分解模型为

$$Y = I + C + \text{NE} \tag{5-16}$$

式中，Y 表示 GDP；I 表示投资；C 表示消费；NE 为净出口，即 GDP 的增长率可分解为三部分：投资的贡献、消费的贡献和净出口的贡献。也就是通常所说的拉动经济增长的"三驾马车"。在这三驾马车中，消费的作用又是最重要的（刘方棫，2000）。首先，无论发达国家还是发展中国家，消费在一国的国内生产总值中所占的份额最大（王晓丹，2003）（一般在 60% 以上，我国近年来一直停留在 54%~58%）；其次，从根本上说，投资需求不过是消费需求的一种引致需求，作为一种中间需求是由消费需求所决定的；最后，所谓净出口，本质上也是一种消费需求，只不过是来自国外或境外部门的消费需求罢了。可见在市场经济条件下，拉动区域经济增长的关键在于启动居民的消费需求。

5.4.2 农户消费行为对区域经济发展的影响

农户消费行为对区域经济发展的影响，主要体现在消费结构变化对区域经济发展的影响上。农户消费结构和所处的社会经济环境是相互作用的，一方面，消费结构受到收入和消费环境等影响；另一方面，消费结构对社会经济生活的各个方面也具有反作用，消费结构变化促进经济结构的变化，并对经济增长方式提出新的要求。消费结构中各种文教娱乐服务消费的增加，也在不同程度上影响到居民的精神生活，推动社会文化的发展。而消费结构中不合理因素也会对区域社会经济产生不良影响。

1. 农户消费结构变化对区域经济发展的积极影响

（1）农户消费结构的变化，促进了农村经济结构的转型升级和非农产业的发展。农户消费结构最明显的变化就是恩格尔系数的下降，衣着、住房、用品和生活、文化服务等其他生活消费比重上升。农户生活消费的内容相当部分来自乡镇企业，农户消费结构的变化在很大程度上促进了农村服装、建材、商业、饮食和运输服务等二、三产业的发展。例如，农户在收入增加后，对住房的投入增加，不仅要住得宽敞，还要舒适、气派，住房的墙体材料由过去的土坯、砖木结构逐渐向钢筋混凝土结构过渡，许多农户对内外墙装饰和内部装修也有较高的要求。农村住房消费的增长极大地促进了农村建材行业及相应的建筑装饰装修产业的发展。随着短缺经济的结束和市场经济的发展，生产越来越多地取决于需求。农户需求和消费结构的变化对农村经济的促进作用将进一步扩大。

（2）农户膳食结构的改善，对农业结构调整提出了新的要求。虽然收入增加，恩格尔系数下降，食品支出在农户消费结构中的比重减小，但食品消费内部结构的改善对农业经济结构产生一定的影响。副食支出比重升高，农户对肉、蛋、奶的需求量加大，要求农村种养业结构作出相应的调整。农户食品消费现金支出增加，自给性消费减少，为农村粮食加工和食品加工业的发展提供了市场。而农户外出饮食增加无疑会刺激农村饮食服务业的发展。目前，城市居民饮食结构的改变已经对农业生产结构的调整产生了显著影响，如国家调减品质较差的早籼稻的播种面积。可以预见，占总人口较大比重的农村居民饮食结构变化将对农业生产结构产生更大的影响。

（3）文化服务消费的增加促进农村社区和谐发展。20世纪90年代以来，农户文化服务支出在消费总支出中的比重大幅度上升。农户的文化娱乐生活日益丰富，不仅对改变农户的精神面貌和形成新的社区文化具有促进作用，而且也悄然改变着农户固有的生产生活方式，社会主义新风尚丰富和推动了新农村建设的形式与内涵。农户文教娱乐用品消费及服务消费支出的不断增长，主要是随着新农村文化建设的不断开展与深入，公共文化资源不断向农村倾斜，农户参与文化娱乐活动的热情不断高涨，农村居民的日常文化生活越来越丰富多彩，在家上网、看电影，外出旅游、观光等在农村居民中越来越普遍。

2. 农户消费结构变化对区域经济发展的消极影响

（1）农户自给性消费比重过高，对农村商品经济发展不利。在农户生活消费中，自给性消费比重一直维持较高水平，货币化程度较低。例如，2009

年西部地区农户生活消费货币化程度为72.87%，比东部地区农户低10.15个百分点；西部地区农户粮食消费的商品化程度仅为16.95%，比东部地区农户18.45个百分点。这使得农村商品市场发展的可能空间受到较大限制，不仅会影响农村商品经济的发展，而且也会影响到以其为重要市场的城镇经济的发展。

（2）服务消费中被动消费比重大，影响到农户消费能力的进一步提高。华中师范大学中国农村研究院（2012）发布的《中国农民经济状况报告》显示，人情支出正成为农户家庭生活支出的一大负担，人情支出占了家庭收入相当大的比重。分地区来看，2011年中部地区农户家庭人情支出最高，达到3369.86元，西部地区农户家庭也达到2860.06元。医疗费用价格上涨和学杂费支出增加是农户面对的另外家庭负担。前文已经述及，2009年中西部地区农户学杂费支出已经占到文化服务支出的55%以上。《中国农民经济状况报告》进一步显示，陪读费近年来正成为农户家庭新的支出压力。2011年，受访农户家庭教育支出中，陪读费用平均为404.10元，仅次于学费、学杂费和伙食费。因此，农户服务支出在消费结构中的比重上升和服务支出的高弹性均不能说明农户消费能力的提高。而且农户被动消费支出的增加，会在很大程度上挤占其他消费。服务性消费支出增长过快是导致农村消费品市场萎缩的重要原因。

（3）耐用消费品在消费结构中比重不高，甚至在某些年份出现下降，直接影响区域农村消费市场的开拓。近年来，国家将开拓农村消费品特别是耐用品市场作为刺激内需、促进经济增长的重要手段。但从农户消费支出结构看，耐用消费品在生活消费支出中所占比重尽管在中西部地区有增长趋势，但其绝对比重偏低的事实却限制了农村消费品市场的开拓。在农村耐用消费品拥有量较低的情况下，耐用品支出比重偏低是不正常的。一方面，近年来收入增长缓慢影响了农户的收入预期和即期消费；另一方面，农村基础设施和消费环境的不够配套也影响了农户对耐用消费品的需求，如电压不稳定和电费太高影响了对电器的使用，电视信号不清楚影响了电视机的购买，上下水管道使洗衣机只能成为摆设。

5.5　农户消费行为合理化政策选择的准则

相互推进、协调发展的农户消费行为的合理化，有助于实现农户家庭效用的最大化并推动区域经济的可持续发展。而农户消费行为合理化政策目标的实现，需要把握以下几个方面的行为准则。

（1）适度消费规模准则。适应消费规模政策的核心，是防止消费规模膨胀，抑制高消费及相应的示范效应。适度消费规模是农户消费行为合理化过程中最核心的内容，具体包括三方面，即适度绝对消费规模、适度相对消费规模和适度动态消费规模。适度绝对消费规模，是指某一特定时点上，将该时期形成的人均纯收入合理地分配为消费与积累后形成的消费规模，它着重强调消费与积累的量；适度相对消费规模，是指某一特定时点上，消费与积累及消费、积累与人均纯收入之间的比例关系，它要求在既定的国民经济体系中，消费既能达到满足人们生活的需要，又有利于促进国民经济的长期稳定发展；适度动态消费规模是针对消费规模从一个时期到另一个时期的变化情况而言的。它要求农户消费规模的增大或减少要与农户人均纯收入或整个国民经济的变化相一致，不至于影响经济长期稳定的发展。具体地说，一是消费规模的增长率应建立在社会生产和劳务所组成的国民经济发展水平与经济效益高低的基础上；二是消费规模的增长率不能高于农户人均纯收入的增长速度，名义消费规模与实际消费规模趋于一致。

（2）合理消费结构准则。农户合理消费结构准则关键在于处理好以下几方面的问题。一是消费资料间的比例应与经济发展水平、社会供给结构及自然资料禀赋相一致，因为它是由经济发展水平及相应的供给结构所决定的，因此，它既不能超越，也不能滞后于经济发展水平及供给结构与资源禀赋的要求。二是消费主体间的关系趋于合理。即不同人口结构间的消费关系，如不同收入水平人口的消费，不同区域人口的消费等趋于合理。它要求依据不同人口结构在社会财富创造过程中所起的作用大小，来决定不同人口结构的消费关系，并且以提高全民消费水平为根本宗旨。消费主体间结构的合理化，也包括农户消费需求原有一个合理的梯度序列。合理的消费需求梯度，是消费品市场供求保持动态平衡的先决条件，它本身就使需求不可能同时集中指向同一目标市场，而使不同层次的消费需求分散地指向相应层次的目标市场，从而避免这样一种矛盾：即某些层次消费品市场超负荷运转，求大于供，而另一些层次消费品市场却需求不足。如果从序列的角度来看，消费需求梯度就表现为一种不同层次消费需求沿时间轴前后相续的序列。在消费需求的动态发展中，某一层次消费需求升迁于高一层次消费需求时，其后续层次就可以递补相续，这样能使对某种消费品的有效需求沿时间轴的分布均匀化，并使消费需求的不同层次的链条在发展过程中保持一种动态平衡。三是个人消费与社会消费间的比例关系要趋于合理。现阶段，农户自身及其家庭消费的满足应是农户消费的最基本方式。

（3）科学消费方式准则。科学消费方式主要包括消费方法上的科学性和消费时间上的合理性。消费方法上的科学性主要依据自然规律的要求，使农户在使用、消费消费资料的过程中，使其原有的营养成分、功效等都能充分发挥；消费时间上的合理性主要是指，在农户消费过程中，依据人体自然规律的要求，使其消费资料的营养成分等都能充分的吸收，最大限度地满足农户消费需要。

（4）最佳消费效益准则。消费效益是指消费过程中的投入产出关系，它要求在消费经济活动中，以既定的消费规模及相应的消费结构来寻求最大的消费满足。在这个过程中，消费效益涉及社会经济发展水平、价值观念取向及主观心理评价等诸多因素。寻求最优的消费效益，要求将这些因素进行统筹考虑，并参照社会经济发展目标，量力而行，取得较为满意的效果，并逐步向最优消费效益靠近。

5.6 本章小结

本章首先对西方几种主要消费函数理论进行了比较与评价，阐述了中国农户消费行为的一般认识。然后围绕消费水平、消费结构、消费倾向和消费性质，对中西部贫困地区农户消费行为进行了统计分析，着重探讨了中西部地区农户消费行为的变动趋势及与东部地区农户的行为差异，得出了近30年来中西部地区农户消费层次不断提高，消费需求严重不足的结论。通过分析，本书指出制约中西部地区农户消费需求增加的因素，一是收入水平低、增长慢，二是边际消费倾向偏低，并据此给出了相应的政策建议。通过构建消费函数模型并进行实证检验，结果显示，中西部地区农户消费行为符合相对收入假说，消费具有较强的"棘轮效应"和"示范效应"。基于上述分析，本书阐述了农户消费行为对贫困区域经济发展的积极与消极影响，并据此提出了引导农户消费行为合理化选择的基本准则。

第 6 章
中西部地区农户储蓄
与借贷行为分析

　　储蓄与借贷行为是农户经济行为中一种重要行为，同时也是农户经济研究中的一项重要内容。在我国市场化进程中，储蓄作为消费的余项部分和投资的重要来源对经济所起的作用和产生的影响越来越受到关注。随着经济改革引起的收入分配形式由实物向货币的转变和分配结构向个人的倾斜，居民储蓄已代替政府储蓄成为国内储蓄的首要部分。随着国家金融体制变革，以及国有银行信贷目标的商业化转移，农村金融市场中暴露出来的问题越来越严重，以吸纳农户储蓄为主的正规金融机构，目标进一步强化，而支持农户生产与生活的借贷业务则呈弱化趋势。农村中最大的资金使用者和受益者——农户的借贷行为还处于比较原始的状态，现代的金融服务还远没有惠及农民这一群体（曹力群和庞丽华，2001）。由于农户储蓄与借贷水平的高低反映农村积累资金的能力，同时，也反映农户的投资和消费意愿，因此，有关农户储蓄与借贷行为的研究正日益受到重视。本章将着重探讨中西部贫困地区农户储蓄与借贷的水平、结构与变化趋势及其对区域经济发展的影响。

6.1　农户储蓄行为的理论评析：基于心理学的观点

6.1.1　农户储蓄的概念界定

　　在日常生活中，人们习惯上将储蓄理解为居民银行存款。在经济学界，我国学者对居民储蓄的定义也不尽相同，这与早期居民的金融资产与实物资产数量及种类较少不无关系（刘丽敏，2004）。根据 SNA 体系，储蓄是一国常驻机构单位收入和支出账户上汇总所有现期收入和支出后的差额。通常的理解是，居民储蓄等于居民个人可支配收入减去消费与转移支付后的差额。当前国内很多对农户储蓄的研究，把实物资产如生产性固定资产、住房、耐用消费品等都当做农户总储蓄的一部分（朱春燕和臧旭恒，2001；龙志和等，2003；刘丽敏，2004等）。本书指的农户储蓄不包括实物储蓄，仅仅指金融储蓄，即农户在银行、信用社等金融机构的存款、手持现金、借出款和家庭外投资的年末余额。实际上，住房和耐用品支出已经被农户当做消费品购买记入消费项目，而生产性固定资产也被记入生产性投资，这些在本书的前面章节已经作过探讨。因而，本书指的农户储蓄仅仅包括农户的金融储蓄。

6.1.2 农户储蓄行为的心理学评析

传统的经济学认为，人们的储蓄货币是收入水平的函数，储蓄与收入正相关：在经济繁荣时期，人们的收入增加，储蓄存款相应地也在增加；在经济萧条时期，人们的收入减少，因而将更多的钱用于消费，储蓄存款相应减少。但是著名的经济心理学家、被誉为美国经济心理学之父的卡托纳（Katona），通过实际调查却得出了与传统经济学完全相反的结论。卡托纳的研究表明，储蓄与收入之间缺乏绝对的正相关联系，对储蓄行为起决定作用的除收入之外，还有以下两个重要的心理学因素：

一是不同收入者的储蓄动机存在巨大差异。收入越低，储蓄动机越强烈，尽管低收入者的储蓄总量远不及高收入者的储蓄总量，但低收入者是最坚定的储蓄偏好者，他们会持续不断地将货币存入银行，储蓄行为具有连续性和稳定性特征。因此，利息率变动对不同收入者的影响程度也不同。对高收入者而言，利息率上调可能诱使其增加储蓄存款，而利息率下调则可能使其丧失储蓄热情，转而将货币投向风险市场。但对低收入者而言，无论利息率是上升还是下降，都不会引起其储蓄行为的明显变化，因为低收入者的储蓄动机并非为了货币"升值"，而主要是为了货币"保值"，即保障未来生活水平不至于发生重大下降。

二是在不同的经济周期中，人们的储蓄动机呈现出不同的特征。在经济萧条时期，人们对经济社会发展方向把握不定，对个人及家庭的未来会感动担忧和恐惧，因而愿意多储蓄、少消费，以便保证当前及未来生活免遭不测。经济心理学家拉宾（Matthew Rabin）在一篇题为"心理学和经济学"的论文中也强调了类似的观点，认为人类普遍具有"现状偏好"倾向，即过分注重当前，对于未来可能发生的损失具有强烈的厌恶心理，这种心理会严重束缚人们的消费和投资行为。而在经济繁荣时期，人们对社会形势的预期比较乐观，愿意将更多的收入用于购买耐用消费品、旅游度假等享受型消费需要，储蓄存款并非像经济学理论模型预测的那样增加，相反却有所减少。因此，美国在20世纪

70 年代经济萧条时期出现了创纪录的个人储蓄率，而我国自从 1997 年调低利率以来，储蓄存款一直呈现稳步增长态势，曾经也已创造出个人储蓄存款的最高纪录（于文峰等，2002）。

利率是金融领域中最重要的经济变量之一，也是最重要的货币调控手段之一。国家下调储蓄利率的目的在于启动内需，刺激消费，活跃市场，稳定币值，协调与国际金融市场的关系。一项调查研究表明：居民家庭储蓄倾向坚定，不仅没有与利率下调幅度等值减弱，反而有所加强。将储蓄款用于消费时排在前三位的是医疗费、子女教育和购房，其次是养老金和高档商品。银行储蓄如此受居民青睐，是由于储蓄作为货币收入的一种运作方式，安全可靠，无风险，保密性强，便于积攒，可以满足自己或家庭对高额商品的需要，并又可以随时帮助自己或家庭解除燃眉之急，而又操作简单，无须特殊学习或经验积累，又可获取利息。

人们在考虑手中货币分流方式的同时必须考虑每种方式的风险程度，追求最大的保险系数，努力避免因资产损失可能带来的生存危机，这就自然使得由国家银行承办的储蓄成为人们有最充分的理由选择的合理的经济行为。

由于消费需求与货币支付能力往往在时间上、数量上存在不一致，或者有消费需求而无支付能力或支付能力不足，或有支付能力而暂无消费需求，还有其他种种原因，使得消费需求得不到立即满足。这种矛盾的冲突需要外部力量来调节，这时，人们可以选择储蓄，也可以举债，或是通过其他途径。但人们更多的是选择了储蓄。当人们选择储蓄方式并认为可行时，就会产生储蓄需要与动机。经济学家凯恩斯（Keynes）认为，人们储蓄的动机有八种：谨慎、远虑、计算、改善、独立、企业、自豪和贪婪。谨慎——建立准备金，以防不测之变；远虑——预防未来用钱；计算——享受利息的增值；改善——使以后开支可以逐渐增加；独立——享受独立感及有能力感；企业——获得从事投资或发展事业的本钱；自豪——遗留财产给予后人；贪婪——满足纯粹吝啬欲，即尽量遏制消费，节约到合理的程度。我国居民不同英美，但凯恩斯的理论可以为本书研究家庭储蓄心理提供具有一定普遍性的参考系。改革开放以来，随着人们物质生活水平的提高，家庭储蓄经历了从消极储蓄到积极储蓄的动态并存与比例转换过程。在经济发展水平较低阶段，储蓄仅仅是消费行为之后的一种剩余行为，扣除消费支出，剩下多少就储蓄多少，这种储蓄称为消极储蓄。随着居民货币收入的增加，满足消费同支出后的剩余收入越来越多，这对居民来说，已不再是无足轻重的一记额外收入，它对改善居民以后的生活状况具有重要作用。这时，居民就不再采取消极态度，而是积极地去筹划这些钱的用途。居民储蓄行为就不再是消费行为之后的剩余行为而是储蓄与消费同时进行，意味着储蓄一开始就明确目标和计划，这种有计划的储蓄称为积极储蓄。人们生活水平普遍较低的情况下消极储蓄者居多；人们生活水平普遍提高以后积极储蓄者越来越多了（李景春，2001）。

6.1.3 农户储蓄行为的原动力分析

一般的行为科学理论认为，推动人的行为的动力因素有三种，即行为者需要、行为动机和既定的行为任务或目标。其中，行为者需要是推动人的行为发生的原始心理动机，或称为动力源泉；行为动机则是推动行为产生的直接力量，它是由行为者需要衍生出来的；既定任务和目标是行为者在行为前和行为过程中所要达到的预期结果，它对行为者有吸引拉动作用，构成人类行为的吸引力。行为者需要、行为动机、既定的行为任务或目标，对人的行为的作用关系如图 6-1 所示。

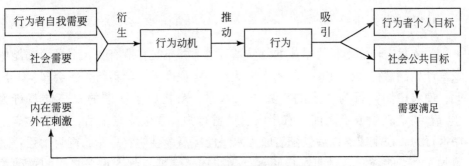

图 6-1　行为的作用关系示意图

马克思和恩格斯在创立历史唯物主义的基本理论时也强调指出，人的需要是人的行为的基础和动力，应当以人的需要为主要根据来解释人的行为。可见，人的需要是人类行为的最深刻的初始动因。人总是有各种各样的需要，当人的意识达到某种需要，要求获得某种利益时，便会把需要的这种意识转化为行为动机，促使行为的实现。对于农户储蓄行为来说，需要同样也是这一行为的原动力（任秀梅等，2004）。

随着经济的发展，农户收入有了一定的提高，收入除了现期消费外，还需要为将来的生活着想，所以农户要进行储蓄；农户需要实现"老有所养"、"病有所医"、"遇到风险时能够有所保障"，但我国社会保障体系尚不健全，农户只好选择储蓄以备不时之需；农户需要获得稳定的、风险小的投资收益，但我国股市等资本市场发育不佳也不景气，农户只有选择回报较低但相对稳定的储蓄作为理财工具；农户需要把自己多余的收入放到安全的地方，银行、信用社等恰恰能满足农户的安全心理的需要。由此看出，我国农户当前的各种需要是产生农户储蓄行为的原动力，而农户储蓄行为的产生又满足了农户的诸多需要。实质上，农户储蓄是一种延期消费和生产投资，是为未来生活消费与生产投资在现期所进行的一种储备。

6.2　农户储蓄行为的影响因素与评价准则

6.2.1　农户储蓄行为影响因素的理论分析

一般而言，农户储蓄行为受农户收入水平、国家利率水平、通货膨胀率及社会制度变迁等因素的制约。借助刘钟钦等（2002）的研究，这四大因素对农户储蓄行为的影响过程如下。

1. 农户收入水平

收入是农户储蓄行为生成的物质基础，但并不是在所有收入水平下都能使农户产生储蓄行为，只有当收入水平达到一定程度后，储蓄行为才会产生。因此，使农户储蓄行为产生的临界收入水平，就构成了所谓的农户储蓄行为"生成点"。在生成点之前，农户没有储蓄行为；在生成点之后，农户才产生储蓄行为。在生成点以后，随着收入水平的提高，会使农户储蓄行为增强；随着收入水平的降低，会使农户储蓄行为减弱。储蓄与收入水平之间的这种关系，可以用图6-2表示。

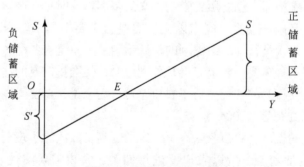

图 6-2　储蓄-收入关系图

图6-2中，横轴代表农户收入水平 Y，纵轴代表农户储蓄水平 S，斜线 SS' 即为农户储蓄-收入曲线。储蓄-收入曲线 SS' 与横轴相交于 E 点，在 E 点之前，

农户没有储蓄行为，不仅如此，农户甚至还要靠借债或提取过去的存款来维持消费，这一部分就构成了负储蓄；在 E 点之后，农户产生了储蓄行为，且储蓄行为的强度随收入水平的提高而增大。E 点即为农户储蓄行为的"生成点"，E 点所代表的收入水平即为农户生成储蓄行为的临界收入水平。

在分析农户储蓄行为时，考察农户收入水平对农户储蓄行为的影响程度还可以使用储蓄收入弹性（E_s）这个指标。储蓄收入弹性是指农户的收入水平变动1%时，农户的储蓄额相应变动的百分数。用公式表示为：E_s=农户储蓄额变动的百分数/农户收入变动的百分数。根据 E_s 的绝对值大小可以把农户的储蓄收入弹性区分为三种情况：①当 $|E_s|$>1 时，农户储蓄的收入弹性充足或富有弹性；②当 $|E_s|$<1 时，农户储蓄的收入弹性不足或缺乏弹性；③当 $|E_s|$=1 时，为单位农户储蓄收入弹性。

储蓄收入弹性的大小全面反映了收入水平变化对储蓄变化的影响程度。$|E_s|$ 越大，说明收入水平变化对储蓄变化的影响程度越大；$|E_s|$ 越小，说明收入水平变化对储蓄变化的影响程度越小。农户储蓄收入弹性的计算公式如下：$E_s=\Delta S (Y_{d1}+Y_{d2}) / \Delta Y_{d1} (S_1+S_2)$。式中，$Y_{d1}$ 代表基期农户人均纯收入，Y_{d2} 代表报告期农户人均纯收入，S_1 代表基期农户人均储蓄额，S_2 代表报告期农户人均储蓄额，$\Delta Y_d=Y_{d2}-Y_{d1}$，$\Delta S=S_2-S_1$。

2. 储蓄利率水平

利息是储蓄行为的未来收入，是现时消费的机会成本，因此利率水平的变动对农户储蓄行为有一定影响。利率是金融领域中最重要的经济变量之一，是最重要的货币调控手段之一。

本书在分析利率水平变动对农户储蓄行为的影响程度时，使用的是储蓄利率弹性这个指标。储蓄利率弹性是指利率水平变动1%时，农户的储蓄额相应变动的百分数，分为储蓄名义利率弹性 E_n 和储蓄实际利率弹性 E_{r2}，可以分别用公式表示为：E_n=农户储蓄额变动的百分数/名义利率水平变动的百分数；E_{r2}=农户储蓄额变动的百分数/实际利率水平变动的百分数。同样，根据 E_I 的绝对值大小可以把储蓄利率弹性分为三种情况：①当 $|E_I|$>1 时，农户储蓄的利率弹性充分或富有弹性；②当 $|E_I|$=1 时，为农户储蓄利率单位弹性；③当 $|E_I|$<1 时，农户储蓄的利率弹性不足或缺乏弹性。

储蓄利率弹性的大小全面反映了利率水平变化对储蓄变化的影响程度。$|E_I|$ 越大，说明利率水平变化对储蓄变化的影响程度越大；$|E_I|$ 越小，说明利率水平变化对储蓄变化的影响程度越小。农户储蓄利率弹性的计算公式如下：$E_I=\Delta S (I_1+I_2) / \Delta I (S_1+S_2)$。式中，$I_1$ 代表基期利率水平，I_2 代表报告

期利率水平，S_1 代表基期农户人均储蓄额，S_2 代表报告期农户人均储蓄额，$\Delta I = I_2 - I_1$，$\Delta S = S_2 - S_1$。

3. 通货膨胀率

通货膨胀率的变化也对农户储蓄行为产生一定的影响，它对农户储蓄行为的影响是通过变化实际利率使农户调整其现时消费和储蓄（未来消费）来实现的。通货膨胀率与实际利率呈反向变化，通货膨胀率越高，实际利率就越低；反之，通货膨胀率越低，实际利率就越高。实际利率水平对农户储蓄行为的影响如图 6-3 所示。

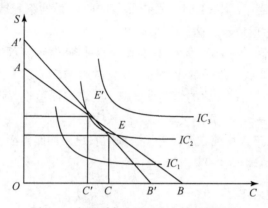

图 6-3　实际利率水平对农户储蓄的影响

在图 6-3 中，纵轴 S 表示农户的储蓄水平；横轴 C 代表农户的消费水平；IC_1、IC_2、IC_3 为一组无差异曲线；AB 为预算线，与 IC_2 交于 E 点。这时，农户现时消费水平为 OC，储蓄水平为 OS，农户从这种配置中获得的效用总量为 IC_2。如果这时实际利率水平提高，预算线的斜率就会增大，反映在坐标图上即由 AB 移至 $A'B'$，$A'B'$ 与 IC_2 相切于 E' 点。此时，农户的现时消费水平由 OC 减少为 OC'，储蓄水平由 OS 增加到 OS'。实际利率水平的提高，改变了农户对现时消费和储蓄的选择。

4. 社会制度变迁

社会制度变迁是指在一定时期内，政治制度和经济制度变化的总和。在我国现阶段政治体制不变的条件下，经济体制及政策的变动，成为影响农户储蓄行为的主要因素。社会制度变迁通过人们对未来预期的不确定程度来对农户储蓄行为产生影响。未来预期的不确定程度与农户储蓄呈正向变化，未来预期的不确定程度高，增加的储蓄就越多；反之，未来预期的不确定程度越低，增加的储蓄就越少。本书把由未来预期的不确定程度引起增加的那部分储蓄称为预防性储蓄。

我国在转型时期，由于社会制度的不完善，农户不仅承担了过多的社会义务，还承担了农村基础设施建设、义务教育、医疗卫生服务等投资及其费用，其对未来支出的预期具有不确定性。在农村，由于农业对自然环境的依赖性较大，农户收入本身就具有不确定性，加之农产品市场疲软，价格下跌，乡镇企业效益下滑，农户纯收入中去外地打工的劳务收入大幅减少等，都造成农户对未来收入的预期不确定性增加，从而使农户增加当期预防性储蓄，以保证未来的必要消费，达到一生效用的最大化。由此本书也可以推出一个结论，在未来预期的不确定程度增加的时期，农户的现时消费保持在一个低水平上，这也是近几年消费需求不足的一个根本原因。

6.2.2　农户储蓄行为的评价准则

由于对农户储蓄行为合理性的理论判断，在实践中因为效用最大化等标准难以准确地衡量及更为复杂的宏观经济形势，而且对于标准又不能不切实际地、机械地确定或给出一个定量比例，因此关于我国农户储蓄行为的评价并不一致，基本存在两种截然相反的结论，即合理与不合理。持不合理意见的人认为农户储蓄在数量与方向上存在偏差，储蓄在完成国家任务和保证农村经济的长期发展方面贡献不够。持合理意见的人主要是从"理性小农"角度出发，认为农户作出如此储蓄决策，之所以在储蓄数量上这样选择，是全面考虑了各种制约因素，综合权衡的结果，换言之，农户之所以这样做有其道理与原因。事实上，两者是各持标准，即从不同角度和侧面，利用不同的标准对农户储蓄作出评价，因而两者各有一定道理，但又不够全面与准确。因此，要给出我国农户储蓄行为的正确评价，必须有一个合理的评价标准，并要从多角度、全方位进行综合评价。

1. 微观评价准则——经济效用最大化

经济效用最大化是农户产生储蓄行为的最主要动机，它是推动农户储蓄行为产生的直接力量。农户储蓄行为可以视为对农村现实状况理性的认识结果，这个结果是基于农户在家庭承包责任制实施以来，充分运用政策和制度所能允许的空间，合理安排和重组生产要素，以获取最大经济效用的理性表现。因此，农户的储蓄行为能否使既定条件下农户的经济效用达到最大，就是评价农户储蓄行为的微观准则。

作为一个理性的"经济人"，农户实施储蓄行为的目的是在个人收入既定的约束下实现效用最大化，换言之，就是把既定的可支配收入配置于现时消费或配置于储蓄所获得的满足程度即经济效用最大化。从理论上分析，对于既定的可支配收入，随着农户配置于消费部分的增多，农户从单位货币收入用于消费配置中所获得的效用会递减；同样，随着农户配置于储蓄部分的增多，农户从单位货币收入用于储蓄配置所获得的效用也会递减。由于存在着边际效用递减规律，既定的收入全部用于消费或全部用于储蓄都不能实现效用最大，只有把既定可支配收入在消费和储蓄之间进行恰当配置，使用于消费的单位收入的边际效用与用于储蓄的单位收入的边际效用相等，才能实现农户的经济效用最大。

假定收入用于储蓄的部分为 S，消费为 C，而农户可支配收入既定为 Y，则

$$\max Y(S, C) \tag{6-1}$$
$$S + C = Y$$

为了在既定收入下做到效用最大，则消费者效用最大化的条件为

$$\frac{\partial Y(S, C)}{\partial S} = \frac{\partial Y(S, C)}{\partial C} \tag{6-2}$$

则均衡条件为 $MY_S = MY_C$

结果表明，只有当农户储蓄的边际效用与消费的边际效用相等时，农户才能从一定收入中获得最大经济效用。因而，农户的储蓄活动能否使既定条件下经济效用最大化，就构成了从微观角度评价农户储蓄行为合理性的基本准则。根据这一准则，如果农户的储蓄活动实现了农户的经济效用最大化，则这样的储蓄行为是合理的；如果农户的储蓄活动未能实现农户的经济效用最大化，则这样的储蓄行为是不合理的，与经济效用最大化的目标差距越大，农户的储蓄行为就越不合理。

2. 宏观评价准则——资源配置最优化

农户储蓄行为变动可以导致宏观经济变动。其原因在于，在投资不变的情况下，储蓄的增加意味着消费的减少，从而导致总需求的减少，则物品的销售量会下降，生产必然会减少，国民收入也随之减少，导致宏观经济发生变动。如在总需求过渡时期增加储蓄，则会减少通货膨胀对国民经济的压力；如在总需求不足时期增加储蓄，只能使经济衰退更加严重。因而可以得出，农户储蓄行为发生的过程，实际上是在宏观经济背景下的一个资源配置过程。因此，在宏观经济运行状况背景下，以资源配置最优化为标准，是评价农户储蓄行为的

宏观准则。

　　储蓄对国民收入的影响可以通过图6-4进行简单说明。图中，横轴Y代表国民收入水平，纵横I,S代表投资或储蓄，I为无引致投资时的投资曲线，S为储蓄曲线。国民收入的均衡水平是由投资曲线与储蓄曲线的交点决定的，由图6-4可以看出，E点所对应的国民收入均衡水平为OA，这意味着当国民收入为OA时，宏观经济处于一种均衡状态，总供给与总需求相等。如果由于某种原因每个农户都增加储蓄，则储蓄曲线S向上移动至S'，这时，原来的均衡状态被打破，国民收入水平随之降低；反之，当储蓄减少时，国民收入水平则会相应提高。

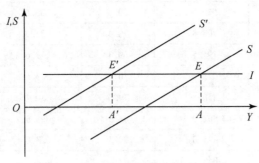

图6-4　农户储蓄行为的宏观效应

　　在投资曲线不变的条件下，储蓄的变动会引起国民收入水平的反向变化，同时这种变化还具有乘数效应，乘数的数值就是边际储蓄倾向的倒数。农户储蓄的变动对国民收入的影响，也可以说，农户储蓄行为是否对宏观经济有利，要以其所处于的经济周期为判断依据进行宏观调控，才能够实现资源配置的有效性。

6.3　中西部地区农户储蓄行为分析

6.3.1　中国农户储蓄总量分析

　　（1）我国农户储蓄增加较快，绝大多数年份大于国民经济增长速度。从表6-1可以看出，我国农户储蓄的增长速度非常快，从1980～1996年，除1988年由于通货膨胀等经济因素影响外，其余年份农户储蓄增长率都在23%以上，其中有6年在30%～40%，有3年在40%以上，而最高增长幅度达49.2%。1980～2012年农户储蓄年均增长速度达21.2%，远远高于同期国内生产总值的增长速度（1980～2012 年 GDP 年均增长速度为 16.0%）。

表 6-1　中国农户储蓄的变动状况表（1980～2012 年）

年份	农户储蓄额/亿元	定期储蓄额/亿元	所占比重/%	储蓄年均增长率/%	GDP 年均增长率/%
1980	117.0	76.3	65.2	49.2	11.9
1981	169.6	107.0	63.1	45.0	7.6
1982	228.1	154.1	67.6	34.5	8.8
1983	319.9	218.4	68.3	40.2	12.0
1984	438.1	285.5	65.2	36.9	20.9
1985	564.8	384.0	67.9	28.9	25.1
1986	766.1	539.9	70.5	35.6	14.0
1987	1 005.7	708.4	70.4	31.3	17.4
1988	1 142.3	791.5	69.3	13.6	24.7
1989	1 412.1	1 079.6	76.5	23.6	13.0
1990	1 841.6	1 455.1	79.0	30.4	9.9
1991	2 316.7	1 882.9	81.3	25.8	16.7
1992	2 867.3	2 275.0	79.3	23.8	23.6
1993	3 576.2	2 845.2	79.6	24.7	31.2
1994	4 816.0	3 810.6	79.1	34.7	36.4
1995	6 195.6	5 013.2	80.9	28.6	26.1
1996	7 670.6	6 294.4	82.1	23.8	17.1
1997	9 132.2	7 495.6	82.0	19.1	11.0
1998	10 441.0	8 492.5	81.3	14.3	6.9
1999	11 217.3	8 903.2	79.3	7.4	6.2
2000	12 355.3	9 491.2	76.8	10.1	10.6
2001	13 821.4	10 417.1	75.4	11.9	10.5
2002	15 405.8	11 303.1	73.4	11.5	9.7
2003	18 177.7	13 034.3	71.7	18.0	12.9
2004	20 766.2	14 561.1	70.1	14.2	17.7
2005	24 606.4	16 941.7	68.9	18.5	15.7
2006	28 805.1	19 304.5	67.0	17.1	17.0
2007	33 050.3	21 918.4	66.3	14.7	22.9
2008	41 878.7	28 311.4	67.6	26.7	18.1
2009	49 277.6	32 032.9	65.0	17.7	8.6
2010	59 080.4	37 453.5	63.4	19.9	17.8

年份	农户储蓄额/亿元	定期储蓄额/亿元	所占比重/%	储蓄年均增长率/%	GDP 年均增长率/%
2011	70 672.9	—	—	19.6	17.8
2012	54 615.6	—	—	-22.7	9.7

注：表中"农户储蓄"指农村合作银行、农村商业银行和农村信用合作社吸收的储蓄存款。"—"处表示年鉴中无此统计数据

资料来源：根据《中国金融年鉴 2013》、《中国统计年鉴 2013》计算整理

（2）我国农户储蓄波动异常剧烈，增长速度整体趋于下降。改革开放后，农户储蓄在快速增长中经历了高速—平稳—减缓的阶段性波动。图 6-5 显示，1980～1987 年，呈高速增长阶段，1988～1994 年为缓慢增长阶段，1995～1999 年为停滞增长阶段，2000～2008 年为恢复增长阶段，2009～2011 年为缓慢增长阶段。分年代考察我国农户储蓄的增长，可以发现其增长速度是逐渐减缓的，20 世纪 80 年代的年均增长率为 31.73%，90 年代年均增长率下降为 19.56%，21 世纪前 10 年的年均增长率进一步下降为 16.94%，特别是 2012 年相比上一年出现了明显的负增长，下降 22.7 个百分点。

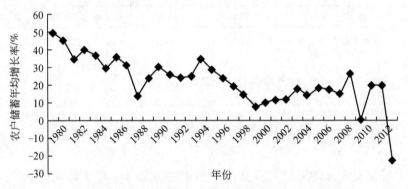

图 6-5　中国农户储蓄增长率变化曲线（1980～2012 年）

（3）低利率下的储蓄增长。我国经济在 1996 年实现了"软着陆"，消除了通货膨胀，甚至开始出现通货紧缩局面，与此相适应，中央银行从 1996～2000 年七次下调利率，且从 1999 年 11 月开始征收利息税，希望用积极的货币政策来促进投资增加，从而刺激经济增长。但农村居民储蓄总量仍然持续增长，且增速均在 10% 以上，考虑到农村储蓄余额的高基数，增速还是比较高的。

（4）定期储蓄在农户储蓄总额中所占的比重呈"∩"形分布。定期储蓄在储蓄总额中所占的比重持续上升，在 20 世纪 90 年代基本处于 80% 左右的高

位水平，1999年开始稳步下降。定期储蓄利率较高而流动性较小，农户将储蓄更多地分配于定期储蓄，表明我国农户储蓄主要目的在于预防，是为了获得更多的收入以用于将来的消费。

（5）我国农户储蓄存在地区不平衡性。我国农户储蓄主要集中在东部沿海地区，中西部地区的农户储蓄所占比重较小。表6-2显示，2012年东部沿海地区11个省（自治区、直辖市）农户储蓄总额为43 844.19亿元，占总储蓄比重的51.38%，而中西部地区20个省（自治区、直辖市）农村居民储蓄总额为41 490.93亿元，仅占48.62%，其中广东的储蓄额最高，达9172.58亿元，相当于中西部地区储蓄总额的22.11%。

表6-2　东中西部地区农户储蓄存款及构成（2011~2012年）

年份	全国		东部		中部		西部12省（自治区、直辖市）	
	储蓄余额/亿元	比例/%	储蓄余额/亿元	比例/%	储蓄余额/亿元	比例/%	储蓄余额/亿元	比例/%
2011	70 672.84	100.0	36 987.44	52.34	17 156.22	24.28	16 529.19	23.39
2012	85 335.12	100.0	43 844.19	51.38	20 901.79	24.49	20 589.14	24.13

注：西藏农户储蓄存款余额缺失，2011~2012年西部12省（自治区、直辖市）农户储蓄存款余额不包含西藏

资料来源：根据《中国金融年鉴2013》计算整理

6.3.2　中西部地区农户储蓄水平与结构的变化及趋势

从家庭储蓄总量来看，20世纪80年代中期以来，中西部地区农户年末家庭储蓄余额平稳增长，表6-3的数据表明，2009年西部地区农户年末人均家庭储蓄余额1737.36元，同1986年相比，增长9.76倍，年均增长10.88个百分点；中部地区农户2009年年末人均家庭储蓄余额3716.89元，比1986年增长17.40倍，年均增长13.50个百分点。横向比较，中西部地区农户储蓄总量显著小于东部地区农户，且差距呈扩大趋势，东中西农户储蓄余额由1986年的2.47：1.25：1扩大为2009年的4.45：2.14：1。从三大地区农户储蓄增长率年度间变动情况来看，1999年之前，三大地区农户储蓄增长率虽然互有大小，但整体变动趋势和幅度较为一致。但从2000年之后，三大地区农户储蓄增长速度变动幅度差异很大，在不同年份间增长速度忽高忽低，缺乏规律性。整体而言，就年均增长速度来看，1986~2009年东部地区农户家庭储蓄增长速度达

13.77%，快于中西部地区农户（图6-6）。

表6-3 东中西部地区农户年末家庭储蓄余额（1986～2009年）

（单位：元/人）

年份	东部	中部	西部	年份	东部	中部	西部
1986	398.26	202.05	161.48	1998	3015.86	1045.24	949.96
1987	581.32	262.77	189.87	1999	3428.37	1101.89	974.81
1988	722.27	352.92	287.47	2000	2581.52	829.92	641.56
1989	841.21	443.91	313.89	2001	2403.02	925.05	693.43
1990	992.59	453.96	412.94	2002	3138.86	1034.23	736.01
1991	1114.19	502.94	496.33	2003	823.44	1827.76	209.70
1992	1182.82	510.49	514.26	2004	3648.53	1525.75	908.96
1993	1252.56	518.35	532.88	2005	3859.82	1747.93	891.79
1994	1530.88	617.03	611.69	2006	4672.31	1912.24	1051.75
1995	1817.10	719.44	692.16	2007	2235.57	2668.20	1552.80
1996	2285.42	863.74	765.96	2008	6003.20	3135.86	1286.18
1997	2697.81	1140.62	919.57	2009	7737.62	3716.89	1737.36

资料来源：1986～1999年数据来自于《全国农村社会经济典型调查数据汇编（1986～1999年）》，2000～2009年数据来自于《全国农村固定观察点调查数据汇编（2000～2009年）》

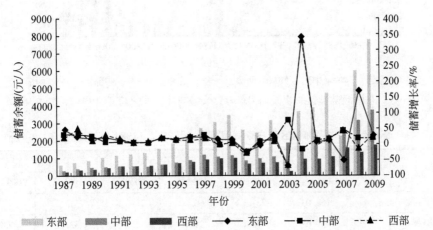

图6-6 东中西部地区农户人均储蓄余额与储蓄增长率变化趋势（1987～2009年）

从家庭储蓄方式①来看，三大地区农户的银行存款、手持现金、借出款及家庭外投资额从1986~2009年均有不同程度的增长，而且三大地区农户在家庭储蓄方式的选择上，均表现出较强的银行或信用社偏好，银行存款在农户家庭储蓄中的比重呈持续上升趋势（图6-7）。表6-4显示，西部地区农户年末银行存款余额由1986年的人均51.67元增加到2009年的1737.36元，增长32.62倍，银行存款在家庭储蓄中的比重相应由1986年的32.00%提高到2009年的67.28%，提高35.28个百分点；中部地区农户年末银行存款余额由1986年的人均60.00元增加到2009年的3716.89元，增长60.95倍，银行存款比重提高42.67个百分点。同期东部地区农户银行存款余额增长47.96倍，银行存款比重提高30.96个百分点。横向比较，无论是银行存款年均增长速度还是其在家庭储蓄中所占比重，在多数年份都表现为东部>中部>西部，这意味着，相比中西部地区农户，东部地区农户更愿意将银行和信用社作为储蓄对象。

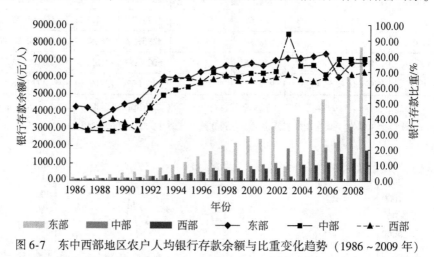

图6-7　东中西部地区农户人均银行存款余额与比重变化趋势（1986~2009年）

表6-4　东中西部地区农户家庭储蓄方式及构成（1986年与2009年）

项目	东部		中部		西部	
	1986年	2009年	1986年	2009年	1986年	2009年
银行存款/(元/人)	158.03	7737.62	60.00	3716.89	51.67	1737.36
比重/%	39.68	70.64	29.70	72.37	32.00	67.28
手持现金/(元/人)	172.68	2461.09	114.46	1023.11	93.09	757.14

①　由于储蓄结构在微观上具有不可观察性，即单个农户其家庭储蓄的形式如银行存款、手持现金、家庭外投资等无法同借款数额相分离，因而，本书关于农户家庭储蓄结构中各个储蓄形式的数据会包含借款的数额，但不影响对结构的分析。

项目	东部		中部		西部	
	1986 年	2009 年	1986 年	2009 年	1986 年	2009 年
比重/%	43. 36	22. 47	56. 65	19. 92	57. 65	29. 32
借出款/(元/人)	34. 03	391. 00	21. 87	124. 51	11. 69	56. 80
比重/%	8. 54	3. 57	10. 83	2. 42	7. 24	2. 20
家庭外投资/(元/人)	33. 51	363. 82	5. 72	271. 23	5. 03	31. 10
比重/%	8. 41	3. 32	2. 83	5. 28	3. 12	1. 20

资料来源：同表 6-3

　　银行存款在家庭储蓄总额中比重的大幅度上升，意味着农户手持现金、借出款和家庭外投资比重的下降。三大地区农户在家庭储蓄形式的选择上表现出不同的特点。从手持现金来看，中部地区农户手持现金占家庭储蓄的比重最小，东部地区农户次之，西部地区农户最高；从借出款来看，东中西部地区农户借出款占家庭储蓄的比重年度间变动剧烈，1994 年以前，基本是中部>东部>西部。1994 ~ 1998 年，三大地区农户互有高低。1999 年以后，大致表现为东部>中部>西部。从家庭外投资来看，20 世纪 80 年代中期至 20 世纪末，家庭外投资额占家庭储蓄的比重，东部>西部>中部，但进入 21 世纪，中部地区农户家庭外投资比重迅速上升，到 2009 年，家庭外投资比重三大地区表现为中部>东部>西部。图 6-8 大致反映了这种变动趋势。

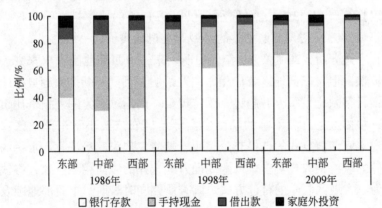

图 6-8　东中西部地区农户家庭储蓄结构比较图（1986 ~ 2009 年）

　　从家庭储蓄来源来看，刘丽敏（2004）曾对我国东中西部地区农户储蓄行为作过专门问卷调查，比较有代表性。① 三大地区农户家庭储蓄来源见表6-5。由表6-5可以看出，发展水平相对较低的中部与西部地区农户对家庭储蓄来源的认识比较一致，有54%左右的农户认为自己家庭储蓄主要来源于收入增加，比东部低7个百分点左右；有近39%的农户认为自己家庭储蓄来源于依靠平时的省吃俭用②，比东部高近14个百分点；有7%左右的农户认为家庭储蓄靠的是子女及他人的赠予，比东部地区农户低7个百分点左右。

表 6-5　东中西部地区农户家庭储蓄来源　　　　　（单位:%）

储蓄来源	东部	中部	西部
依靠省吃俭用	25.00	38.53	38.94
依靠收入增加	60.71	53.21	54.87
依靠子女及他人的赠予	14.29	8.26	6.19

资料来源：刘丽敏（2004）

　　从家庭储蓄目标来看，在国家连续多次降低银行利率，并开征利息税的宏观经济环境下，农村银行储蓄依旧上升，这与政府启动利率杠杆的前提，即农民储蓄目标是为了赚取利息是相悖的。可见，农户储蓄必有其他更为重要的动机。大量调查研究证实，在中国农村尤其是中西部农村，农户储蓄的根本目标不是为了赚取利息，而是为了社会保障。例如，史清华（2003）对山西203个农户的抽样调查显示，农户储蓄存款的目标排在前5位的是：应付家庭意外（37.61%）、为自己或子女操办婚事（29.36%）、养老防老（28.44%）、暂时没有明确打算（17.43%），赚取利息仅以9.17%的比率排在第五位。黎东升和史清华（2003）对湖北监利县的典型调查也证实了这一结论。

　　综合上述分析，20世纪80年代中期以来，中西部地区农户家庭人均储蓄额上升较快，但与东部地区农户相比，差距明显且呈不断扩大趋势。中西部地区农户银行存款比重呈上升趋势，手持现金、借出款和家庭外投资比重则呈下降趋势，整体上上升和下降的幅度中西部地区农户要小于东部地区农户。此外，农户家庭储蓄方式的选择充分表明，随着农户家庭经济收入水平的增长和生活条件的改善，农户对多余资金处理方式选择的倾向相当一致，将钱存入银行已成为三大地区农户的首选方式。调查研究同时表明，中西部地区农户家庭

　　① 调查省份包括：东部的辽宁省建平县、浙江省苏溪县、江苏省镇江市王家莲村、山东省泰安市豹家沟村，中部的河南省新村镇与新密市大隗镇、湖北省鄂州与公安县，西部为四川省长葛市和尚桥镇与南充市青莲镇、陕西省扶风乡和贵州省兴隆乡12个县（市）。样本户和被选中的样本户中被访者的选取方法采用简单随机抽样的方式来抽取。样本数量为每个县调查30户（其中辽宁省建平县为40户），样本总量为370户。
　　② 刘丽敏（2004）指出，对农村居民储蓄来源的调查，其中作为选项之一的"省吃俭用"由于属于个人主观评价的范畴，无法对其进行精细的界定，只是依靠农村居民自身的心理感受加以评价和选择。

储蓄的主要来源靠是收入增加，农户将资金存入银行的目的不是赚取利息，而是社会保障。

6.4 中西部地区农户借贷行为分析

6.4.1 中西部地区农户借贷水平与结构的变化及趋势

借贷之于农户异常重要，其不仅能够为农户提供平滑消费曲线所需要的资金，使农户的消费优化，减少发生陷入贫困的可能，更重要的是能够满足农户维持和扩大生产，以及从事新投资领域和采用新技术的资金需求，从而促进技术的普及与生产的发展，提高农户的收入和福利水平，形成良性循环。

在中西部地区，伴随农户储蓄水平的提高，农户借贷水平自 20 世纪 80 年代中期以来也不断上升。表 6-6 显示，2009 年西部地区农户年末借入款余额人均 437.04 元，比 1986 年增长 14.88 倍，年均递增 12.77%，其中，银行贷款余额人均 140.87 元，比 1986 年增长 4.81 倍，年均递增 7.95%；2009 年中部地区农户年末借入款余额人均 419.79 元，比 1986 年增长 6.42 倍，年均递增 9.10%，其中，银行贷款余额人均 49.45 元，比 1986 年增长 64.94%，年均递增 2.20%。同期东部地区农户年末借入款余额年均增长 10.39%，银行贷款余额年均增长 10.20%。可见，在年末人均借入款余额增长速度上，西部地区农户快于东部地区农户，东部地区农户快于中部农；在银行贷款余额增长速度上，东部地区农户快于西部地区农户，西部地区农户快于中部地区农户。

表 6-6 东中西部地区农户借贷水平及构成（1986～2009 年）

年份	年末借入款余额/（元/人）			银行贷款余额/（元/人）			银行贷款所占比重/%		
	东部	中部	西部	东部	中部	西部	东部	中部	西部
1986	83.38	56.59	27.53	28.85	29.98	24.24	34.60	52.98	88.07
1987	110.15	73.91	40.06	32.78	37.47	28.24	29.76	50.70	70.50
1988	169.43	98.08	47.80	33.41	46.36	30.11	19.72	47.27	63.01
1989	202.81	113.96	67.12	37.84	43.41	32.06	18.66	38.09	47.77
1990	206.49	114.29	72.37	36.91	36.23	34.39	17.88	31.70	47.52
1991	250.36	137.92	85.28	41.59	40.79	36.79	16.61	29.57	43.14
1992	269.44	134.98	95.75	34.87	36.00	35.76	12.94	26.67	37.35
1993	288.82	131.92	106.63	28.05	31.01	34.70	9.71	23.51	32.54
1994	312.00	159.69	135.13	36.41	39.75	45.37	11.67	24.89	33.58

年份	年末借入款余额/（元/人）			银行贷款余额/（元/人）			银行贷款所占比重/%		
	东部	中部	西部	东部	中部	西部	东部	中部	西部
1995	335.85	188.50	164.23	45.02	48.83	56.28	13.40	25.90	34.27
1996	486.20	248.29	231.45	82.64	57.69	70.28	17.00	23.24	30.36
1997	522.15	284.60	206.80	67.14	58.58	75.12	12.86	20.58	36.33
1998	515.38	316.30	222.60	42.83	48.92	55.49	8.31	15.47	24.93
1999	634.90	309.43	264.99	51.30	47.18	94.69	8.08	15.25	35.73
2000	625.80	322.71	256.14	63.84	50.83	78.48	10.20	15.75	30.64
2001	651.26	307.46	286.64	75.35	42.90	96.65	11.57	13.95	33.72
2002	676.17	318.82	294.59	113.43	44.08	95.20	16.78	13.83	32.32
2003	151.56	76.68	72.77	27.70	13.65	29.67	18.28	17.80	40.77
2004	647.24	343.30	256.90	140.63	54.69	85.18	21.73	15.93	33.16
2005	683.16	358.24	284.10	158.35	64.91	93.74	23.18	18.12	33.00
2006	697.10	402.67	267.01	174.58	102.62	126.46	25.04	25.48	47.36
2007	588.45	423.09	321.21	126.79	78.48	130.05	21.55	18.55	40.49
2008	667.47	389.70	265.24	213.41	58.87	72.68	31.97	15.11	27.40
2009	809.41	419.79	437.04	269.14	49.45	140.87	33.25	11.78	32.23

资料来源：1986~1999 年数据来自于《全国农村社会经济典型调查数据汇编（1986~1999 年）》，2000~2009 年数据来自于《全国农村固定观察点调查数据汇编（2000~2009 年）》

从借贷来源来看，表 6-7 显示，中西部地区农户同东部地区农户一样，均以私人借贷为主，银行和信用社借贷为辅。银行借贷方面，2003 年以来，西部地区农户银行借贷占农户累计借入款的比重维持在 11%~24%，大多数年份高于中部地区农户（5%~16%）（图 6-9），与东部地区农户相比，除了 2005~2007 年高于东部地区农户外，其他年份比重小于东部地区农户。信用社借贷方面，2003 年以来的大多数年份，信用社借贷占农户累计借入款的比重，西部地区农户大于中部地区农户，中部地区农户大于东部地区农户（图 6-10）。综合起来看，农户借款对银行和信用社等正规金融机构的依赖程度，2003~2007 年西部最高，中部次之，东部最低；2008~2009 年发生了变化，东部地区农户对正规金融机构的依赖度迅速上升，表现为东部最高，西部次之，中部最低。私人借贷方面，2003 年以来，西部地区农户私人借贷占农户累计借入款的比重维持在 52% 以上（2007 年除外），中部地区农户的比重维持在 61% 以上（2006 年除外），东部地区农户比重则高于 56%（2008 年除外）。图 6-11 进一步表明，2003~2006 年，东部地区农户对私人借贷的依赖程度最高，中部次之，西部最低。2007～2009 年，中部地区农户公众借贷比重迅速增加，高于东部和西部地区农户。在私人借贷中，付息借款比重西部与中部地区农户互有高低，总体上中部地区农户高于西部地区农户，而东部地区农户最低。2009 年，西部地区农户付息借贷比重达 41.68%，中部地区农户为 42.89%，东部地区农户只有 38.42%，西部和中部地区农户分别比 2003 年降低 8.58 个和 8.10 个百分点，而东部地区农户升高 0.30 个百分点。

表 6-7　东中西部农户年内累计借入款来源及构成（2003～2009 年）

（单位:%）

地区	来源	2003 年	2004 年	2005 年	2006 年	2007 年	2008 年	2009 年
东部	银行贷款	19.49	17.14	13.01	10.41	9.96	16.66	25.91
	信用社贷款	6.94	13.85	18.08	19.21	24.49	31.13	15.94
	私人借款	72.16	67.34	65.83	66.96	60.89	47.46	56.08
	无息借款	61.88	62.57	65.23	66.11	78.78	61.01	61.58
中部	银行贷款	5.46	14.33	13.39	15.35	7.06	9.94	6.04
	信用社贷款	21.44	19.04	22.43	26.29	26.37	25.81	20.34
	私人借款	70.94	63.77	61.72	54.36	64.37	62.10	73.60
	无息借款	49.01	51.25	46.94	40.85	54.04	51.94	57.11
西部	银行贷款	17.00	11.23	19.15	18.63	23.76	11.29	12.11
	信用社贷款	27.00	29.28	24.51	23.79	32.49	29.08	28.18
	私人借款	52.84	57.84	54.96	54.00	41.38	58.50	58.63
	无息借款	49.74	47.35	48.27	52.79	82.51	47.73	58.32

注：因全国农村固定观察点调查指标在 2003 年进行了较大的修改，2002 年及以前农户借入款来源统计中，银行与信用社是合计统计的，故本表只列出了 2003 年及以后的银行与信用社分类统计的数据情况

资料来源：《全国农村固定观察点调查数据汇编（2000～2009 年）》

　　从借贷用途来看，整体来讲，东部和中部地区农户的借贷行为趋向一种强化生活借贷弱化生产的借贷模式，西部地区农户则相反，趋向一种弱化生活借贷强化生产的借贷模式。就趋势而言，表 6-8 显示，1999 年以来，东部和中部地区农户生活性借款比重增加，生产性借款比重减少。2009 年西部地区农户生活性借款占 53.42%，中部地区农户占 67.41%，东部地区农户占 62.74%，西部地区农户比 1999 年减少 0.41 个大百分点，而中部和东部地区农户分别增加 6.86 个和 8.71 个百分点。在生产性借款中，三大地区用于农、林、牧、渔

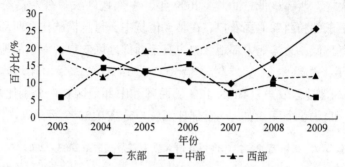

图6-9　东中西部地区农户年内累计银行贷款比重比较（2003~2009年）

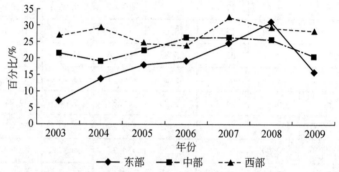

图6-10　东中西部地区农户年内累计信用社贷款比重比较（2003~2009年）

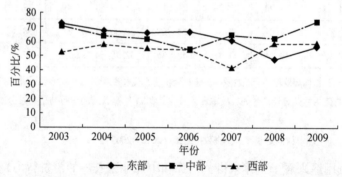

图6-11　东中西部地区农户年内累计私人借款比重比较（2003~2009年）

业的比重均比较小，绝大多数年份在三分之一以下。2009年，三大地区农户生产性借款用于农业的比重，西部为11.40%，中部为59.38%，东部为33.37%，整体上，西部地区农户用于农业的生产性贷款比重逐年下降，而中部和东部地区农户用于农业的生产性贷款比重逐年上升。由此可见，受各区经

济发展水平及政策倾斜差异影响，在农户借贷用途的侧重点上不同区域其用途倾向明显不同。

表6-8　东中西部农户年内累计借入款用途及构成（1999~2009 年）

（单位:%）

地区	构成	1999 年	2001 年	2003 年	2005 年	2007 年	2009 年
	生活性借款	54.03	64.14	55.10	55.11	59.34	62.74
东部	生产性借款	45.97	35.86	44.90	44.89	40.66	37.26
	用于农业	19.14	26.59	18.14	41.11	33.62	33.37
	生活性借款	60.55	66.38	52.67	52.43	56.67	67.41
中部	生产性借款	39.45	33.62	47.33	47.57	43.33	32.59
	用于农业	22.52	26.87	36.70	41.56	38.71	59.38
	生活性借款	53.83	50.71	41.35	40.30	43.97	53.42
西部	生产性借款	46.17	49.29	58.65	59.70	56.03	46.58
	用于农业	31.37	18.96	22.01	15.16	13.68	11.40

注：因《全国农村固定观察点调查数据汇编（2000~2009 年)》中 2007 年用于农业的生产性借款数字统计有误，本表用 2006 年和 2008 年的算术平均数代替 2007 年数据

资料来源：1999 年数据来于《全国农村社会经济典型调查数据汇编（1986~1999 年)》，2001~2009 年数据来于《全国农村固定观察点调查数据汇编（2000~2009 年)》

6.4.2　中西部地区农户借贷需求影响因素的实证分析

1. 计量模型的选择及建立

正如许多微观水平的资料所面临的问题一样，本书对农户借贷需求的估计也存在被解释变量的截断问题。在分析中西部地区农户借贷需求时，本书发现存在着大量的观察值并没有借贷行为发生，将农户借贷额作为被解释变量会发现方程中有很多因变量的值为零。实际上，从抽取的数据来看，发生借贷的农户只占调查农户的一少部分[①]（约1/3）。此时，对农户借贷方程的最小二乘估计是不合适的。本书要研究的是农户借贷与其影响因素的关系，在大量的观察值未发生借贷时，如果被解释变量中包含了这些观察值，最小二乘估计面临异方差的问题；如果被解释变量中不包含这些观察值，会出现样本的有偏选择问题。因此，对农户调查数据的分析只能采用审查数据的计量方法。此时，Tobit

---

① 在 1800 户调查农户中，有借贷行为的共 685 户，占总数的近 1/3。

模型是一个较好的选择。

在引入具体的计量模型之前，先对模型中需要涉及的变量进行定义（表6-9）。

表 6-9　影响农户借贷需求因素分析的变量定义

变量名称	变量含义	变量的经济属性	预期影响
Credit	农户借贷		
Land	农户经营的耕地面积	农户的生产经营规模	+
T-income	农户年总收入	农户收入水平	-
Build-v	农户年末住房价值	农户财产状况	-
Pdct-fixasts	农户年末生产性固定资产原值	农户财产状况	-
Own-cash-asts	农户年末拥有的金融资产价值	农户自有资金状况	-
Plant-cash	农户生产经营现金支出	农户生产投资	+
Baslive-cash	农户基本生活现金支出	基本生活支付	+
Edu-cash	农户文化教育现金支出	大额现金支付	+
Medi-cash	农户医疗卫生现金支出	大额现金支付	+

"+"表示正向影响，"-"表示负向影响

通过农户实际发生的借贷数据分析影响农户借贷需求的因素时，必须对没有借贷农户的观察值进行审查，以保证对农户借贷需求的估计是无偏估计。因此，在对影响农户借贷需求的因素的分析中，本书采用 Tobit 方法，这种方法可以在估计过程中将未发生借贷农户的观察值也纳入估计范围。具体的计量模型如下：

$$\text{Credit}_i = \beta x_i + \sigma \varepsilon_i \tag{6-3}$$

式中，β 是各解释变量的待估参数；ε 是随机变量矩阵；x_i 表示影响农户借贷需求的各种因素；σ 是随机变量的参数。

所谓审查数据方法，就是对农户借贷为 0 的观察值进行审查，即当 $\text{Credit}^* = 0$ 时，可以令 $\text{Credit} = 0$；而当 $\text{Credit}^* \neq 0$ 也即 $\text{Credit}^* > 0$ 时，令 $\text{Credit} = \text{Credit}^*$。用公式表示如下：

$$\text{Credit} = \begin{cases} \text{Credit}^*, & \text{当 } \text{Credit}^* > 0 \\ 0, & \text{当 } \text{Credit}^* = 0 \end{cases} \tag{6-4}$$

通过以上变换，便可以通过 Tobit 方法进行估计，将各个解释变量代入，便可以得到以下的估计模型：

$$\text{Credit} = C + \beta_1 \text{Land} + \beta_2 T - \text{income} + \beta_3 \text{Own} - \text{cash} - \text{asts}$$
$$+ \beta_4 \text{Build} - v + \beta_5 \text{Pdct} - \text{fixasts} + \beta_6 \text{Plant} - \text{cash}$$

$$+ \beta_7 Baslive - cash + \beta_8 Edu - cash + \beta_9 Medi - cash \quad (6\text{-}5)$$

式中，各个解释变量的含义见表6-9；β 是各解释变量的待估参数；C 是常数项。

2. 数据来源及说明

本书选取中部地区的湖北省和西部地区的贵州省为代表省份，数据来源于国家统计局农调总队提供的两省 2003 年农村住户调查资料。其中，湖北省随机选取 1000 户，贵州省选取 800 户。在指标选定上，以农户年末借入款余额表示农户借贷额（credit），包括银行、信用社贷款和个人借款。

3. 实证结果与分析

根据式（6-5），运用 Tobit 计量方法，将未发生借贷行为的农户借贷额定义为 0，从而估计式将被解释变量的左极限限制为 0。对湖北、贵州两省一共 1800 个农户影响其借贷需求的因素的分析结果见表6-10。

表6-10　中西部地区农户借贷需求影响因素的回归分析结果

变量	两省合计	湖北	贵州
观察值数	1800	1000	800
被解释变量 Credit			
解释变量			
Land 农户经营耕地面积	1.3702 (3.55)***	1.3844 (2.68)**	1.3407 (2.26)**
T-income 农户总收入	-0.2411 (-7.86)***	-0.1460 (-3.64)***	-0.3754 (-7.01)***
Own-cash-asts 农户自有金融资产价值	-0.1046 (-4.63)***	-0.1486 (-3.79)***	-0.0261 (-0.55)
Build-v 农户年末住房价值	0.0287 (2.02)*	0.0304 (2.45)**	0.0203 (1.72)*
Pdct-fixasts 农户生产性固定资产原值	-0.0258 (-067)	-0.0193 (-0.57)	-0.0301 (-0.56)
Plant-cash 农户经营性现金支出	0.5603 (9.55)***	0.4269 (6.04)***	0.7563 (7.85)***
Baslive-cash 农户基本生活现金支出	0.8034 (10.13)***	0.2841 (1.87)	1.2987 (6.29)***

变量	两省合计	湖北	贵州
Edu-cash 农户文化教育现金支出	0.9769 (8.61)***	0.5426 (3.98)***	1.5470 (5.34)***
Medi-cash 农户医疗卫生现金支出	1.5843 (16.07)***	0.8709 (4.99)***	1.4116 (17.44)***
C 常数项	−3058.22 (−10.01)***	−2508.53 (−6.02)***	−1367.57 (−2.38)**
LR 统计值 P 值	425.04 0.0000	120.49 0.0000	268.65 0.0000

*、**、*** 分别表示 10%、5%、1% 的统计显著性水平

从计量分析的结果来看，在所选取的解释变量中对农户是否借贷具有正向影响的因素包括：农户生产经营规模、农户年末住房价值、农户经营性现金支出、农户基本生活现金支出、农户文化教育现金支出、和农户医疗卫生现金支出；对农户是否借贷具有负向影响的因素包括：农户总收入、农户自有金融资产和农户生产性固定资产原值。

从表 6-10 的回归结果来看，除农户的住房价值、生产性固定资产原值对农户的借贷需求影响不显著外，其他因素均对农户是否发生借贷行为具有显著影响，并通过 1% 水平的显著性检验，模型整体的 LR（likelihood ratio，似然比）也通过 1% 水平的显著性检验。

由以上的分析结果可以得出以下基本结论：

第一，农户的经营规模对农户借贷需求具有正向影响。即在中西部地区，经营规模越大，农户的借贷需求倾向越强，借贷需求规模也会越大。反之，小规模经营农户的借贷需求倾向越小，其借贷需求规模也小。

第二，农户的投资和支付倾向对农户的借贷需求具有正向影响。农户的生产经营投资对农户的借贷需求具有明显的正向影响，说明在中西部地区，农户生产投资是形成农户信贷需求的最重要因素，生产投资规模越大，其对信贷的需求规模也越大。

第三，农户的现金支付，特别是用于教育和医疗的现金支出对农户的借贷需求也具有明显的正向影响，这意味着，教育和医疗方面的现金支出往往超出了农户的现期支付能力，是造成农户举债的一个重要因素。教育和医疗方面的现金支出规模越大，农户的信贷需求规模也越大。

第四，农户的收入和资产状况对农户的借贷需求具有负向影响。这说明，在中西部地区，农户借贷需求的产生主要是基于自有资金对投资或支出现期支

付能力的不足。因此，农户的收入和资产作为构成农户自有资金支付能力最重要的因素，必然对农户的借贷需求产生抵消作用，从而农户的收入和资产越多，农户的借贷需求就会越小。

6.4.3　讨论与建议

农户经济发展不只意味着经济收入水平的增长，同时也意味着储蓄借贷水平的上升。也就是说，经济发展与经济组织的借贷行为发生是呈正相关的。农村经济相对发达的地区，农户对借贷的依赖程度就高，否则相反。换言之，农村金融市场较为活跃的地区，也是农村经济较为发达的地区。目前中西部地区农户储蓄与借贷行为的最大问题，是存贷缺口严重。中西部地区农户的存款大部分都存进了正规金融机构，2009 年西部地区农户占 67.28%，中部地区农户占 72.37%，而从正规金融机构得到的贷款却十分有限，2009 年西部地区农户占 40.29%，中部地区农户占 26.38%，供需严重不平衡。这也充分验证了我国农户基本是以存款人身份进入正规金融市场，而贷款则被排斥在正规金融之外的说法（么振辉，2000）。

之所以出现这种现象，史清华和卓建伟（2003）研究认为，一方面，由于农户家庭自身不能满足银行规定的条件而得不到银行的贷款，如银行贷款一般都要求有抵押和担保，而需要贷款的农户多数不具有能够提供抵押品的能力或找不到能为其担保的单位或个人；另一方面，更为重要的原因是银行不愿意向农户提供贷款，尤其是向贫困农户提供贷款。因为农户的贷款较企业贷款而言，金额较小，利率较低，农户的还贷意愿和还贷能力具有较大的不确定性，银行难以确认是否能从对农户提供的贷款中获得收益的稳定增加。所以银行在选择贷款对象时，常常有意忽略农户这块市场，这就为民间信贷的生存和发展留出了空间。

作为中西部地区农户借贷的主体，民间借贷的对发展农村经济起着至关重要的作用，特别是在国有商业银行大规模撤离农村的情况下，民间借贷已担负起繁荣农村经济的部分职能。农户从民间渠道获得借贷过去以无息为主体，但随着时间的推移，付息比例呈上升趋势，已取代无息的主体地位。这一结果意味着，非正规的民间借贷市场在中西部地区正处一种兴旺阶段。尽管其发展还处于一种地下状态，不被政府认可，并时刻面临着来自执法部门的惩罚。在面对有强烈资金需求愿望的农村市场，广大农户的资金需求满足在不能得到正规金融部门支持下，其发展自然会迅速膨胀。事实上，有资金需求的农户，寻求民间渠道获取满足也是一种不得已而为之的行为。这是因为银行借贷的成本

（利息）较民间借贷相对更低。基于此，本书认为，在正规金融部门不能保证农村资金需求的情况下，有序放开农村民间借贷资本市场，让其在规范中发展可能是目前政府部门亟须考虑的现实问题。民间借贷作为一种民间自发的融资方式，其产生和发展有其历史的因素，也有现实的原因；既是借贷双方自身的内在需求，也是外部供给不足的一种理性选择。因而针对民间借贷问题，所能够采取的措施只能是积极的"疏"，而非消极的"堵"。

首先，加快民间借贷立法。从法律上承认并规范民间借贷活动，通过制定和实施《民间借贷法》，对其形式、对象、原则、运作方式等用法律条文规定下来，以法律形式保护借贷双方的正当权益；同时坚决打击高利贷，使民间借贷趋于法制化、规范化，做到有法可依、有章可循，引导民间借贷向健康的方向发展，使之成为农村正规金融活动的有益补充，为农村的改革和发展发挥更大的作用。

其次，加大正面引导力度。要在全面客观评价民间借贷的基础上，着眼于拓宽融资渠道、启动民间资金、促进经济发展，立足于吸收和发展民间借贷积极、有效、合理的方面，切实引导民间借贷优化资金投向，使其将资金主要用于支持生产经营和商贸流通。

再次，建立农户信用体系。完善健全的农户信用体系，有助于降低农业借贷交易成本。目前中西部农村还没有形成一个相对完善的农户信用体系，农业借贷机构与借贷农户之间的信息不对称仍是影响农业信贷交易效率的重要因素。因此，通过科学的方法建立一个完善、全面的农户信用等级评定指标信息体系，真正反映农户的信用状况，实现信息共享，可有效降低信息成本，将有利于提高中西部地区农业信贷市场的交易效率。

最后，继续深化金融改革。一是国有商业银行要继续发挥支持县域经济发展的金融主渠道作用，在国有商业银行的综合性改革中要切实树立责任意识和发展意识，摈弃不合理的零风险观念和不切实际的贷款终身责任制；二是进一步调整和扩大对基层商业银行的信贷授权，指导基层商业银行立足于县域经济发展实际，着力调整和优化借贷结构，大力推行国家助学贷款和消费贷款等；三是农村信用社要坚持深化改革和为"三农"服务的宗旨，着眼于发挥联系农户最好的金融纽带作用和扩大合作制的社会基础，从解决农户贷款难、支持农村经济发展和提高自身经营效益入手，筹措资金，加大对"三农"的信贷投入，大力推广农户小额信用贷款，满足农户的信贷需求。

6.5　农户储蓄借贷行为与区域经济发展的辩证分析

6.5.1　资本投入对于经济增长的意义

影响经济增长的主要因素包括资本、劳动力和技术，在劳动力供应充足的条件下，决定经济增长的根本因素就是资本与技术。由于技术的进步相对比较稳定，资本就成为促进经济增长的关键因素。资本，即能给资本所有者带来价值增值的价值。存量资本是一定时点上的资本数额；流量资本是一定时期内的资本追加，即投资。存量资本是投资的结果，一般情况下，所投资本是存量资本的果实。初始资本来自储蓄，就是即期消费后的剩余用作生产经营。现代社会发展之初，资本来自传统社会传统产业的剩余，这种剩余可以来自国内，也可能来自国外。而当现代社会发展起来以后，资本积累的速度不仅取决于资本总量的大小，还取决于资本运行的效率。后一种效率在经济发展的更高阶段，有决定性意义。

现代经济增长理论认为，一些初始人均资本存量较低的发展中国家，通过取得较高的储蓄率和投资率，将具有比人均资本存量较高的发达国家更为快速的经济增长，从而经过一段时间以后，经济落后的国家将逐渐缩小同经济发达国家的差距（Romer，1996）。这样的经济命题被称为经济增长的绝对收敛性假说，它是 Solow 经济增长模型的重要结论。虽然后来一些研究者相继提出了条件收敛性假说和集团收敛性假说，在一定程度上否认了储蓄率和投资率在经济增长当中的决定性作用，但储蓄率的高低仍然被视为影响经济增长速度的重要因素。

由于储蓄率对于经济增长潜在的促进作用，一些经济欠发达国家，特别是第三世界国家纷纷制定和实行一些旨在提高本国居民储蓄率的经济政策，借此来努力提高实际 GDP 的增长率。这些经济政策作用的基本机制是，较高的储蓄率会增加信贷资金总量，进而导致投资增加，较高的投资率通过投资乘数作用，起到促进经济发展和提高经济增长率的作用。如果这些经济政策能够得到有效的执行，那么将表明存在从储蓄率到经济增长率的因果影响关系，说明储蓄率能够正向影响到经济增长率。

在实证分析方面，许多学者通过计量模型也证明了储蓄对于经济增长的贡献。例如，Stern（1991）使用一些第三世界国家的数据，在线性回归模型中即使采用普通最小二乘估计，也检验到较高的储蓄率（一般采用居民储蓄总量和 GDP 总量的比值来度量）与较高的增长率之间存在正相关性，并且给出了提高储蓄增长率将会促进资本存量迅速扩张的动态过程。

6.5.2 农户储蓄行为对区域经济发展的影响

1. 农户储蓄对区域经济发展的积极作用

早期的经济学家一般都认为，高的积累率（储蓄率）是有利于经济发展和增长的，他们的观点是基于居民储蓄的正常增长有着以下的正面作用。

（1）积累资金，支持区域经济增长。银行以信用形式，吸收个人暂时不用的货币成为储蓄存款。货币在存入银行这一段时间内，个人的消费资金不再以个人购买力形式出现，而被银行重新统一调配，相应地增加社会可用资金总量，支持社会生产的发展，促进了社会积累的形成和增长。这就是说，国家有偿地短期或长期取得资金的使用权，可以在不断提高已定的积累率，不变更居民资金所有权的情况下，多增加生产建设资金，支持区域经济的良性循环发展。从居民储蓄本身考察，储蓄积累社会资金，支持生产；生产的发展又促进了居民生活的改善，增加了储蓄存款的储源。所以这种循环既有利于居民自身，更可以为一国的经济增长提供资金支持。

（2）积蓄购买力，调节市场货币流通。从个人来说，个人的收入可以任意支配，但为了选购自己满意的商品，留作后备，一部分资金要退出流通。这种在一定时间内被推迟的购买能力，银行可以通过吸收储蓄，继续作为资金投入流通。为了保持货币的购买力和商品供应量的平衡，国家在安排消费品供应时，要充分预计到居民可支配收入中，有多少收入可以转化为储蓄存款，在安排消费品和生产中，就可以相应地减少一部分消费品的生产和供应，保持货币流通量适应商品流通正常需要，从而稳定货币，调节流通，主要是：①当购买力的增长超过了商品可供量时，国家通过开展储蓄业务，把市场上多余的一部分纸币采用信用回笼的方式吸收进来，使货币流通趋于正常，保持物价稳定；②银行通过吸收居民个人储蓄存款，把这笔存款转化为生产和建设资金以后，又支持市场某些紧缺商品的生产，增加更多的商品供应，促进货币购买力和商品供应的平衡。

（3）减少居民家庭风险，维护社会安全稳定。家庭是社会的细胞，家庭的稳定是社会稳定的基础。居民储蓄有利于家庭生活的稳定，因而有利于社会的安全稳定。目前，原有的以政府和企业为主的保障体系已经打破，而新的社会保障体系还不完善。因此，每个家庭不得不增加储蓄以增强自我保障能力。

这在客观上增强了整个社会对风险的承受能力，有利于社会的安全稳定。市场经济比计划经济有更大的不确定性和风险性。随着市场化进程的不断推进，这种不确定性和风险性还会增加。社会保障、住房、医疗、教育等重大改革措施的实施，涉及千家万户的切身利益。可以说，每项改革措施都或多或少地增加了居民的即期支出或预期支出。社会对改革的承受能力在一定程度上要取决于居民储蓄的数量。深化改革过程中社会稳定的质量也和全社会的储蓄数量有很大的关系。许多重大的改革措施能够顺利推进，居民储蓄的调节、补偿功能不可忽视。

2. 农户储蓄对区域经济发展的消极作用

居民储蓄存款虽然有为国家积累资金、调节货币流通等正面的作用，但过度增长的居民储蓄也会给区域经济的正常运行产生一定的负面影响，主要表现在以下方面。

（1）居民储蓄存款过度增长形成储蓄与消费反差过大，会破坏生产与消费的关系。储蓄与消费有着密切的关系，从理论上说，在收入一定的情况下，储蓄与消费呈此消彼长的关系。因此，居民储蓄余额的急剧扩张，意味着消费需求的相应减少，消费品市场供过于求。储蓄是国民收入的再分配，又是滞后的购买力，储蓄存款过度增长，也加剧了生产与消费之间的矛盾。

（2）储蓄存款过快增长，不利于提高资金的使用效率，还增大了银行的经营成本。过快的储蓄存款增长，带来两方面的隐忧：①保持较高的储蓄率，虽然为经济持续发展提供了良好的条件，但是高储蓄并不能保证高质量的经济增长，更为关键的问题是要降低储蓄投资转化的成本，提高储蓄向投资转化的效率，从而在客观上表现为提高储蓄资金的使用效率。储蓄只有转化为生产资本而增值，才是真正意义上的储蓄资本，才真正发挥了储蓄的作用。②银行组织资金成本增大，银行经营亏损面增多，大量的银行贷款沉淀于企业的再生产过程中，银行所要支付的利息无法从存款的运用中得到补偿，巨额的负债为银行增加了经营风险。

（3）居民储蓄的非正常增长会影响宏观经济的正常运行。居民储蓄的快速增长使银行有充裕的资金来源，这样在利益驱使下，银行的剩余资金会通过各种渠道注入金融及其他市场，如前些年大量银行资金拆借到沿海地区炒房地产，造成房地产市场过热、供求严重失衡、资金回收困难，使银行不良资产上升而增加了经营风险。近年来银行资金通过各种渠道又进入证券市场，不仅严重妨碍了资本市场的健康发展，而且证券市场本身的风险也使得银行资金处于高风险状态。

（4）居民储蓄存款的过快增长会减弱货币政策的效果。在我国，由于储蓄存款不能签发支票，因此它不能构成购买手段和支付手段，并不是严格意义上的货币，只是准货币，是广义货币 M_2 的重要组成部分，流动性比较低。由于储蓄存款规模过大，致使货币流动性 M_1/M_2 的比率偏低，这样在全社会货币供给总量增长的同时，货币流动性却下降，这将使货币政策的调控效应减弱。

（5）居民储蓄非正常增长将给政府带来巨大的压力。居民储蓄的快速增长使社会资源不断地被转移到个人手里，居民逐渐成了社会经济资源的所有者，其结果是政府对社会经济资源的直接支配能力越来越弱。因此非正常增长的居民储蓄将给政府、特别是中央政府带来越来越大的压力。主要包括三方面的压力：一是政府承担社会保障资金的压力；二是承担银行等金融部门不良资产的压力；三是政府承担通货膨胀的压力。

6.5.3 农户借贷行为对区域经济发展的影响

农户借贷行为对区域经济发展的影响，主要表现为民间借贷对农村金融市场和农村经济的影响方面。

1. 民间借贷存在和发展的积极作用

从中西部农村现实情况来看，民间借贷在调剂农村资金余缺，缓解农村资金紧张，防止小农户的简单再生产链条"断裂"方面发挥了积极的作用。

（1）民间借贷是农户之间的一种互惠活动。目前的民间借贷多数发生在地缘和血缘关系圈内，碍于情面或有其他方式补偿，一部分借款还是无息或低息的。对于分散的、小规模的，且多兼业经营的小农经济来说，可以有效避免正规金融机构手续烦琐且需抵押等交易成本过高的问题，在一定程度上弥补了银行信用的不足。

（2）民间借贷有助于组织和挖掘农村闲散资金，调剂农村资金余缺，资金借贷速度快。民间借贷的利率一般高于信用社浮动利率，因此可以利用利率杠杆和其他多种渠道，把分散的隐藏很深的资金挖掘出来，资金来源比较广泛；同时由于借贷双方多是熟人或熟人介绍的，交易费用比较低，闲散资金可以迅速找到使用对象和用途，尽快投入生产或流通，减少了资金占压时间。

（3）民间借贷期限灵活，手续简单，符合农户的交易习惯和愿望。存借款的期限没有统一规定，只要借贷双方同意，即可达成协议，不受信贷政策和程序的制约；同时由于其交易多数比较隐秘，保密性强，符合农户心理，易被接受。

2. 民间借贷对农村经济发展的不利影响

民间借贷毕竟是一种自发的、分散的借贷活动，是一种比较落后的信用方式，必然存在着不容忽视的缺陷甚至隐患。

（1）具有干扰银行和信用社正常信用活动，扰乱农村资金市场的可能性。民间借贷的利息率一般都高于信用社的浮动利率，因此有些暂时持有闲置资金的农民和企业不愿意把资金存入银行和信用社，而千方百计地寻求民间借贷的对象，企图谋取高利，这就必然减少银行和信用社的信贷资金来源，影响信贷业务的开展。

（2）具有影响社会安定的可能性。由于民间借贷是一种自发的信贷活动，因此不规范贷款占了很大比重。民间借贷多是发生在熟人之间，借贷方式非常简单，有的口头约定，有的即使有借据也非常不规范，至少担保、抵押和质押等方式更是很少有人采用。由于缺少有效的约束手段，因此借款逾期不还已成为普遍现象，由此引起的纠纷也很多，成为影响农村稳定的一个重要因素。

（3）高利贷比重高，延缓了农村生产力的发展。来自农业部农研中心2000年农村民间借贷调查显示，在调查的50起借款案例中，无息借款只有16%；高过同期银行贷款利率的占85.7%，其中超过40%利率的超高利借贷占21.4%。虽然高息借贷是明令禁止的，但民间借贷处于半地下状态，对其缺乏有效的约束机制，使一部分民间借贷者是靠放贷取得非法高额利润，影响农村资金正常流动，同时也造成农民收入差距畸形扩大。

6.6　本章小结

本章首先对农户储蓄的概念作了界定，运用心理学观点对家庭储蓄行为进行了理论评析，探讨了农户储蓄行为产生的原动力，以此为切入点，探讨了农户储蓄行为的影响因素和评价准则。然后以东部地区农户为参照，比较分析了中西部地区农户储蓄与借贷水平及结构的变动趋势。通过构建计量模型，运用Tobit方法实证分析了影响中西部地区农户借贷需求的因素，结果显示，农户经营规模、农户投资支付倾向对农户借贷具有正向影响，农户的收入和资产状况对农户借贷具有负向影响，而住房价值、生产性固定资产原值对农户的借贷需求影响不显著。基于上述分析结论，本书指出，目前中西部地区农户储蓄与借贷行为的最大问题，是存贷缺口严重，并提出了相应的政策建议。最后，本书对农户储蓄借贷行为与区域经济发展的相互影响进行了辩证分析。

第7章
中西部地区农户技术应用行为分析

在经济社会发展的新阶段，技术进步日益成为促进区域经济增长的主要源泉。对于农业资源条件和要素禀赋相对不利的贫困地区而言，新的适用技术的采用和由此带来的技术进步理应成为克服资源与要素约束，促进农业持续发展的最有效的方式之一。但正如大量研究所表明的，许多新技术在传播过程中只取得部分的成功；发展中国家和贫困地区在接受新技术速度方面要慢于发达国家和地区。研究中西部贫困地区农户技术应用行为，确定影响贫困地区农户接受新技术的因素，以及这些因素的作用方向和机制，将有助于从微观层面上完善国家科技扶贫政策的制定与执行，以及区域可持续发展战略的贯彻与实施。

7.1 农户技术应用行为研究综述

7.1.1 新技术采用和扩散研究

技术扩散研究可以追溯到 20 世纪初欧洲社会科学的发端，社会学创始人之一 Gabriel Tared 观察到了一项新技术被接受后通常经历一个 S 形的曲线，最先采用技术的人有着最近的社会距离。另一根源来源于英、德早期人类学家。到 1943 年以 Bryce Ryan 和 Neaf Gross 为代表的科学家通过对杂交玉米的扩散研究，从理论框架及方法层面极大地影响了后来的研究者，如对技术的接受率、影响因素、传播网的作用等都进行了细致的调查，并由此建立了典型的扩散研究设计方案。目前，发展经济学家对新技术采用和扩散过程的变动规律解释各有区别，经常被大多数研究引用的有 Rogers （1957） 和 Cochrane （1958）的技术踏车和 Kislev and Shcnori – Bachrach （1973） 的新技术扩散过程模型（李南田等，2004）。

关于新技术采用和扩散影响因素研究，在一般情况下，假设在给定的某一时期内生产者的决策为在一定的约束条件下追求效用最大化的过程。效用的最大化也就是生产者目标函数的最大化。目标是生产投入、技术采用决策及其他影响因素的函数。而技术采用决策是指生产者根据自己所掌握的各种知识和信息对生产中可供应用的所有技术作出定性和定量的选择和决定。影响因素大致包括新技术的盈利性、新技术及其配套技术的供给能力、新技术采用的风险、技术信息和技术的传播媒介、人的素质、土地规模、国家政策等。

研究方法因研究的目的和对象的不同而不同（蔡立旺，2004）。以农户为研究对象的，侧重于技术采用的行为，即技术采用的影响因素分析，如对杂交水稻推广应用的研究、对农户采用新技术行为的研究等。以总体为研究对象的，侧重于技术采用过程的扩散规律及其影响因素的动态分析。侧重探讨技术采用决定因素的研究，一般不研究技术扩散的曲线形式，而是直接估计各影响因素对某种技术采用的影响程度，如研究土地经营规模、技术的相对效益等对技术采用的影响。

7.1.2　农户技术应用行为的研究

以往认为技术扩散主体是政策、投入和推广体系等，而不是技术的用户，事实上农业技术的研究、开发、推广就是为了农户的使用，因此主体应是农户。王济民（1995）指出，行为是人对周围环境的观察、感受、认识而产生的一种功能，又是在生产实践中，逐步形成和发展起来的。技术应用行为是指生产者在生产过程中根据自身特点和自然经济和社会等环境因素的不断变化而产生的一种有目的的，在生产领域有相关应用的表现和反映（王济民，1995）。一般而言，农户技术应用行为有：①强烈的目的性。追求产出、收入和利润的最大化是农户应用技术的主要目标和动力。②积极的能动性。生产者会根据自己的预期目标与生产环境和条件主动地制定其技术应用的方针、策略，使自身行为与预期目标之间的距离不断缩小，进而实现其预期目标。③明显的差异性。生产者行为受外部社会、经济、技术、自然环境及内部个性心理特征等因素的强烈影响，在不同民族、不同地域和不同年代之间表现出明显的差异。④巨大的可塑性。生产者技术应用行为是在生产实践中逐步学得，并不断完善的，受家庭、学校、社会的教育与影响，既可成为不同行为特点的技术应用者，也可改革自己的行为模式和生产方式，适应日益发展的现代化社会经济要求。

农户技术应用行为从本质上讲是生产者的一种决策行为，根据心理学、行为学和经济学的理论观点可知，农户在采用一项新技术时，需要经历技术选择购买、技术应用学习和技术总结评价三个阶段。在技术选择购买阶段，农户首先通过各种渠道获得大量的技术信息，这些技术信息包括物质形态的技术，如新品种、新农具、新农药、新肥料等，非物质形态的技术，如饲养管理技术、栽培技术措施等。然后再根据技术的数量、质量和价格及自身的生产条件和市场条件决定是否购买或应用。在技术应用学习阶段，农户购买或获得新技术后，一方面将根据技术要求投入适当的土地、劳动和资金等生产要素进入生产过程；另一方面则加紧对所用技术的进一步学习和了解。农户技术应用阶段能否顺利进行，完全取决于所用技术的技术特征、当地的环境条件、农户自身的文化水平及外部经常保持信息沟通等因素的影响。技术总结评价阶段往往是生产过程的结束，在此阶段农户要根据技术应用所取得的效益对所使用的技术进行综合评价。三个过程相互作用，彼此影响，构成了农户技术应用不断发展、往复循环的反馈机制。

农户是新技术的接受者和应用者，也是农业生产的经营者，可以根据需要对生产经营活动作出决策。农户决策行为变迁是在一定的内外环境中进行的。影响农户决策行为的环境可分为内部和外部两种。内部因素包括农户价值观、性格特点、经营能力、知识水平等因素，外部则主要有技术供给、技术价格、信贷条件、自然资源、商品市场价格、商品运输条件、政策、科研、教育和推广等因素。农户拒绝采用新技术的原因可能有以下几种：①新技术自然、市场风险太大，在技术应用过程中造成严重损失，致使经济效益低下；②农户受自身知识与技术技能的限制，新技术的固有产量没能得到充分发挥；③新技术根本不适合在当地推广使用。

7.1.3　农户采用新技术的影响因素的研究

国外研究者普遍认为农户接受新技术的主要影响因素有：采用者大众媒介的应用、农户和推广机构的接触及其社会地位等。罗杰斯（Rogers，1962）的创新扩散理论认为，只要创新者率先采用新技术，其他人看到由于新技术带来的收益就会自动模仿，新技术就会自动传播，由此他提出"进步农民策略"，即推广人员应主要将技术传授给进步农民。奈尔斯·罗林（Niels Roling）在研究中指出创新扩散理论中的不完善因素：人口群体在心理特征、获得资源、信息能力等的不一致性、散播过程的信息失灵及早晚采用者的不同报酬等，在此基础上提出了目标群体策略理论。斯旺森（B. E. Swanwson）则将农户技术采用行为的影响因素分为障碍力和驱动力两部分，要想使农户采用新技术，推广人员就应努力减少障碍力，利用并加强驱动力。

参与式农村发展与推广理论进一步认为：各项技术自身的特性及与小农耕

作制度的相适用性对小农采用新技术的态度也具有较大的影响。20 世纪 70 年代以后，参与式农村发展方式开始成为国际发展研究领域中创新性的理论与实践，这种思潮的出现是基于对"技术转移"模式的质疑而产生的对科学及科学家作用的反思，以及对发展的主体与动力的反思，认为推广本身就是一个错误，因为许多技术并不适合农户的条件；同时参与式农村发展与推广学派在长期的工作实践中还发现：农户和推广人员在自身的实践中已掌握了许多解决问题的方法和途径，知识不仅仅产生于科学家、推广人员，以及农户共同参与的研究、推广活动，让农户参与到技术的研制和推广过程中，设计出合适的技术，即对小农的耕作制度来说在经济上和技术上都有优越性的技术。

国内有关农业推广理论研究起步较迟，是从 20 世纪 80 年代中期以后才开始的，以农户的视角进行技术采用研究是 90 年代后半期才开始的，高启杰（1999）认为影响农户技术采用行为的主要障碍力有：传统的价值观与信仰、生产资源短缺、技术水平较低、文化程度不高、经济状况落后、市场信息不足；驱动力主要有经济发展的要求、现代技术的效用、先进的推广服务、各种机会的增多、政策环境的改善、对外联系的加强。

随着农村经济发展与农户生活水平的提高，以及各种生产要素的相对稀缺程度的变化，我国农户的技术选择行为发生了较为显著的变化，由原来温饱型的高产技术选择开始逐渐向小康型的优质技术选择转移，由劳动力密集型技术逐渐向劳动力替代型转移（胡瑞法，1998）；然而我国农户的农业技术需求行为与政府、科研人员及技术推广人员的科研与推广行为不相协调（黄季焜等，1998），科研人员、政府和农业技术推广人员对农户生产所需要的技术在认识上存在着脱节，导致农业科研成果的推广应用率很低（孙振玉，1993）。农业技术存在着有效需求不足与有效供给不足的双重矛盾（顾焕章和张景顺，1997）。当前影响我国农户科技应用的障碍因素有：①农户缺乏科技应用的内在动力和经济实力，对科技成果的有效需求明显不足；②缺乏高质量的适用技术成果，难以满足农户致富奔小康的目标需要；③农户科学文化素质低，对科技成果的认知、接受和应用能力较差；④生产要素供给短缺，农户科技应用难以获得配套的资金和物资投入；⑤缺乏高效灵活的科技服务网络，农户得不到及时有效的信息传递、咨询和指导；⑥农业组织化程度低，农户难以承担新技术应用的风险（余海鹏和孙娅范，1998）。

农户采用作物良种存在差异，不仅由于接受者间的差异而且种子本身存在差异。Griliches（1957）计算出美国杂交玉米接受者中有 30% 出于利润考虑，同时接受者家庭经济状况、性别、分工也是影响因素。朱希刚和赵绪福（1995）在研究贫困山区农业技术采用的决定因素中，以杂交玉米为代表，选择了云南省禄劝县及贵州省普定县作为调查县，探讨农户的微观机理，分析农业技术采用的决定因素，使用 Probit 模型，得到的显著因素依次为 "杂交玉米比常规种增产"、"农户与推广机构的联系"、"地区虚变量" 等。汪三贵和刘晓展（1996）对该贫困地区研究后进一步指出：由于信息传播的不完善，中国贫困地区的农户在技术采用决策中仍面临巨大的主观风险，即贫困农民对新技术缺乏了解和信心，不能正确估计新技术的产出水平和投入水平，对技术的内容和效果的不了解使许多农户放弃、推迟、减少了新技术的采用。

7.2 风险、不确定性与农业新技术的应用

7.2.1 引入农业踏板原理

农业技术一般分为三类：一是技能性技术，即农业生产者进行生产活动的技能或能力，它与劳动者自身的受教育水平、专业训练和实践经验有直接关系；二是物化类技术或手段性技术，它包括生物化学类技术、生产手段和农业设施类技术；三是集技能性技术和手段性技术于一身的组织性技术，即在农业生产经营过程中，通过农业经营组织革新等方式来提高总的生产水平的技术。为了阐述一项农业新技术的形成与培育机制，本书在此引入著名的农业踏板原理来加以说明。

农户对某项新技术的采用过程需经由认识→感兴趣→评价→试验→采用等阶段。不同的农户对同一项技术采用的时间有先有后。根据农户对新技术采用的时间顺序可将农户分为三类：技术率先采用者、技术跟进采用者和技术被迫采用者。随着农户对新技术的采用及在农户间的扩散，即某项新技术从最初率先采用者（或采用地区）向外传播，扩散给越来越多的采用者（或地区），新技术得到普及与应用，最终促进农业技术进步，这一过程具体表现为：增加农产品供给，进而降低农产品价格，使广大消费者受益，即农户不断采用新技术→农产品产出增加→农产品价格下降→寻求新的技术……便构成了农业技术革新变迁的循环往复和阶梯式递进过程。这一作用过程可用图 7-1 作以说明。

图 7-1 中，AC_1、MC_1 是农户采用新技术前的农产品生产平均成本曲线和边际成本曲线，S_1 是农产品市场供给曲线。平均每一农户的产量为 q_1，农产品市场总供给量为 Q_1，故采用新技术前市场和农户提供农产品的均衡价格为 P_1；采用新技术后由于农产品产出量增加，农户生产的平均成本和边际成本降低，

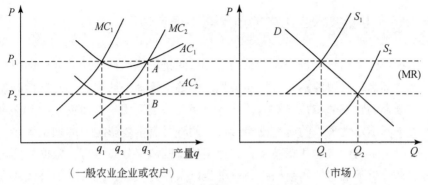

图7-1　农户采用新技术变迁循环图

即平均成本曲线由AC_1下移到AC_2，边际成本线由MC_1下移到MC_2。[①] 采用新技术的诱因是：率先采用新技术的农户，由于产品产量增加到q_3[②]，从而获得较高的利润（最早采用者可获得P_1ABP_2面积的超额利润）。由于技术率先采用者有利可图，技术跟进采用者随之采用新技术。但随着采用新技术的农户增加，农产品数量大增，市场供给曲线开始向右移动，即由S_1向S_2右移。那些没有采用新技术的农户仍保持原有的平均成本曲线AC_1，而市场价格则已下跌，因而未采用新技术的农户将处于亏损境地。当新技术的增产效果最终导致农产品价格大幅度下跌时，迫使未采用新技术者为维持原有的收入水平而不得不引进和采用同类技术，直到平均每个农户的产量达到q_2，市场的供给量达到Q_2，从而产生采用新技术后的新的市场均衡价格P_2，至此完成新技术采用的一个循环。

经济学家将在利润的驱使下，农户率先采用新技术和后继者被迫也采用新技术，结果使供给曲线向右移动从而消除了新技术带来的超额利润的现象，称为"农业踏板"。之所以称为踏板，是因为在市场竞争中农户只有不断地采用新技术，才能实现利润最大化。不采用新技术的农户，则要承受亏损甚至于面临被淘汰的风险。技术变化并不意味着降低所有农户的收入，只是降低那些没有采用新技术农户的收入。

①　当然，有的农业新技术的采用并不直接表现为产量的增加，可能表现为产品质量或工作效率的提高，因市场上的优质优价从而亦可以看作单位产品收益提高，同样意味着单位产品成本的降低，所以图7-1可代表农业技术进步的一般情形。

②　因为此时的市场价格为P_1，即边际收益$MR=P_1$而采用新技术后的边际成本为MC_2，则此时农户的产量为边际成本MC_2与边际收益P_1的交点，即q_3。

7.2.2　农业新技术应用中的风险与不确定性

不确定性是指经济行为人面临的直接或间接影响经济活动的外生和内生因素，无法准确地加以观察、分析和预见。不确定性理论认为，不确定性涉及各种可能结果的频率分布是未知的，统计技术无法被运用于个体决策中。迄今为止，关于不确定性理论的研究已经形成了两种具有重要影响力的理论体系：一种是以萨维奇为代表的状态模型，它运用独特的概率分布语言，依据所选定的概率解释分析不确定性的结果；另一种是以奈特为代表，主要采用替代或互补的一些原理对不确定性结果进行描述。

"在给定条件下，某一事物在发展过程中，可能产生两种或两种以上的结果，而在未来的某一特定时刻，只能产生其中的某一结果，如果该结果对主体不利，又不能作出准确预测，则对主体来说，这一结果或结局的不确定性便是风险。"（陈克文，1998）多数研究资料也支持了这样一种观点，即在农业技术采用过程中，风险和不确定性是普遍存在的。

郑宝华（1997）研究认为，贫困农户在技术采用过程中面临的风险和不确定性主要来源于四个方面：第一，作物产量的变异性。对作物产量的影响既包括光照、温度、降雨量及它们在作物生长和收获期间的发生量和时间分布；也包括来自老鼠、蝗虫及一些病虫害等甚至还有人为因素的破坏。这诸多因素使单位面积的农作物产量有着巨大的不确定性。第二，生产成本的变异性。即使是最贫困的农户，其农业生产的一部分投入要素也需要到市场上或农资部门购买。这些投入要素小到小农具、种子、农药、化肥，大到役畜的购买、租用，甚至农地本身的租用等。在市场经济条件下，这些要素的价格经常发生变化。农户在积攒这笔资金时很难把握它可能购买到的要素总量，因而直接影响到其生产成本的高低。更重要的是农户的这类生产成本的涵盖面也在不断变化。一般来说，贫困农户对市场的依赖程度越高，其生产成本的变异性就越大。第三，产品价格的变异性。在市场经济条件下，贫困农户要种植哪些作物及作物间如何搭配，乃至预期获得的某一种作物的产量及总产量，既取决于其自身的消费水平和消费层次，也取决于价格预期，因为多数贫困农户获取现金的主要来源是种植业和养殖业。在这种情况下，一旦作物的选择和种植确定了，他们所期望的价格和农作物实际卖价的差异是客观存在的，这对农户将产生正面的或负面的影响。第四，政策的变异性。一方面是国家宏观经济政策的变动将影响到贫困农户的决策，如我国的一些扶贫政策，林地使用制度从改革开放以来的"两山"到"四荒"拍卖等；另一方面是国家或地区每年都要出台的许多措施及一些地方上的"土政策"等，对每个农户来说，都表现出巨大的变异性。

郑宝华进一步指出，这四个方面的变异性可能会结合在一起，从而影响到贫困农户的净收益，在这种情况下，尽管贫困农户和正常农户一样，费尽心机来降低其不可控因素所可能带来的收成和收益的波动，但这种努力也是非常有限的。并且，外界的变化节奏越快，贫困农户利用其传统知识和经验的余地越小，因而抗御这些变异性的能力就越小，即需面对的风险和不确定性会越大。

为应付这些风险与大额开支，农户所采取的风险管理策略是往往理性的（Ellis，1998）。而且，农户的处理方法具有等级性：一般而言，农户会首先减少消费，动用储蓄来应付；但如果储蓄不足，他们会首先向亲朋好友借贷；在求贷无门时，则求助于高利贷；当农户背上沉重的债务以后，农户便"自我剥削"其劳动，如延长劳动时间，让孩子辍学打工等；如果困难仍无法有效缓解，他们就只好变卖消费性资产以换取收入，从而维持生计；然后是用生产性资产来换取当期的收入和消费，生产性资产的被迫变卖将产生长期的负面作用；当资产被耗费殆尽时则背井离乡；若迁移后仍无法获得稳定的生活，他们则只有选择乞讨，甚至可能出现堕落与犯罪（陈传波和丁士军，2003）。

技术应用是决策者将一项技术作为可获得的技术中最好的而加以充分使用的决定（汪三贵和刘晓展，1996）。通常的分析是建立成本收益函数，认为农户是在新旧技术的收益和成本之间进行比较、抉择，目的是获得最大利润。然而，汪三贵等研究指出，在远离经济中心的贫困地区，各种自然灾害和市场剧烈波动所造成的客观风险大量存在，而信息不完全带来的主观风险也可能对农户的生产决策产生重大影响，特别是在应付风险的各种信用手段极不发达的情况下，农户往往不得不在较少的风险和较多的利润之间进行谨慎的权衡，权衡的结果往往是追求收入的稳定，以免使本已极低的生活水平因意外的损失而降低到难以承受的地步。贫困农户的生产决策并非追求短期利润的最大化，而是收入和消费的稳定。也可以说，贫困农户在总体上是风险厌恶型（risk aversion）的，这类农户的技术采用行为可用图7-2说明。

图7-2中，VP_1=好年景的边际收益；VP_2=坏年景的边际收益；$E(VP)$=长期预期边际收益=$P_1 \cdot VP_1 + P_2 \cdot VP_2$（$P_1$和$P_2$分别为好年景和坏年景的概率）；$mc$=采用技术的边际成本。

根据经济学原理，边际收益等于边际成本时的技术采用量应是最佳的技术采用量，此时能够获得最大的收益。但对风险的态度不同，决策所依据的边际收益线就不同。风险爱好型（risk seeking）农户总是以好年景的收益状况来作

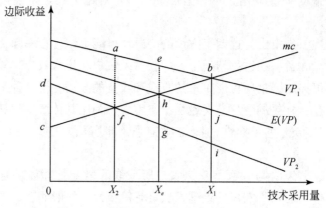

图 7-2 不同风险态度农户的生产决策图

出决策，技术采用量为 X_1，而风险厌恶型农户总是以坏年景的收益状况来作出决策，技术采用量为 X_2，风险中性（risk neutrality）农户根据长期的边际收益线进行决策，技术采用量是 X_e。风险爱好型农户大胆采用新技术，在好年景中会获得超额的收益 Δafb，但遇到坏年景，就会损失 Δbif，而风险厌恶型农户不论好坏年景都会稳定地获得收益 Δcdf，但在好年景却失去了增加收入的机会。贫困农户躲避风险的行为是由林普顿（1968）所说的"生存原则"所决定的。因为贫困小农不能承受由任何原因造成的让家庭深陷困境的状况，一旦出现这种情况，他们就有被饿死的可能。此即"安全第一"（safe firstly）原则。

另一个影响农户技术采用决策的因素是主观风险的存在。主观风险多数情况下是由于信息不完全造成的，即农户对新技术缺乏了解和信心，不能正确地估计新技术的产出水平和投入水平。结果往往是因高估边际成本或低估边际产出而使技术采用量下降，如图 7-3 所示。

综上可见，面对风险与不确定性因素的客观存在，贫困农户在决定是否采用一项新技术时，一方面，要估算一下该项新技术和新实践可能带来的最好产量及与此相关的变异性的范围，从而得出最终可能带来的收益水平；另一方面，还把此项新技术和新实践作为参照系，和其他所使用过的或正在使用的、比较熟练的技术进行比较。比较的内容同样包括可预期的产量、可能产生的变异性和最终的净收益水平，以及接受此新技术或新实践的难易程度等。简单地说，农户不仅要比较该新技术可能带来的净收益的大小，而且还要比较创造这种收益的可能性的大小。

基于农户行为逻辑的区域反贫困理论与实证研究

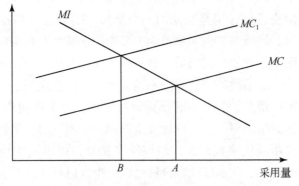

图 7-3　主观风险下农户的技术采用决策

7.3　中西部地区农户技术应用行为实证考察——以水稻品种的采用和认知为例①

从某种意义上说，农户对科技"有效需求"主要受利益机制的驱使，他们希望通过采用农业高新技术迅速获利而致富，从而对农业新技术产生强烈的欲望和需求。农户对科技需求的强烈欲望和动机是农户技术行为产生的基本源泉，也是推动农业技术与经济发展实现有机融合的核心。朱琪（2000）的调查研究显示，贫困地区农户迫切需要的农业技术依次为：①作物良种（76%）；②沼气工程（10%）；③畜禽防疫（7%）；④病虫防治（5%）；⑤科学施肥（3%）；⑥杂草防除（2%），农产品加工（2%）；农业机械（2%）。廖西元等（2004）的一项专门针对农户对水稻科技需求优先序的调查同样证明，在不同稻区的近千户农户中，近77%的农户首先需要的是水稻新品种，远远高于其他科技成果类型。可见，作物良种技术是当前农户尤其是贫困地区农户最迫切的农业技术需求。

种子是种植业生产的开端，在传统社会，农户倾向于自己留种，种子是一种普通的投入品。随着现代育种技术的发展，特别是杂交种子的出现，农户要获得更高的产量或更优的品种特性，必须每年通过市场购买种子，这无疑会提高种子的商品化率。基因工程技术的出现，使种子不再是一种普通的投入品，而是新技术的载体，从而具有了技术的特征，农户对种子的采用也成为技术采用的一部分。

① 感谢"南方水稻干旱项目"提供的数据与资料，特别感谢陈风波博士为本部分资料的取得提供的方便。

农户的种子采用行为是一个过程，包括对种子的认知和最终的品种采用，认知是采用的前提，而采用是认知的一个结果。胡瑞法（1998）在考察农户品种更换行为时，发现农户的换种行为主要取决于品种产量与收入差异，在现行种子经营体系下，种子价格很低，种子投入在农业生产投入中所占的比重很小，一般种子价格对品种采用的影响不是很大。农户在采用一个品种以前，会尽力去寻找品种的信息，如果能获得充分的信息，农户就能作出较好的决策，但在信息不充分的情况下，农户可能被迫选择一个不了解的品种，但一次的采用会为下一次采用提供决策基础。左停等（2003）提出我国现有的农业科研体制是供给推动型的，从而导致在育种过程很少考虑到农户对品种的需求，而一些边缘地区的农户的需求则更少被涉及。农业技术推广体系的改革也使技术信息的传播受到严重的影响。农户是水稻品种的最终接受者，农户对品种的认知无疑会影响品种潜力的发挥，农户对品种的性状的要求也应该成为育种方向的主要依据。

本部分在实地调查的基础上考察了农户的水稻品种的采用和认知情况，一方面反映农户水稻品种采用和认知的现况，另一方面也在一定程度上反映了农户对水稻品种性状的需求，并分析了影响农户品种采用的主要因素。所利用资料来自于国家自然科学基金项目《中国南方水稻生产的干旱风险及农户的处理策略》（简称"南方水稻干旱项目"）2002年年初在湖北襄阳县合力村和伙牌村、广西南丹县月里村和八圩村共122户的调查，村级以上的资料主要来源于机构访谈，农户一级的资料主要来源于农户调查，样本的选择主要是通过农户家庭收入排序的方法进行选择的。其中湖北襄阳县属中部鄂北岗地，广西南丹县是西部典型的喀斯特地貌。具体的农户水稻品种采用情况见表7-1。

表7-1　农户水稻品种采用表

调查村	调查农户数	采用品种数	知道的品种数/户	采用的品种数/户	主要采用的水稻品种名称
合力	31	7	2.00	1.70	连粳3号，Ⅱ优501，两优培九，Ⅱ优838，冈优725
伙牌	31	12	2.46	2.18	Ⅱ优501，65002，838，两优培九，冈优527
月里	30	18	2.96	2.43	冈优725，金优725，南京1号，协优63，协优725
八圩	30	12	2.66	2.21	冈优22，冈优725，冈优527，汕优63，金优63
合计	122	49	2.52	2.13	—

资料来源：国家自然科学基金《南方水稻干旱风险及农户的处理策略研究》下的农户调查。由于水稻名称主要来源于农户访谈，部分名称与其标准名称可能存在差别

7.3.1 农户对水稻品种的采用现况

这里主要从农户所知道的品种数、农户采用的品种数、所采用品种的特征来说明农户对水稻品种的采用现况。

1. 农户采用的品种数

农户所采用的品种数明显低于农户所知道的品种数，采用的品种数和知道的品种数成一定正相关关系。农户最多的采用 5 个品种，有 25% 的农户采用 3 个以上品种，50% 的农户采用 2 个品种，还有 25% 的农户采用 1 个品种。平均每个农户采用 2.13 个品种。一个农户采用多个品种可能的原因就是农户为了分散风险。部分农户存在自己留种行为，月里村和八圩村的农户所留种的主要是糯稻。方差分析的结果表明，各村农户所采用的品种数不存在显著性差异（置信度为 5%），但从显示的数据上来看，月里村和八圩村农户每户所采用的品种数相对较多，而合力村农户每户所采用的品种数最少。

2. 各地区主要品种和跨地区的水稻品种

从调查的资料来看，农户所采用的基本上都是杂交水稻，约 14% 的农户采用了常规稻，但所占面积很少，而且同时也种杂交稻。水稻品种的分布具有很强的区域性，包括常规稻，四村共有 49 个水稻品种，跨地区的品种只有 4 个，基本上每个地区都有自己的主导品种。跨地区的水稻品种有冈优 725、冈优 527、汕优 63。其中，冈优 725、冈优 527 在湖北襄樊和广西南丹均有种植，据伏牌镇农技推广站站长介绍，这两个品种的种子均来自四川。汕优 63 是中国 20 世纪 80 年代培育的老品种，在品种鉴定中经常被作为对照品种，基本上处于淘汰的边缘，但在调查的每个村都有种植，采用频率较高。南丹县八圩乡的农户大量采用了"冈优"系列的品种，冈优 22、冈优 527 和冈优 725 在当地占有主导地位。

3. 水稻品种的主要特征

从各村所采用的品种的主要性状来看，每个村所采用的品种都具有一定的特点，其中伏牌村和合力村所采用的主要品种大多是以高产和优质为主，而且品种相对较新，如两优培九、Ⅱ优 501、838，同时也考虑到了水稻的耐旱性，如冈优 725、冈优 527；月里村和八圩村的所采用的品种主要以耐旱稳产为主，如"冈优"系列品种和汕优 63。

7.3.2 农户对水稻品种的认知

这里主要从农户品种认知的特点、所知道的品种数和对品种名称的识别来对品种的认知进行说明，通过对农户的认知和鉴定性状的差异来了解农户对品种认知的程度。

1. 农户对水稻品种的认知

（1）农户对品种性状认知的特点。一般而言，农户对品种性状的认识比较感性，如产量、米质、抗病虫性、抗逆性和适应性等农户能有切身体会的特征，是从农户在种植过程中认识到的，或从相关熟人那获得的，语言比较随意，判断相对模糊，农户之间对相同品种的认识可能存在差异，只能在一定程度上代表该水稻品种在当地的表现。但代表了农户对该种水稻品种性状的感受，也影响着农户对品种的采用和在实际采用过程中栽培和管理的方式。

（2）农户知道的品种数。从四个村的调查来看，农户都面临着多个水稻品种选择的问题。其中月里村的农户在购买水稻种子的时候可能有 18 个选择，伙牌村和八圩村也比较多，合力村的农户所采用水稻品种较少，只有 7 种（表7-1）。大概有 10% 的农户仅知道 1 个水稻品种，有 10% 的农户知道 4 个或 4 个以上的水稻品种，其中农户所知道的最多的水稻品种是 6 个，而其余 80% 的农户知道 2~3 个品种。方差分析的结果表明，各村农户所知道的品种数之间不存在显著差异（置信度为 5%）。

（3）农户对水稻品种名称的识别。农户对品种名称的认识比较模糊，一般都只能说出品种的一部分或根本不知道。例如，八圩村的农户在访谈的时候把"冈优"系列品种说成是"冈优"，而当地有冈优 527、冈优 22、冈优 725 三个品种，而且这三个品种在性状上存在一定差异。襄阳县合力村的农户也把Ⅱ优 838 简称"838"，基本上所有的调查村都存在类似情况。还有部分农户不知道品种的名称，用"杂交稻"来称呼其采用的品种。一般而言，农户对已经采用几年的品种名称比较清楚，而对新引进的品种名称比较模糊。

2. 农户对水稻品种认知和相关品种鉴定性状的对比

下面主要对农户品种认知和品种的鉴定性状进行对比，以期获得两者之间的差异，从而了解农户是否能相对充分地了解水稻品种的性状。这里所说的鉴定性状来源于当地植保站或种子公司的试验报告，对品种在试验条件下的性状有比较客观的描述（表 7-2）。

表7-2 农户品种认知和鉴定性状对照表

品种名称	所在村	农户反映的产量个数	鉴定产量/（kg/hm²）	农户反映的产量范围/（kg/hm²）	农户反映的平均产量/（kg/hm²）
冈优725	月里和八圩	7	9750	6000～11250	7335
冈优22	八圩	7	8550～9450	3750～7500	5595
冈优527	月里和八圩	8	8700	4500～11250	6855
汕优63	月里和八圩	4	7500	5250～9000	7500

资料来源：农户反映的信息来源于国家自然科学基金《南方水稻干旱风险及农户的处理策略研究》下的农户调查，鉴定性状来源于对水稻种子的说明及当地鉴定机构鉴定材料的总结

从表7-2来看，水稻品种鉴定性状和农户对品种认知之间存在很大差异，结合访谈资料，主要体现在如下三点。

（1）农户反映的水稻品种的主要性状中，有一部分在鉴定性状中没有说明。月里村和八圩村的农户都突出反映了"冈优"系列品种相对耐旱的特性，而鉴定性状中并没有出现这一特性。八圩乡农技站站长也反映"冈优"系列相对耐旱的特性，自从采用了"冈优"后，其他品种很少进来，因为其他品种不适应这种干旱环境。

（2）部分农户对水稻的性状有详细的描述，但主要侧重直观感受，不同于鉴定性状中相对比较科学的指标，部分内在的性质没有涉及。大部分农户所做的描述都是通过种植过后对品种的感受，如对冈优725的评价"好脱粒、黄色米、亮、长型、产量比较高"、"比较耐旱、好做饭"等。对Ⅱ优501的描述"打米后不整、（米粒）短而不亮、好煮、出饭、但粗糙"、"产量还可以"等。农户的认知在大的方向上和品种鉴定是吻合的，但某些特性，如抗稻瘟病、抗虫等特性，农户涉及很少。

（3）不同的农户对相同的品种反映的产量存在很大差异，和鉴定产量也存在很大差异。从表7-2来看，对于冈优725，月里村和八圩村25个农户总共反映了7个不同产量，分布在4500～11250kg/hm²，反映的平均产量为7335kg/hm²，鉴定产量基本上在这个范围之内，但远高于农户反映的产量的平均数；对于冈优22，八圩村的有17个农户总共反映了7个产量，分布在3750～7500kg/hm²，而鉴定产量的范围高于农户反映的产量范围；冈优527的鉴定产量在农户反映范围之内，但农户反映的产量的平均数大大低于鉴定产量；汕优63的鉴定产量基本上在农户反映的范围之内，也和农户反映的产量的平均数相等，说明汕优63产量是很稳定的。如果考虑到农户的产量的概念是建立在当地亩的基础上，而当地亩一般要大于中国一般意义上的标准亩，那么，农户所反映的产量应该在一定程度上被人为增加了，所以实际农户所反映的产量应

该还要低于鉴定产量。

由此可见，理论和试验产量与农户反映的产量相差很大，农户对水稻品种性状的认识也和相关机构鉴定性状存在相当大的差异。

7.3.3 影响农户水稻品种采用的因素

这里把对影响农户品种采用的因素主要分为两类：一类是客观环境因素，这一类因素会间接或直接影响农户对水稻品种的认识，为农户品种的采用提供外在环境；另类是农户本身的因素，主要包括农户对品种的要求、自身的认识水平和影响认识水平的相关因素。

1. 客观环境因素的影响

（1）种子市场环境的影响。条件较好的水稻主产区，种子销售机构较多，适合当地的品种也多；种植条件不好的边远地区，种子购买渠道单一、购买麻烦，适合当地的水稻品种少。偏远山区的农户可选择的水稻品种数相对较少，而平原地区和市场发达地区，可供农户选择的品种较多。广西南丹的很多农户反映去农技站购买种子的时候只有 $1 \sim 2$ 个品种，去晚了还有可能买不到。适应当地的品种只有很少的几个，主要在于土壤、气候和水源方面的原因，各个品种在当地的产量均比较低，一般 $3750 \sim 4500kg/hm^2$。在条件较好的地方，同样的品种产量可达 $6750 \sim 7500kg/hm^2$。当地农技站反映："适应当地气候的品种相对较少，这些年就几个选育出来的品种，想更新，但没有种源。"月里和八圩的农户在购买种子时反映："种子站卖，增产，一直这样种，产量还可以，没有选择"，"去晚了，只有这种品种（冈优 725）卖了"，"2002 年没有冈优 725 卖了"，"有什么种子就买什么（冈优 22）"，"先种一年看效果，只有这种（金优 725），没有别的种，冈优没得卖了，只有买它"，"四川品种（冈优 22），种了三年了，买不到其他品种"，"有该品种（汕优 63）卖就买了"。

由此可见，南丹农户在购买种子的时候有很大的限制，一般是有什么种子就买什么种子，而且去晚了还买不到。农户对种子有一定的认识，在一定程度上有自己明确的选择意向，但这种意向并不能完全得到满足。

（2）品种信息渠道的影响。品种信息的传播对于农户对新品种的采用有着重要的影响。Robert（2001）的深入研究表明，农户在技术采用之前，对品种信息的了解是必不可少的。尽管这种来源的渠道是多方面的，而且有可能不准确，但对农户的决策产生了重要的影响。种植条件相对较好的平原地区，交通条件相对较好，人口稠密，农户离市场很近，而且集市开放频繁，农户能从各种渠道获得各方面的包括水稻品种的信息。信息渠道的丰富提高了农户采用新品种的可能性，同时对品种性状的了解也减少了农户因信息不充分所造成的误操作从而导致的水稻减产。而地处山区的农户，交通条件不好，人口居住比较分散，集市一般是周期性的，信息来源是相对闭塞的。作为风险厌恶者的农户，会因为信息的缺乏，对新品种产生一定的排斥。这种排斥心理无疑会使农户采用老品种，按习惯去种植水稻。

从农户对水稻品种的认知来看，农户认知和品种鉴定性状之间是存在相当大的差异的。这在一定程度上反映了水稻品种的信息没有被完全地传达到农户。

2. 主观因素的影响

农户在购买种子的时候一般要先了解种子的各种信息，如种子的产量、米质、抗病虫害的能力、抗逆性，以及当地的适应性等。部分农户通过比较现有品种和新品种的差异，然后决定是否购买，还有一部分农户会根据其他农户种植后的经验和反映来决定第二年是否购买。从农户调查和机构访谈的语言中可以直接获得一些影响农户水稻品种采用的因素，主要包括如下几点。

（1）农户对水稻品种性状的选择和要求。首先，农户希望能采用在一定条件下产量更高的水稻品种。在其他条件不变的情况下，农户愿意选择那种比现在所采用品种更高单产的品种，这样，如果出售可能获得更多的收入，而在食物不足的地区也更能保障农户的食物。

其次，不同地区的农户对品种所表现的米质上也有着不同的要求。如果市场能体现优质稻米的价格优势，那么农户种植优质的水稻品种可能获得更高的收入，同样也可以留一部分优质稻米供家庭的食用，襄阳县合力村和伙牌村的农户尤其表现出对优质稻米的青睐，由于两优培九在市场上比其他品种价格高0.16~0.20 元/kg，而且工人愿意购买，很多农户采用了两优培九，而放弃了对Ⅱ优 501 的种植，尽管其产量比两优培九高一些，但米质相对较差。而广西南丹县农户对稻米的米质却不是那么在意。

最后，农户希望所选择的水稻品种能适应当地的气候环境。因为水稻适应性也很大程度上影响着水稻的产量。广西南丹的农户要求水稻品种第一性状是要耐旱，即使产量低一些也不要紧，对稻米的口感和营养倒是不在意。这是南丹县八圩村的农户对冈优 22 的评价："抗旱，以前用过，产量好"，"当地适合种这种品种，一直采用"，"适合，耐旱，产量高"。由此可见，冈优 22 耐旱、产量稳定、高产是农户选择它的主要原因。

（2）从众心理。农户对种子选择行为中，从众心理起着很大的作用。一般这种农户被称为跟随者（follower），其行为受到习惯因素和本身能力的限制，成为农村中相对落后的群体。南丹县月里村和八圩村的农户反映："产量可以，别人都在种，我就种了"，"别人种的好，自己就买"，"种了几年冈优，听说金优比较合适本地，想换一种，今年就试着种"等。农户的这种行为能在一定程度上减轻农户种植新品种而面临的风险，但却推迟了新品种的采用时间。

（3）习惯因素。广西南丹有农户反映："自从有冈优725后，就一直用，没换过种，但也同时种本地品种"，"也有一些新品种，但怕种了不好"，"新品种要符合本地的水土，没有种过的不敢要"，"'金优'不敢买，以前没种过"。通过前几年的种植，农户了解了水稻品种的特性，如果适合，农户就不会轻易采用其他品种。

7.3.4 农户水稻品种采用行为的结论和建议

1. 不同地区的农户对水稻品种性状的要求存在差异

从农户品种采用的状况来看，各地区水稻采用的品种的性状是存在很大差异的，如果把这种状况看做是农户在一定状况下的合理选择，那么很显然，不同地区的稻农对水稻品种性状的要求也存在差异，这一方面要求育种机构去培育适应当地气候条件下的水稻品种，另一方面也要求品种引进的机构如种子公司和农技推广机构去引进这种类型的品种。

2. 贫困落后地区农户的品种需求应该特别给予关注

在一些西部山区，由于其相对特殊的自然条件，外地引进的品种不能适应当地的环境，即使有这样的品种，但也存在数量相对较少、性状相对落后的情况。科研机构应该更加关注这一部分地区的品种需求，针对比较特殊的自然环境来进行育种，这对保障当地的食物安全是很有意义的，同时要促进当地种子市场的发育，让农户有更多的种子购买渠道。

3. 农户对品种性状了解欠充分影响了新技术的推广

必须增加农户了解品种信息的渠道，提高农户获取信息的能力。在现有的条件下，中国的技术推广体系应该在新品种的信息传播方面要发挥作用，特别是贫困地区，在其他渠道相对缺乏的情况下，农技推广站更应该发挥其作用，为农户提供准确的品种信息，让农户摆脱习惯的约束，早日获得新品种带来的好处。

4. 农业技术传播链冗长延缓了新技术的扩散速度

在当前的农业技术推广体制下，农业科技成果的推广理应是县农业技术推广中心→乡镇农技推广站→农民。然而目前中西部大部分稻区水稻新技术的推广主要是依靠行政措施，从县委县政府到农民要经过 7~8 个环节，环节过多。一方面，这导致技术不能精确传播到农民手里，另一方面，由于技术传播路径过多过长，技术人员难以发挥技术传播的作用。从农民了解与采用技术的来源与途径看，县乡农业技术推广机构的技术传播与扩散作用不可小视，因此尽管农技推广体系现状堪忧，但县、乡级农业技术推广与扩散的作用需要的是加强，而不是削弱。要建立以科研院所为依托、以县域农业技术推广组织为推广核心，以县内"技术推广站"为基础的三级农技推广体制，建立一条科技成果转化的快捷通道，把科研院所的新成果、新技术通过县一级的农业技术推广中心交给当地的水稻技术推广站传送到农民手上。

7.4 技术进步对区域经济发展的贡献分析

从区域经济角度看，贫困无疑是一种经济不发达状况（绝对或相对的），因此摆脱贫困的根本任务，就是如何建立起能够推动经济实现持续增长（或发展）的这样一种机制。理论上讲，实现经济增长可依赖两种不同方式：一是在技术停滞条件下通过投入规模的不断扩张来达到产出总量的增长（如果考虑人口增长因素，则产出增长速率须快于人口增长速率）；二是通过持续的技术进步即投入-产出效率的不断提高来实现产出总量的持续增加。前一种形式即人们所熟知的外延性（或粗放型）增长，其前提条件是社会尚存在有未被开发利用的资源（在农业上尤其如此）。对于农业生产而言，这种外延性增长存在着一个自然界限，只要技术状况保持不变，它最终将会走入舒尔茨所谓的"传统农业高水平均衡陷阱"。因此，从长期和动态观点看，经济增长的根本动力只能来源于持续技术进步。也正是在这一意义上，舒尔茨把实现技术进步看成是改造传统农业的唯一出路。很显然，目前，我国农村的区域性贫困，和这些地区普遍存在的技术停滞是紧密相关的。因此，换一个角度看，本书对区域性贫困原因的研究，就可以转换成对这些地区技术停滞原因的探究。

从本质上讲，技术是人与自然、社会之间进行物质、能量和信息转换的"媒介"，是变天然自然为人工自然及实现对社会调节控制的手段。从技术存在的形态来看，它是一个非实体性的东西，需借助于一定的物质形态来表达自己。一方面它通过人的劳动，物化于劳动的手段乃至于劳动的对象和劳动的产品之上，另一方面它通过人的劳动物化于劳动者自身。正是在这个意义上，舒尔茨所提出的改造传统农业的基本手段，即是向农民提供新的生产要素和对农民自身进行人力资本投资。

技术进步，也是一个被广为使用却没有精确、统一定义的概念。在西方新古典学派的理论中，技术进步是用生产函数 $Q=f(K, L, t)$ 来定义的，其中 K 和 L 分别代表资本和劳动投入，Q 代表产出水平，t 代表时间。技术进步就是这个生产函数中产出 Q 随时间 t 变化的过程。如果产出增长的幅度超过了资本和劳动投入增长的幅度，就被认为是发生了技术进步。在索洛的模型中，技术进步等同于任何引起生产函数移动的事件，除了生产技术的变动外，还包括了组织和管理的改进。

需要指出的是，任何一种技术，其要素构成都不是单一的，而是由若干个各具功能、相互独立又彼此联系的技术单元有机地组合成一个完整的体系或系统。因此，要达到一定的技术目的，就需要把各种功能的专门技术（技术单元），按照它的功能匹配成一个能实现这种技术目的的功能整体。结构不完整或功能不匹配的技术，是不能结成一个技术体系或技术整体的，从而也就不能转化成为现实的生产力。

技术的这种整体性或不可分性表明，技术进步的过程必定是构成技术体系的各相关单元同步变化的结果。这种技术进步通常被称为整体的或者系统的技术进步。但是在农业领域，技术的这种不可分性似乎表现得并不十分严格，或者说，整体的技术进步可由单个的技术单元的独立进步依次累加而得。例如，在种植业生产方面，高产技术一般是由良种、耕作、施肥、灌溉等一系列的技术单元所构成的。但在实际生产中，既可以在传统种籽基础上，通过改良耕作、科学施肥等方式来实现增长，也可以在耕作、施肥等技术不变的情况下，单纯通过改良作物品种的方式来实现增产。人们通常把这样一种技术进步称为渐进的或累加的技术进步（程厚思，1997）。

经验表明，经济体制是影响技术进步的一个重要因素。从理性角度看，无论就集团利益还是就个人利益而言，如果体制设计不能保证技术进步的收益完全内部化，经济集团或个人就很难有推动技术进步的动力，从而整个社会也将慢慢走入一种技术进步相对停滞的状态。

理论上，技术进步是否发生及进步速率的快慢，还依赖于这一过程的投入-产出关系。简单地说，技术进步是有成本的，而且随着技术进步（变动）系数（技术增量/初始技术水平）的提高而呈加速递增趋势。因此，一项技术是否被加以利用，和应用这项技术所需的投资及其相应的产出效率是密切相关的。

7.5 促进农户积极采用农业新技术的原则与措施

中西部地区农户技术采用行为与国家农业技术应用在宏观取向上的差异表明，当前中国在农业技术创新中导入农业可持续发展公共目标的同时，还必须对农户技术行为进行诱导，对农户技术采用行为诱导的目的是推动农户对可持续农业技术采用行为的尽早发生，使可持续农业技术在农户中间尽快得以传递。

7.5.1 诱导农户技术采用行为的原则

1. 共同利益最大化原则

农户技术采用行为是一种经济行为，行为目标是追求利益最大化。农户利益最大化应当是在采用可持续农业技术的基础上，实现降低农业生产成本和增加家庭收入。对政府来讲，其行为目标是追求社会公共利益的最大化，就是要通过可持续农业技术的普遍推广应用实现农业增效和农民增收，农村生态环境得到改善，旱涝、病虫灾害明显减少，水土流失和环境污染得到治理等；所谓共同利益最大化，就是指通过一定的制度安排和经济、法律等手段，使政府、农户二者利益协调一致，实现利益集合的最大化。共同利益最大化原则是政府对农户技术采用行为诱导的基本原则。否则，任何损害一方利益而使另一方获得超出既得份额的利益行为都不可能使可持续农业技术得以迅速传递和应用。

2. 农户自愿原则

我国农业技术推广法明确规定，任何组织和个人不得强制农业劳动者应用农业技术，强制农业劳动者应用农业技术且给农业劳动者造成损失的，应当承担民事赔偿责任。因此，农户对可持续农业技术的采用，必须建立在自愿的基础上，政府对其偏差行为主要以行政手段和经济杠杆相结合的方式给予引导和纠偏，而不能强迫农户采用某种技术或不采用某种技术，农户独立自主的决策地位必须予以尊重和保证。

3. 双向互补原则

政府和农户作为不同的利益主体，在技术采用过程中的生态价值增值应将其视为一种对政府主体利益的"贡献"，也是农户主体利益的"外在性"损失。对此，政府应根据获得的"贡献"值大小对农户"外溢成本"予以补偿，将这部分利益转换为经济上的表现形式返还给农户，以调动并保护农户采用可持续性农业耕作等农业新技术的积极性和主动性。

7.5.2 诱导农户积极采用农业新技术的政策措施

农户对农业新技术需求不足，采用不主动不积极，是由行为主体和行为环境两方面的因素造成的，而且最重要的是行为环境方面的因素，因此，改善行为环境，引导行为主体，改变传播方式，改进技术类型是有效促进农户积极采用农业新技术的重要措施。

1. 改善行为环境，增强农业新技术对农户的吸引力

行为环境是指农户采用农业新技术的内外部环境。内部环境即农户家庭要素环境，外部环境即社会环境。农户家庭要素环境中最重要的要素是土地资源要素，必须通过发展农村第二、三产业，加快农业劳动力向非农行业转移，加速农村城镇化步伐，减少农业劳动力，并采取有效的土地使用权流转机制，使土地向农业能手集中，打破农户采用农业新技术的土地资源局限，提高技术采用规模效益。农业经营制度的创新可以有力地提高农业新技术的采用率。据调查，农业专业大户在对农业新技术的需求及投资风险上都表现出了与其他农户十分明显的先进性。其中把良种作为第一技术需求的农业专业大户占该类总户数的比重为83%，比其他农户高10～15个百分点；对单项农业新技术的投资能力和投资风险分别为2045元和1959元，分别比其他农户高20%和15%（朱明芬等，2001）。在社会环境方面，基础环境上，各级政府要有计划、分步骤地改善灌溉、交通、通信、加工、储藏、信贷环境；市场环境上，致力于建立健全农产品市场体系和市场机制，营造主体平等、行为自由、职责清晰的市场环境；技术环境上，要健全农业技术推广网络，保障推广经费，坚持无偿服务、微利经营，尽快转变自上而下、对上级负责的技术传播目标，确立以农户为中心的自下而上的技术传播新目标。

2. 培训行为主体，提高农户采用农业新技术的能力

"科学技术是第一生产力"和"科技兴农"的观点已普遍被人接受。但长期以来受我国社会经济发展"二元结构"刚性的影响，农业科学技术中"人"的因素始终未能引起全社会的特别关注，到目前为止，农村劳动力文化教育水平低，自身素质差已不仅成为制约农业技术进步，而且也成为制约整个农村社会经济发展的主要因素。提高劳动力素质，一是要结合生产实际大力开展农民短期技术培训，让一部分文化程度较高并有志于新技术应用的生产者，尽快掌握全面系统的农业科技知识技能；二要通过多种形式和途径，积极发展农民职业技术教育，办好职业技术中学，为广大农村尽快输送一批有文化、懂技术、善经营的新型农民；三要切实抓好农村九年制基础义务教育，为今后农村科技进步和整个农村经济的全面发展储备大量的科技人才。

3. 改进技术传播方式，加强技术传播系统与农户的联系

一个高效灵活、多渠道、多形式的技术信息传播网络系统的建立，对农户技术应用的健康发展具有至关重要的作用。一方面，它可使农户在技术的选择上有较大的自由度，农户可在技术供给丰富多样的技术市场上，随心所欲地购买到先进实用且价格低廉的各种技术；另一方面，它可使农户在技术应用过程中及时与外界进行信息反馈交流，并以此来进一步提高农户技术应用的兴趣、知识和技能。在建立信息网络系统方面，一要充分利用社区组织，在农村社会经济系统内部建立科技示范户、示范片、示范村，培养"土专家"、"土秀才"，进一步激起社区、邻里和农民之间竞相积极应用新技术的热情，促进新技术信息在社区范围内的快速有效传播；二要加大大众传播媒介工具在信息网络系统中的地位和比重，充分利用电视、农村有线广播及报刊发行等大众化渠道广泛传播科技信息、科技知识及科技应用经验和应用成果，让农民大量接受科技信息的刺激，以此逐步强化农民的科技意识，提高其应用技术的素质、水平和能力；三要充分发挥科技推广机构的主渠道作用，在稳定增加其经费来源的条件下，积极鼓励科技人员下乡搞技术承包、技术示范和技术咨询活动，进一步密切推广人员和农户之间的感情和技术信息联系。

4. 适时改良农业技术，适应小规模兼业农户的经营方式

我国社会经济发展水平、农业生产力发展水平及相关的农村经济政策，决定了我国以小规模兼业农户为经营主体的农业经营制度，在今后相当长时期内还将继续存在。面对农户家庭经营制度现状，面对目前兼业农户对采用农业新技术的行为和偏好，面对我国加入WTO所面临的国际农业一体化的挑战，必须通过改良农业技术以适应农业经营制度。为此，应从以下几方面着手：第一，要大力开发省力、便捷的轻简农业新技术，重点开发那些投资省、成本低、收益快的小型农业新技术；第二，大力开发优质种子、种苗、畜禽良种技术，尽快提高农产品质量，奠定我国农产品与国际农产品竞争的基础条件；第

三，大力提高农业技术服务质量，特别是农业机械化服务、农业信贷服务和农产品市场信息服务等；第四，及时转变农业新技术传播方式和行为，尽快完成从只关注技术本身转向关注农户生产的立场的转变，因为新技术传播的过程是引导、说服受众（农户）接受、采纳的过程，只有在为农户服务的思想指导下，才可能突破原有工作方法、作风、效果，使农业推广工作作为科研与生产运用之间的纽带，得到真正意义上的创新。

5. 采取多种手段，彻底化解新技术应用带来的各种风险

农业新技术采用的高风险和收益受自然、市场影响较大的不确定性，是农户难以接受并采纳新技术的重要原因之一。为了消除或减少农户采用新技术所带来的风险，当前推广部门要重点强化和完善农业技术承包和农业科技系列化服务制度，使广大农户应用科技有安全感和稳定感。在技术项目的推广上，要注重实用、操作简便、效益显著、风险较小等技术的推广，要根据当地具体情况和农业发展的不同阶段选取不同技术的类型。各地政府要在给技术应用农户风险补贴的同时，定期、及时、准确地发布农业技术和农业生产等方面的市场信息，使农户的技术选择和生产决策建立在有根有据、切实可行的理性判断基础之上。

7.6 本 章 小 结

本章在对农户技术应用行为研究进展进行综述的基础上，引入农业踏板原理，探讨了农业新技术应用中的风险与不确定性问题。基于作物良种是贫困地区农户当前最迫切的农业技术需求的事实，本书以水稻品种的采用和认知为例，对中西部地区农户技术应用行为进行了实证考察，得出了相应的研究结论。结合技术进步对区域经济发展的贡献，本书给出了促进农户积极采用农业新技术的基本原则和政策措施。

第8章
中西部贫困地区可持续发展下的
农户经济行为演进与评述

中西部地区尤其是西部地区是我国许多大江大河的发源地，其在全国的生态屏障功能是举足轻重的。同时，中西部地区既是我国贫困人口集中连片区又是生态脆弱区的特点，决定了其发展特别需要贯彻可持续发展战略，中西部贫困地区的可持续发展对全国可持续发展战略的实施，其意义是不言而喻的。通过前面章节的分析和探讨可知，作为区域经济发展微观主体之一的农户家庭单元，其行为存在着一系列不利于区域经济发展的特征和表现，这已严重阻碍了区域可持续发展战略的贯彻和实施。本章将重点从农户积累与消费比例关系的角度，结合前面章节的分析结论，按照相应的评价准则，来剖析中西部地区农户经济行为的演进过程并加以评述。

8.1 贫困地区可持续发展：内涵、目标与实施基础

8.1.1 可持续发展战略的提出

贫困总是会阻碍着社会的发展与进步。因为它既是社会发展滞后的原因，又是社会发展滞后的表现。这一点，对于可持续发展来说，显得尤为突出。

"可持续发展"既是一种全新的发展理念，也是一种全新的发展战略。可持续发展思想和概念的提出，是人类几千年发展实践的经验教训的总结和升华，特别是对工业革命以来所走过的发展道路反思的结果，也是人类社会文明进步的必然体现。1987年，世界环境与发展委员会公布了题为"我们共同的未来"研究报告，较系统地提出了"可持续发展"战略，并给出"可持续发展"的经典定义：所谓可持续发展，就是既满足当代人的需要，又不对后代人满足其需要的能力构成危害的发展。这就是可持续发展观的基本理念。可持续发展的目标模式可以概括为有机联系的三个方面：经济可持续、社会可持续

和生态可持续。①经济可持续。只有保持快速的经济增长，并逐步改善发展质量，才能满足人们日益增长的物质文化需求，才有可能不断消除贫困，人民生活水平才会逐步提高，并且提供必要的能力和条件，支持其他方面的发展。②社会可持续。这是人类社会发展的终极目标。它要求控制人口数量，提高人口素质，改善人口结构；发展科学技术，大力发展教育，加强文化建设；提高人民生活质量，引导人们适度消费；促进精神文明建设，实现社会长治久安；推动政治体制改革，促进社会公平发展；实现民主管理，发动公众参与。③生态可持续。生态可持续发展水平的高低，一方面取决于生态资源存量的大小，另一方面受到生态环境变化及幅度的影响。为此，必须保护整个生命支撑系统和生态系统的完整性，保护生物多样性；解决水土流失、荒漠化等重大生态环境问题；保护自然资源，保持资源的可持续供给能力；预防和控制环境破坏和污染，积极治理和修复已遭破坏和污染的环境等。它们之间互相关联而不可分割。孤立追求生态持续必然导致经济崩溃；孤立追求经济持续则不能遏制全球环境的衰退。其中，生态可持续是基础，经济可持续是条件，社会可持续是目的。人类共同追求的应该是自然、经济、社会复合系统的持续、稳定、和谐发展。

1991 年 6 月，由中国政府发起并举办"发展中国家环境与发展部长级会议"，会议发布了《北京宣言》，提出了贫困是发展中国家环境问题的根本原因，发达国家对全球环境退化负有主要责任的论断。1992 年 6 月，有 170 多个国家代表团和 102 位国家元首参加的第二次世界环境与发展大会通过的《里约环境与发展宣言》和《21 世纪议程》，标志着可持续发展观得到大多数国家的普遍认同，成为国际社会的共识。1993 年，中国政府为落实联合国决议，制定了全世界第一部国家级的《21 世纪议程》——《中国 21 世纪议程——中国 21 世纪人口、环境与发展白皮书》，书中明确提出："走可持续发展之路，是中国在未来和下世纪发展的自身需要和必然选择。"这一战略进而在 1996 年通过的《国民经济和社会发展"九五"计划和 2010 年远景目标纲要》中得到了确认。它标志着可持续发展已经成为中国经济社会发展的国家战略。

8.1.2 贫困地区可持续发展的内涵、目标及实施基础

1. 内涵表述

进入 20 世纪 90 年代以后，可持续发展已成为经济学和社会学领域中的重要范畴。在制定发展战略时，追求可持续发展已经成为国际社会的一种潮流。

可持续发展作为世界各国的一项共同的行为准则已为人们所共识。

反贫困的直接目标是帮助贫困者摆脱贫困状态，以促使贫困者在经济、人文等方面步入一个良性的发展过程；其深一层次的目标，则是为了保持社会协调稳定发展。这些发展必须是可持续的，否则，反贫困的目的就没有达到。因此，在反贫困战略的实施中，不可避免地要涉及可持续发展思想。一方面，贫困地区的反贫困工作，其宗旨即在于通过各种扶贫行动使贫困人口从根本上摆脱贫困，踏上富裕文明的发展之路，这本身就包含了贫困地区实现可持续发展的理念。多年来，经常出现的贫困人口脱贫后又返贫，在一定意义上正是反贫困工作未能有效贯彻可持续发展战略思想的结果；另一方面，贫困地区要想真正摆脱贫困，彻底走出贫困循环的怪圈，也只有以可持续发展为指导思想和追求目标。贫困地区通过制定和实施可持续发展战略和措施，在开发利用资源的过程中，高度注重人口控制及资源和环境的保护，避免出现对资源的破坏性、掠夺式利用等行为，从而实现人口、资源与环境及经济、社会和生态的协调发展，只有这样，贫困地区的反贫困工作才是科学的、合理的、有效的，贫困地区的脱贫致富奔小康也才能得以持续、稳定的推进和实现。

2. 基本目标

（1）基础设施完备。"基础设施完备与否有助于决定一国的成功与另一国的失败。无论是在使生产多样化，扩大贸易，解决人口增长问题方面，还是在减轻贫困及改善环境条件方面，都是如此"。中西部贫困地区普遍存在着社会与经济基础设施落后且有效供给不足的状况，业已成为区域发展，特别是区域农业可持续发展的最大障碍。所以，加强水电、道路、通信等基础设施建设，提高有效供给能力，是中西部贫困地区实现可持续发展的首要目标。

（2）资源持续利用。尤为重要的是确保粮食安全目标。积极增加粮食生产，既要考虑自力更生和自给自足的基本原则，又要考虑适当调剂和储备，稳定粮食供应和使贫困者有获得粮食的机会，妥善解决粮食问题，保障粮食安全（安全系数为库存储备粮占年需要量的17%～18%以上）。同时并协调与综合安排其他大宗农产品的生产。

（3）生态环境改善。环境是影响人类生存和发展的自然因素总体，在可持续发展中起提供自然资源和确保环境容量两大作用。在当前中西部贫困地区普遍存在资源利用难度大、环境容量小的条件下，改善该地区的生态环境显得尤为迫切和重要。生态环境的改善意味着该地区人民的生活质量和生存空间不受威胁，人与自然和谐共处，不间断地推动文明的进程和人类自身的发展。因此，水土流失、土地荒漠化和石漠化、森林覆盖率下降、气候异常变迁等环境因素都必须通过努力，使之朝良性循环方向变化，以实现生态环境持续改善。

（4）民族人口脱贫。人口是可持续发展的主体，实现中西部贫困地区人口、资源、环境协调发展，其最终目标就是使该地区人口摆脱贫困，走向富裕。占中西部贫困人口极大比例的少数民族人口如果不能脱贫致富，则不仅无法实现脱贫，而且影响民族和睦，事关社会的安全与稳定大局。这意味着中西部贫困地区在社会经济发展过程中，必须结合区域的社会特点，在进行生态治理的基础上，重点加大少数民族地区和少数民族人口的扶贫开发力度，不断提高其生活水平。

3. 实施基础——农业

尽管农业在我国国民生产总值中的相对份额有所下降，但农业的基础地位仍然不可取代。就中西部贫困地区而言，前文述及，由于传统结构和发展需要使农业的地位和作用仍然异常突出。因此农业可持续发展是该区域可持续发展体系中的优先领域。换言之，农业是中西部贫困地区可持续发展的实施基础。要构建这一基础，就必须以市场为导向，运用先进适用性的科学技术，充分考虑农户经济行为的特点与规律，因地制宜地选择农业经营方式和资源利用模式，科学合理地开发农业资源，既要尽量提高农副产品的产量和质量，以满足当代人生活水平提高对农副产品日益增长的需求，又要不断改善农业生态环境，从而促使区域农业可持续发展能力的不断提高。

8.2 中西部贫困地区农业可持续发展的困扰

8.2.1 我国贫困地区可持续发展的整体困境

我国在实行可持续发展战略的过程中，既苦于发展，又苦于不发展（杜受祜和葛家瑜，1998）。苦于发展，是指由于社会主义市场经济体制的逐步建立，使我国经济进入了高速发展时期。世界上很多发达国家所走过的道路和发展中国家的经验表明，这一时期是可持续发展战略受到最严峻考验的时期。市场经济以其比计划经济有更高的资源配置效率和更高的劳动生产效率，使我国的社会生产力、综合国力大幅度的提升，人民群众不断增长的物质需要基本得到满足。但是，由于市场经济的自发性、盲目性也使我国付出了自然资源开发利用以惊人的速度增加，生态环境恶化势头越来越严重的代价。主要表现在：一是水资源缺乏且污染严重。在中西部地区，现有干旱缺水山区面积达 100 多万 km²，特别是西北内陆、黄河中上游地区水资源极度缺乏，现有 3420 万人口饮水困难。同时，水域局部污染严重，直接威胁着渔业生态环境和渔业资源。2013 年度《中国渔业生态环境状况公报》显示，2012 年共发生渔业污染事故 424 起，造成直接经济损失约 1.61 亿元。因环境变化造成可测算天然渔业资源经济损失 83.18 亿元，其中内陆水域天然渔业资源经济损失为 12.54 亿元，海洋天然渔业资源经济损失为 70.64 亿元；二是森林覆盖率低下。有关资料显示，长江流域森林覆盖率曾经高达 60%~80%，1957 年下降到 22%，到 1986 年只剩下 10%；尽管新世纪以来国家在西部地区大力实施了"一退两还"等大型生态保护工程，但西部地区森林覆盖率仍达不到全国平均水平，更是只有东部地区的三分之一；三是土地沙漠化严重。根据全国沙漠、戈壁和沙化土地普查及荒漠化调研结果表明，中国荒漠化土地面积为 262.2 万 km²，占国土面积的 27.4%，近 4 亿人口受到荒漠化的影响[1]，其中 90% 以上集中在西部地区，很多地区经济社会发展受到严重制约，如毛乌素沙地地处内蒙古、陕西、宁夏交界，面积约 4 万平方公里，40 年间流沙面积增加了 47%，林地面积减少了 76.4%，草地面积减少了 17%。与此同时，沙漠化土地面积的扩展速度在不断加快，20 世纪 50~60 年代平均每年扩展 1560 km²，70~80 年代平均每年扩展 2100 km²，90 年代平均每年扩展 2460 km²；四是水土流失加剧。我国是世界上水土流失最为严重的国家之一，西北的黄土高原、西南的长江和珠江上游及其喀斯特地貌区和泥石流山区是主发地区，其中以黄土高原最为剧烈。据统计，我国水土流失面积由 20 世纪 50 年代的 150 万 km² 增加到目前的 356 万 km²，占国土面积的 37.1%，全国因水土流失每年流失土壤 50 亿 t。[2] 在黄土高原地区中以丘陵沟壑区的侵蚀数最大，高达每年 2 万~3 万 t/km²。

苦于不发展，是因为"经济发展是可持续发展的先决条件"，经济发展既为可持续发展提供物质基础，也提供科学技术进步、管理体制完善等的基础。一方面，我国是一个发展中国家，国力不够雄厚，能用于环境保护的财力与实际需要之间差距太大；另一方面，受制于我国科学技术、管理体制落后的原因，我国的经济增长基本上仍属粗放式、外延型的，是靠要素的高投入、资源的高消耗来支撑的。例如，我国的钢铁、炼油、烧碱、纸、玻璃、电力等产品的能耗水平比世界先进水平高出 1.2~2.7 倍。这既对资源相对短缺的我国是雪上加霜，同时也带来了环境污染的严重后果。

---

[1] http://www.mlr.gov.cn/tdzt/zdxc/tdr/21tdr/tdbk/201106/t20110613_878377.htm。

[2] http://news.xinhuanet.com/politics/2006-11/11/content_5317417.htm。

我国在可持续发展中的两难矛盾，更严重地困扰着贫困地区。因为贫困，经济不发达，使其可持续发展更加缺乏物质和技术基础；因为贫困，从地方政府到贫困农户，脱贫心切，在资源的利用、环境的保护上，更多地考虑近期、局部的利益。"有水快流"、"先污染，后治理"等有悖于可持续发展的错误思想更容易在贫困地区找到市场。据《中国环境报》报道，1996 年国务院颁布了《关于环境保护若干问题的规定》，提出了 1996 年 9 月 30 日以前，对现有15 种浪费资源、污染严重的小企业，包括年产 5000t 以下的小纸厂，年产折牛皮 3 万 t 以下的制革厂，年产 500t 以下的染料厂，以及采用"坑式"、"萍乡式"、"无地罐"和"敞开式"等落后方式炼焦、炼铅锌、炼油、选金和农药、漂染、电镀及生产石棉制品，放射性制品等企业，由县级以上地方政府责令其关闭或停产。但到 1996 年 10 月 11 日，北京、天津、江苏、吉林、福建、海南等省（自治区、直辖市）已 100% 地取缔和关闭了规定的企业，而新疆、湖南、贵州等省（自治区、直辖市）则只完成了不到 10% 的任务。贫困地区执行可持续发展战略的困难由此可见一斑。

贫困和落后是贫困地区最普遍的社会经济特征，贫困的大面积存在及其消极影响是贫困地区缺乏可持续发展能力的最基本原因。在贫困地区，可持续发展面临的首要问题就是如何迅速、有效地缓解贫困，并逐步摆脱和消除贫困。邓小平同志所说的"贫穷不是社会主义"，就是指物质、经济的贫困和精神、文化的贫困及因贫困而对生态环境的破坏，是不符合社会主义的本质要求的。我国作为发展中的社会主义国家，实施可持续发展战略，本身就体现了社会主义的本质，这就是说可持续发展是反贫困的，消除贫困是可持续经济社会发展的首要目标。发展中国家的发展历史表明，贫困的存在引起生态环境恶化，而生态环境恶化又导致贫困加剧。因此，可持续发展的核心是发展，只有通过广泛的经济发展才能最终消除贫困。但是，发展经济、增加社会财富还不是消除贫困的充要条件，消除贫困还必须在贫困地区人口、资源、环境、经济和社会协调发展的基础上进行，其中以人口的严格控制、资源的可持续利用和生态环境的有效保护为重要前提。

8.2.2　中西部地区农业可持续发展的障碍：基于农户层面的分析

农户在生产经营过程中，需要对农业中各种生产要素（土地、劳动、资金、能源、技术、生物等）进行配置和利用，不同的经济行为产生不同的经济效果，而区域农业可持续发展与人类对农业资源的利用密切相关，因此，农户经济行为对区域农业可持续发展有着直接影响。总结前面章节的分析结论，从农户层面来探讨中西部地区农业可持续发展问题，其不利于区域农业可持续发展的障碍主要表现在以下几点。

1. 经营目标的趋同性，影响农业资源的合理配置和利用

在利益机制的驱动下，农户作为一个"经济人"，既要追求收入的最大化，又要追求收入的稳定性和风险的最小化。但由于小农意识的存在，加之农户所获取的有关信息往往不全面、不准确、不及时，农户虽有根据边际收益大于边际成本的原则安排生产的愿望，但往往事与愿违，所以在经营目标的选择上倾向于收入少但风险小的目标，在生产经营上力求"小而全"，导致农户对市场的反应趋同化，形成了农户经营的盲目性和滞后性与大市场的矛盾。其结果是需求旺盛时，大量的重复生产和投资，资源严重浪费；而在需求较淡时，许多资源未能充分利用。同时，农户在数次未能获得预期收益的情况下，对农业投入减少，甚至进行粗放经营，广种薄收，进一步加剧农业生产经营效益的降低。

2. 经济行为的短期性，导致农业生态环境的破坏和恶化

在巩固温饱和致富欲望的驱动下，许多农户只重视眼前利益，忽视长期发展，对自然和生物资源只取不予或取多予少的掠夺式经营行为普遍存在。如有些山区的农户，为求温饱，陡坡垦荒，往往"小山开到顶，大山开到腰"，致使水土流失严重；在平原地区，有些农户在承包地挖塘养鱼，建房从事第二、三产业，有的劳动力转移户撂荒土地，造成耕地资源的总量减少。农户在发展农业生产的实际措施运用上，普遍认为自然资源无价值或生物资源用之不竭，对其承包地重用轻养，加上农业生产的比较效益低下，农业生产的自然风险和市场风险都较大，而且农业的投入产出周期长、见效慢，农户对农业投入较少，尤其是对固定资产投资少，农田水利几乎空白，其投入主要集中在短期能见效的生产要素上，如农药、化肥等，使磷、钙等元素大量渗入土壤里，致使土地板结，土壤重金属含量超标，土地生产率降低，农业生态环境恶化。

3. 投资行为的分散性，致使农业生产经营粗放和低效

由于农业经营的比较效益低下，农户为追求其收入的最大化，通常将其所拥有的生产要素中的一部分投入到非农产业。由于农业行为的增收效应缺乏弹性，而兼业行为的增收效应富有弹性，所以我国绝大多数农户偏好兼业行为，并形成了对农业的替代。但是，农户用兼业行为替代农业行为在社会总体上并没有形成完全替代，对大部分农户而言，即使农业行为的增收效应缺乏弹性，农户还得依靠土地吃饭，只是农户在农业活动中，要么尽可能少地占用自己所拥有的经济资源，如不愿对承包土地进行投资；要么尽可能地使用不适合兼业活动的经济资源，如在农业劳动中大量依靠妇女和老人。这必然导致农业生产经营水平和效率低下，农业资源得不到充分利用与优化配置，难以实现农业的可持续发展。

4. 消费需求的低迷性，阻碍农村市场开拓和商品经济发展

在中西部农村地区，尽管农户消费层次不断提高，但同东部地区相比，农户消费需求明显不足。农户医疗费、学杂费等服务性被动支出在消费总支出中的比重加大，一定程度上挤占了其他消费支出，特别是耐用消费品支出在消费结构中的比重在某些年份呈下降趋势。在国家近年来将开拓农村消费品特别是耐用品市场作为刺激内需、促进经济增长的重要手段的背景下，中西部地区农户耐用消费品需求的持续低迷，严重阻碍了农村市场的开拓。同时，中西部地区农户自给性消费偏高的特点，也严重阻碍着农村商品经济的发展。例如，2009年西部地区农户生活消费货币化程度为60.67%，比东部地区农户低12.20个百分点；西部地区农户粮食消费的商品化程度仅为16.95%，比东部地区农户低18.45个百分点。这使得农村商品市场发展的可能空间极为狭小，不仅阻碍农村商品经济的发展，而且也影响到以其为主要市场的城镇经济的进一步发展。

5. 存贷缺口的巨大性，束缚农业持续增长的后劲与潜力

一定量的资金储备是农户进行农业扩大再生产的必备条件。但由前面第6章相关内容的分析可知，当前我国农户生产资金利用方面面临的最大问题就是存贷缺口严重。在中西部地区，农户偏好储蓄和借贷踊跃并存。农业银行和农村信用社等涉农正规金融机构在农村尤其是中西部贫困地区农村，其储蓄功能得到强化，而对农户发展生产提供帮助最大的借贷功能却呈萎缩趋势，加之正规金融机构贷款手续烦琐且条件苛刻，使得农户只有依靠民间私人借贷来解决生产和生活的燃眉之急。而民间高利贷的盛行，又进一步盘剥了农户本已微薄的收入，由此导致农户难以承载农业持续发展所需要的资金需求，农业可持续发展的后劲与潜力明显不足。

6. 经营规模的超小性，制约农业科学技术的应用与推广

我国农业经营具有超小规模的特点，全国有近2.3亿农户，每户平均经营耕地面积不足0.5hm^2，这样的超小规模客观上给农业科技的推广与应用带来了一定的困难。一是农户购买行为动机与个体单位购买能力之间存在较大的差距；二是进行机械化作业受到空间上的限制；三是农业技术市场发展不成熟，科技成果市场化的配套建设滞后。在主观上，由于长期小农意识的影响，科技效益的示范效应影响力度不足，加上农户自身文化素质的制约，以致农户在技术装备和生产观念的提高转化方面缺乏应有的积极性。

8.2.3 影响农户参与区域农业可持续发展的原因剖析

1. 农户与政府在发展目标、效益与成本上的偏差是关键原因

农户家庭策略与政府可持续发展战略在目标、效益与成本上均存在一定程度偏差，导致农户行为在一定程度上偏离政府设计的区域农业可持续发展轨道。

（1）发展目标上的偏差。政府实施农业可持续发展战略，关注的是整个地区或社会的生存和发展，而农户注重的是家庭自身的繁衍生存。由于出发点不同，从而产生出许多农户行为与政府可持续发展战略要求不一致、不协调的情况。农户经济学理论认为，农户作为一个独特的经济主体，其行为目标是效用最大化。作为生产单位，农户无论进行自给性生产还是商品性生产，都在追求成本最小、产出最大的目标。在市场经济中，这种效用首先表现在利润上，即收益与成本之差。但通常我国农户所追求的效用最大化，除利润以外还考虑如下三个重要目标：①满足农产品（主要是粮、油、畜产品等）的自我消费；②完成国家粮食、棉花等的合同定购指标；③拥有更多的休闲时间用以追求精神享受。

我国农户在效用最大化的驱动下，进行各种生产要素的优化组合，精细安排以土地利用为核心的一系列经济活动。但是，不难发现，这种"效用最大化"的基本准则却很难与区域可持续发展的总体目标相一致。可持续发展在理论上要求，农户土地利用行为的效用最大化应该是当前与长远利益相结合的总体效用。而目前大部分农户所追求的效用最大化目标大多是基于眼前利益的考虑，往往以牺牲长远利益为代价，因而采用的是一些非持续的行为方式。例如，陈佑启（1998）的一项调查显示，当问到如何进一步增加家庭收入时，84%的人认为，首先靠降低生产成本，提高农产品价格；其次是扩大承包面积与提高作物单产；15%的人认为靠从事非农产业增加收入；仅1户认为有必要加强对土地投入，改善农业生产环境。由此可见，在家庭目标的约束下，几乎所有的农户均存在着急功近利的思想，对土地等资源持续利用缺乏认识。

（2）效益与成本上的偏差。政府可持续发展战略着眼于整个地区或社会的生存和发展，其实施考虑的是边际社会收益和边际社会成本。农户从家庭利益出发追求收入最大化，较多考虑的是边际私人收益和边际私人成本。比如，砍伐完自家承包山林的农户以极小的私人成本获得了最大化收入，却将水土流失的代价转嫁给了社会。农户通过大量施用化肥、农药满足其最大化产量需求后，却将食品、土壤、地下水污染及河流、湖泊富营养化留给了社会，为区域环境和他人生命健康埋下了隐患。对单个农户来讲，他之所以成功地用最小的私人成本换取了最大化收入，是因为他将水土流失及环境治理成本轻易地甩给了社会，是因为他的边际私人成本中未包括应该包括在内的、由他的行为带来的外部性成本。对整个社会来讲，由于生产活动必须考虑到水土流失及环境治理成本，必须考虑到资源、环境的可持续利用，其边际社会成本必然高于边际私人成本，社会要偿付这些成本支出，要么扣除已获取的部分社会收益，要么自觉约束人类活动在资源、环境不遭受破坏的限度内。总之，对整个社会来讲，边际成本与边际收益之间的空间并不能、也不容易随意拓展。农户个人则不然。由于外部性成本可以轻易地转嫁给社会，其边际私人成本总是小于实际成本，边际私人收益与边际私人成本之间的空间似乎能够不受限制地增大，其活动容易得到强化，结果是其经济行为在不知不觉中表现出非理性化，往往超出资源、环境可承受的范围与限度，从而使政府的可持续发展目标落空。

2. 农户科技文化素质与可持续发展要求的偏差是另一原因

农户科技文化素质低下，与实施区域农业可持续发展的要求存在一定程度的偏差，也影响着农户参与区域农业可持续发展。农业可持续发展意味着农业增长方式将有一个大的转变。农业增长将从主要依靠追加投入、消耗资源实现的粗放型增长方式转变到主要依靠科学技术、依靠劳动者素质提高的集约型增长方式上来。这就要求农户必须具备较高的科技文化知识，具备较高的经营素质。应当承认，就目前农村尤其是中西部农村的实际情况来说，许多农民距离这一要求还有较大的差距。有调查表明，科技推广人员在传授科学配方施肥时，有相当部分农民教授多遍也不会，当前农村滥施化肥、乱用农药现象多数发生在这些文盲、半文盲的农户身上中。此外，我国农业经营超小规模的特点也削弱了农户追求技术进步和应用持续农业技术的动力。面对较小土地经营规模上十分有限的资源节约和技术进步收益，农民对可持续农业技术缺乏积极性和参与热情，人多地少和农民负担较重地区表现得尤为明显。

3. 农村基础设施条件及地方政府行为对农户参与区域农业可持续发展的影响

如前所述，由于我国农业经营的固有特点，实施农业可持续发展应当按照区域化、规模化的要求统一进行，相关的可持续农业技术推广也不可能一家一户单独进行。此外，由于可持续农业具有的高知识、高智力、高科技、高效益的特点，对农业产前、产中、产后的分工协作要求更高，对农业科学研究和推广应用的社会化服务要求更高，对农村交通、通信、能源、文化教育、卫生等基础设施的支撑条件要求更高，对各级地方政府的策划、组织和协调能力也要求更高。但是目前，从农业的产业化组织程度，从农业规模经营及农民组织程度，从农村科技推广应用的社会化服务，以及农村基础设施等一系列条件来看，离大规模应用可持续农业技术及建设生态农业要求都有一定差距。这些因素对农户自觉参与农业可持续发展不能不产生一些消极影响。更为重要的是，由于财政分灶吃饭和政绩考核特点，各级地方政府也存在组织财政收入最大化和追求政绩最大化的倾向。基于这一倾向的影响，在贯彻执行中央农村政策和方针时，中央或省级政府与各级地方政府的关系似乎时时处于一种相互讨价还价的博弈过程中。当农业可持续发展决策通过各级地方政府传导到农户时通常大打折扣，地方政府可能对影响其财政收入和政绩的可持续发展"软任务"不感兴趣。例如，在1996年关闭乡镇"十五小"污染企业时，乡镇地方政府可能因为影响其税收收入或其他或明或暗的好处而采取消极态度，受乡镇政府这一暧昧态度影响，个体业主和村民会受到"启发"，结果污染行为得到默许甚至怂恿，关闭行动难以彻底。

8.3 贫困地区可持续发展下的农户经济微观决策表征

自20世纪末期农业产业化在东部地区率先兴起以来，我国农村业已形成了一定规模的农业和农村经济合作组织，但由于受到农业行业利润低、风险大及弱质性产业特征的影响和限制，尤其是在我国中西部贫困地区，农业产业化发展只是贫困地区农业和农村经济发展的一个长久目标。在今后很长一段时间内，以农户为主体的农业生产组织仍是中西部贫困地区农业生产的主体。因此，农户行为体系是中西部贫困地区农业和农村经济可持续发展的微观机制，农户家庭单元是农业和农村可持续发展的微观主体。农业和农村经济可持续发展的目标，只能通过建立微观可持续发展体系来实现，农户行为就是可持续行为体系中的关键一环。农户行为是农户目标、农户能力及农村社区和外部环境共同影响下的具有惯性特征的主体行为体系。由于受农户利益的局限性的限制，这种行为体系并不总是与农业和农村经济可持续发展的宏观目标相一致。农户行为的不可持续性必然导致农业生产相关环节的低效性，从而降低农业生产整体过程中技术和经济的双重效率，降低农业和农村经济发展的可持续能力，进而影响到区域可持续发展目标的实现。

按现代经济学理论，在微观经济活动中，有两个最基本的经济单位，一个是企业，另一个是家庭。企业虽然也具有消费职能，消费生产资料，但其最基本、最本质的活动是生产。而家庭不同，作为一个微观经济活动的综合体，其基本活动是消费，同时又兼有储蓄、投资和获取收入的职能。作为消费者，家庭行为的基本目标是效用最大化；作为劳动者，家庭又追求收入最大化；作为投资者，家庭必须考虑扣除消费后的收入剩余能实现保值、增值。

就农户家庭而言，其获得的总收入在扣除生产资料消耗后形成农户净收入。通常情况下，净收入分解为三部分：一部分以税金的形式上缴国家，成为国家集中的纯收入；大部分以"三提五统"等形式上缴集体，由集体支配使用；剩余部分则成为农户的纯收入。这种分配方式根除了人民公社时期吃"大锅饭"的弊端，使农户的生产经营效益和自己的经济利益挂起钩来，并且兼顾了国家、集体、农户三者的利益，体现了社会主义按劳分配、多劳多得的原则。农户收入经过这样的初次分配后，农户得到了可供家庭内部再次分配使用的纯收入，用于积累与消费。

在传统的计划经济体制下，农户家庭几乎是纯消费主体，劳动力报酬由政府决定，不必考虑收入最大化，并且收入扣除消费后几乎没有什么剩余，所以也基本不具有投资职能。随着市场经济的发展，家庭收入水平快速提高，家庭预算中用于储蓄和投资的部分也越来越大，投资已逐渐成为家庭经济中必不可少的一部分。因此，农户在考虑家庭的经济行为及其决策时，既要注意其收入和消费行为，也要兼顾其储蓄和投资行为。

农户经济增长的源泉在于农户不仅是消费者，而且是投资者、生产者。农户投资于农业、工业等实际产业可获得投资利润，占有土地使用权可以获得部分地租，投资于证券、银行可获得利息收入。同时，农户家庭成员作为劳动者，还可得到一定数量的劳务收入。与许多城市家庭相比，由于农户具有投资主体和消费主体的双重身份，所以农户的收入必须在投资、储蓄、消费之间进行分配，其转化关系可以用图8-1来表示。

农户纯收入可分解为农户家庭成员的直接消费、农户的直接投资以及农户储蓄。农户储蓄是一个蓄水池，为农户长期消费和长期投资作准备（侯军歧，1997）。如前所述，影响农户储蓄水平的主要因素有农户收入水平、储蓄的利率水平、通货膨胀率和社会制度变迁等。但无论如何，农户储蓄与农户消费、

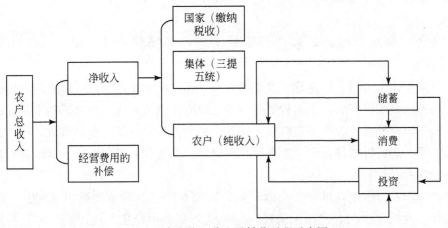

图 8-1　农户收入分配及转化过程示意图

农户投资相比较，农户储蓄占其总收入的份额较小，而消费和投资占其份额较大。从微观的角度来讲，影响农户收入水平、农户经济增长的主要因素是投资的大小，在其他因素不变的前提下，农户收入是投资的函数。就一个农户来讲，在既定的收入水平下，用于消费的部分较少，而用于投资的部分较多，其收入水平就高，反之，则相反。作为生产主体的农户，其投资行为的目标就是如何用一定数量的资金投入，来获得最大的投资回报；作为消费主体的农户，其消费行为就是如何用一定数量的资金投入，来获得消费效用最大化。

8.4　中西部地区农户经济行为演进：基于积累消费关系的分析

如上所述，农户纯收入最终可以分解为储蓄、投资和消费三部分，而农户储蓄行为、投资行为和消费行为正是农户经济行为的三大核心构件，因而对农户经济行为演进路径的最终评价，便可以通过两种思路来完成：一是对这三种主要行为分别单独进行实证考察；二是对三种主要行为的相互关系从整体上进行探讨。对于第一种思路，本书第4章～第6章三章实际上主要做的正是这一工作。对农户经济行为的分解研究是必要的，有助于本书深入到每一行为内部进行详细考察和剖析。但农户作为一个融生产生活职能于一身的统一体，其经济行为的最终表现又是家庭整体决策和拟合的结果，在农户家庭内部，它是如何安排其可支配收入的？有多少收入用于消费？有多少收入用于投资？又有多少收入用于储蓄？这三者之间的分配有何规律？基于此，对第二种思路的研究和考察也是必要的，有助于本书从整体上对农户经济行为的特征与规律作更全面、更深入的了解和把握，这也是本书接下来要进行的工作。

8.4.1　分析之基础：农户积累与消费的统计界定

从整体上考察农户储蓄、投资和消费三者之间的相互关系，目前理论界通常的做法是借助于农户积累和消费二者之间的比例关系来进行分析和说明，即把农户储蓄和投资看作是农户的一种积累行为，来探讨其与农户消费之间的相互关系。之所以这样处理，主要是农户储蓄、投资和消费在统计上难以进行精确分解的缘故。

关于农户积累与消费关系的研究，比较有代表性的是余维祥（2003）的研究。他在《中国农户积累消费问题研究》一书中指出，从理论上讲，积累是剩余价值的资本化，积累基金主要用于扩大再生产，进行生产性基本建设和增加流动资金等，消费基金则用来满足人们的生活消费的需要，且积累与消费之和等于纯收入。这种界定一般不存在较多麻烦，但我国农户和一般企业不同，它的积累与消费并没有严格区分，比较准确地将其纯收入划分为积累与消费两部分的具体数量，比一般企业要难得多。因为作为生产生活统一体的农户，每年纯收入去向中，有一部分速动资产如银行存款、手持现金等比上年的增加额既可以用于生活，也可以用于生产，这使本书在划分农户积累与消费类别时，无论把它们归入前者还是后者均显不妥。这是与一般企业不同之处。正是出于这一考虑，在国家统计局公布的有关农户经济统计指标中，一直没有反映农户积累水平和构成方面的指标。尽管如此，余维祥认为，国家对农户纯收入和消费支出统计比较详细，因此，有了农户人均纯收入和人均消费水平这两个指标，按照收入、积累、消费三个指标之间的理论关系，借助农户当年纯收入减去消费额等于积累水平这个等式，就可以推算得出积累额。

8.4.2　中西部地区农户积累消费水平的差异分析

农户可自行支配的纯收入最终用于积累和消费，处理好积累与消费的关系至关重要。积累是为了扩大再生产，消费是为了改善生活境况，作为生产生活统一体的农户，既要考虑消费也应注意积累，即应注意处理好积累和消费的比例关系。如果积累和消费比例失调，不仅影响生产的发展和生活的改善，而且由于我国2.3亿农户的积累和消费占整个国民经济的相当比重，因此也会影响到国民经济的发展。

我国的中西部地区与东部地区之间的经济发展水平历来存在差距。改革开放以来，区域经济从传统的中央管制中解放出来，依据各自的资源禀赋和地区优势发展经济，加之改革开放和农村产业结构调整的先后与力度有差别，三大地区经济呈现出明显的差距，随之带来了各区之间农户收入水平和农户的积累、消费水平上的差距较大。

从表8-1可以看出，1980～2010年，我国三大地区农户人均积累与消费水平都有较大提高。东部地区农户的人均积累与消费水平分别从35.6元和182.0元上升到2791.8元和6134.1元，年均增量分别为91.9元和198.4元，年均增长速度分别为15.7%和12.4%。从年均增量看，消费比积累多106.5元，从递增速度看，积累比消费快3.3个百分点。中部地区农户的人均积累与消费同期分别从24.7元和156.3元提高到1628.2元和4026.4元，年均增量分别为53.5元和129.0元，年均增长速度分别为15.0%和11.4%，从增量上看消费比积累多75.5元，从增速上看积累比消费快3.6个百分点。西部12省（自治区、直辖市）农户同期人均积累和消费水平分别从23.3元和149.4元提高到864.3元和3528.1元，年均增量分别为28.0元和112.6元，年均增长速度分别为12.8%和11.1%，从增量上看消费比积累多84.6元，从增速上看积累比消费快1.7个百分点。以上数据说明，三大地区农户人均积累与消费水平均有较大提高，但提高的幅度各区之间存在差别。具体讲，不论是增量还是增速，在积累与消费两方面均是东部地区农户大于中部地区农户，中部地区农户大于西部地区农户。而在各区内部，积累的增长速度较快，消费的绝对水平增加较多。

表8-1　东中西部地区农户积累、消费水平变化（1980～2010年）

（单位：元/人）

年份	全国平均		东部地区		中部地区		西部地区	
	积累	消费	积累	消费	积累	消费	积累	消费
1980	29.1	162.2	35.6	182.0	24.7	156.3	23.3	149.4
1985	80.2	317.4	81.4	370.8	71.2	306.6	49.5	266.7
1990	101.7	584.6	151.0	696.6	89.7	543.2	77.5	475.2
1995	267.3	1310.4	456.4	1670.8	215.5	1187.2	93.8	1023
2000	583.3	1670.1	947.2	2116.1	559.1	1518	335.1	1325.9
2005	699.5	2555.4	1370.7	3755.1	718.4	2310.8	356.7	1999.0
2010	1537.2	4381.8	2791.8	6134.1	1628.2	4026.4	864.3	3528.1

资料来源：根据《中国农村住户调查年鉴》和《中国住户调查年鉴》各年计算整理

另外，1980～2010年，在我国三大地区农户的积累与消费水平总体提高的过程中，东、中、西地区的差距也在拉大。表8-2显示，三大地区农户的人均积累与消费水平历年都是东部大于中部，中部大于西部。并且，不论是积累水平，还是消费水平，三大地区之间的差距都在拉大。如果以西部12省（自治区、直辖市）农户的人均积累与消费水平分别为1，则在1980年时，东部、中部、西部12省（自治区、直辖市）农户人均年积累水平与消费水平比值分别为1.53：1.06：1和1.22：1.05：1，经过30年的发展变化到2010年，三大地区农户的人均年积累水平与消费水平的比值分别变化为3.23：1.88：1和1.74：1.14：1，即东部地区农户人均年积累额由1980年时相当于西部12省（自治区、直辖市）农户人均年积累额的1.53倍扩大为2010年的3.23倍，人均年消费水平由1980年相当于西部12省（自治区、直辖市）的1.22倍扩大为2010年的1.74倍。

表8-2　东中西部地区农户积累、消费比值变化（1980～2010年）

年份	东中西农户积累比值	东中西农户消费比值
1980	1.53：1.06：1	1.22：1.05：1
1985	1.64：1.44：1	1.39：1.15：1
1990	1.95：1.16：1	1.47：1.14：1
1995	4.87：2.30：1	1.63：1.16：1
2000	2.83：1.67：1	1.60：1.14：1
2005	3.84：2.01：1	1.88：1.15：1
2010	3.23：1.88：1	1.74：1.14：1

资料来源：根据表8-1计算所得

8.4.3　中西部地区农户积累消费比例关系的比较分析

1. 总体比较

随着各区农户积累与消费水平的变化，三大地区农户的积累、消费比例关系变化呈现如下特点：表8-3显示，东部地区农户的积累所占比例总体上提升明显，积累率从1980年的16.36%变化为2010年的31.28%，上升14.92个百分点；中部地区农户积累所占比例波动较大，积累率由1980年的13.65%变化为2010年的28.79%，上升15.14个百分点；西部12省（自治区、直辖市）农户积累所占比例年度间波动同样较大，积累率由1980年的13.49%变化为2010年的19.68%，提高6.19个百分点，三大地区农户积累率变化趋势见图8-2。就消费率而言，东部地区农户由1980年的83.64%变化为2010年的

68.72%，下降 14.92 个百分点；中部地区由 1980 年的 86.35% 变化为 2010 年的 71.21%，下降 15.14 个百分点；西部 12 省（自治区、直辖市）由 1980 年的 86.51% 变化为 2010 年的 80.32%，下降 6.19 个百分点。三大地区农户消费率变化趋势见图 8-3。

表 8-3　东中西部地区农户积累消费比例变动情况（1980～2010 年）

（单位：%）

年份	东部地区		中部地区		西部地区	
	积累率	消费率	积累率	消费率	积累率	消费率
1980	16.36	83.64	13.65	86.35	13.49	86.51
1985	18.00	82.00	18.85	81.15	15.65	84.35
1990	17.82	82.18	14.17	85.83	14.02	85.98
1995	21.46	78.54	15.36	84.64	8.40	91.60
2000	30.92	69.08	26.92	73.08	20.17	79.83
2005	26.74	73.26	23.72	76.28	15.14	84.86
2010	31.28	68.72	28.79	71.21	19.68	80.32

资料来源：根据表 8-1 计算所得

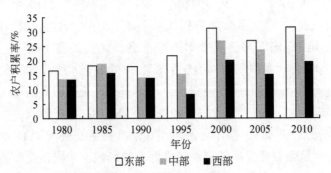

图 8-2　东中西部地区农户积累率变化趋势（1980～2010 年）

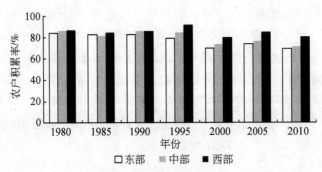

图 8-3　东中西部地区农户消费率变化趋势（1980～2010 年）

总体来看，从东到西农户积累所占比例逐渐减少，消费所占比例逐渐上升。换言之，农户收入水平高的地区，用于积累支出的比重也较高，用于消费支出的比重相对较低，反之则相反。因此，要提高农户的积累比例，增加收入是基础。

2. 分阶段比较

1980～2010 年，东中西部地区农户的积累、消费比例关系在年际之间的变化，可以大致划分为六个阶段，即 1980～1985 年为第一阶段，1986～1990 年为第二阶段，1991～1995 年为第三阶段，1996～2000 年为第四阶段，2001～2005 年为第五阶段，2006～2010 年为第六阶段。在各阶段中，尽管也有一定波动，但总体趋势是，在第一阶段，三大地区积累率缓慢上升，消费率稳步下降。例如，东部地区积累率由 16.36% 变化为 18.00%，提高 1.64 个百分点；中部地区积累率由 13.6% 变化为 18.85%，提高 5.2 个百分点；西部 12 省（自治区、直辖市）积累率由 13.49% 变化为 15.65%，提高 2.16 个百分点。在这一阶段，中西部地区农户积累率变动幅度要快于东部地区。第二阶段，三大地区农户积累率都呈下降趋势，消费率有所上升。第三阶段，东部地区农户积累率提高了 3.64 个百分点，中部地区农户积累率提高 1.19 个百分点，而西部 12 省（自治区、直辖市）农户积累率下降了 5.62 个百分点，这一阶段农户积累率由东到西逐渐下降，消费率逐渐上升，尤其是在 1995 年，西部 12 省（自治区、直辖市）农户积累率出现了 8.40% 的最低水平。第四阶段，三大地区农户经过前两个阶段的过度消费后，积累率呈现快速回升的势头，如东部地区农户积累率由 21.46% 变化为 30.92%，提高 9.46 个百分点，中部地区提高 11.56 个百分点，西部 12 省（自治区、直辖市）更是提高了 11.77 个百分点。这种变化主要是受农业发展的宏观环境好坏的影响，即农业发展的宏观环境有利于农业的发展，农户从事农业生产比较有利时，农户的积累率就上升，消费率则相应下降，反之则相反。第五阶段，经过上一阶段的强势增长，这一阶段三大地区农户的积累率均有下降，消费率均有上升。东部地区农户积累率下降了 4.18 个百分点，中西部地区农户积累率分别下降 3.20 个和 5.03 个百分点。第六阶段，三大地区农户的积累率迅速回升，基本上反弹甚至超过第四阶段末期的历史最高水平。例如，东部地区农户积累率上升至 31.28%，达到历史最高值，上涨 4.54 个百分点；中西部地区农户积累率则分别上升至 28.79% 和 19.68%，中部地区农户达到历史最高值，西部地区农户接近 2000 年的历史最高值，分别上涨 5.07 个和 4.54 个百分点。

8.5 中西部地区农户经济行为评述

8.5.1 农户经济行为合理化的评价准则

行为是指行为主体为了满足自身需要所确定的目标，以及为实现这个目标而采取的活动过程。行为可分个体行为和群体行为，前者指个别人的个别行为，这种行为千差万别，存在着很大的差异性；后者指一个阶层、一个集团、一种类型的人群所具有共同特征的行为。虽然群体行为是个体行为的集中表现，但却过滤了个体行为的差异性，而保存了个体行为的共同性，反映了这个群体的共同目标以及为实现这个目标而采取的共同活动过程。按属性不同，群体行为可分为经济行为、政治行为以及社会行为等（严瑞珍等，1997）。

就经济行为而言，它由以下三个部分组成：行为目标、行为模式和行动后果。其中，行动后果在三个组成因素中处于决定性地位，它决定了行为目标及行为模式。如果所确定的行为目标以及行为模式的经济后果比起其他可比的行为都好，则这个目标及行为模式就不会改变；反之，就要选择其他目标及行为模式，行为的方向就会随之发生变更。可见经济行为的发展和变更来之于行为内部的矛盾，这是行为变更的内在动力（严瑞珍等，1997）。

但是，行为经济后果的变更来源于外部的经济环境和行为主体经济实力的变更。当外部经济环境发生变化或行为主体经济实力增强或削弱时，如果仍然保持原有的行为目标和行为模式，则原来很好的行为经济后果，这时就变坏了，于是行为方向就会随之发生变更，一种经济行为就会让位于另一种经济行为。由于外部经济环境与行为主体的经济实力在短期内难于发生急剧的变化，具有相对稳定性，因此群体的经济行为也具有相对稳定性。行为方向的相对稳定性，为研究农户的经济行为提供了客观基础。当前，评判我国农户经济行为合理与否，可以依据如下三个"统一"为基本准则来进行。

1. 行为目标与行为后果的统一

行为目标与行为后果统一与否的标准，要看实现这个目标的行为模式的机会成本是否最低。具体体现在：①农户收入有了较大提高后，生产性投资应逐渐增大；②农户投资应克服短期化行为，实现长期投资与短期投资相结合；③商品性投资应逐渐取代自给性投资；④农户的消费支出增加应是建立在收入增加基础之上的，且农户应具备平衡当前与未来消费的能力；⑤农户扩大再生产意识的强弱，以及与此相应的用于积累的收入占全部收入的比重是否合理；⑥农户自身受教育的程度及技术水平对农户经济行为的影响。农户投入的技术水平，其成本包括采用新技术的直接支出、学习新技术的费用、采用新技术的预期风险等，这些投入的机会成本低，产出就较高。

2. 行为目标与全局利益的统一

农户所从事的生产活动是最基本的物质资料的生产，其经济行为直接关系到整个国民经济的正常运转和人们的生活需求能否得到保障。因此，评价农户经济行为是否合理，不能只看农户本身的行为目标和自身行为经济后果的一致性，还要看其行为目标与经济、社会、生态环境效益是否协调发展。如果只有前者，对农户群体来说，其行为的经济后果是好的，但因损害了社会全局和长远利益，农户比较好的局部及当前的经济后果也难以最终保持。可见，只有这两方面都能实现统一的农户行为，才能称得上是合理的行为。

3. 个体理性与总体科学性的统一

个体理性与总体科学性的统一即单个农户经济行为的理性与农户总体经济行为合成的科学性的统一。农户经济形式虽然有利于调动农户的积极性，有利于提高单个农户的产出，但从整体上看，它规模小、积累慢，从而容纳不了现代化的生产力，不利于现代商品经济的进一步发展，在小规模的家庭分散经营和社会化大市场的背景下，单个农户的理性行为可能导致农户总体行为合成的谬误，如出现"盲目跟风"、"一哄而起"等现象，从而使农产品市场出现更大的波动。因此，为了使农户经济行为合理化，必须尽量减少信息不对称和提高农户的素质，使单个农户经济行为和农户整体行为达到协调统一。

8.5.2 中西部地区农户经济行为的具体评述

通过前面章节对农户投资、消费、储蓄和借贷、技术应用等具体行为的分析，中西部地区农户经济行为完全是从既定的约束条件出发，追求家庭总效用的最大化，从微观角度看，是属于理性的范畴。然而，正如文峰和冯先宁（2004）指出的，理性的微观行为并不意味着宏观经济的高效益。首先，农户的分工不具有分工的彻底性，因而也就享受不到社会大分工的优越性所带来的好处；其次，在追求非农产业比较经济利益基础上的家庭兼业经营，一方面导致大量农村青壮年劳动力的流失，从总体上降低农村劳动力的文化技术水平，阻碍农业现代化发展；另一方面更加强化土地分散、小规模经营的农业生产经营方式，不利于土地的适度规模经营；再次，农村社会保障不力、非农就业的不稳定性等导致的家庭兼业经营阻碍农村经济，尤其是粮食生产的商品化进程，使农业提供商品粮的数量相对或绝对降低，制约农村劳动力的转移和城乡二元结构的转换；最后，农户的一系列约束条件下的经济行为，已经严重阻碍了区域农业可持续发展战略的实施和目标的实现，其各种经济行为的结果并不符合上述所列的三条基本准则。

从农户整体经济行为来看，本书该如何对中西部地区农户的积累与消费比例变化进行评价？余维祥（2003）认为，积累、消费比例关系合理与否关键是积累率，而积累率的高低，取决于社会经济发展阶段和农户家庭当时的具体情况，并不存在一个普遍适用的积累率。余维祥指出，一般能满足以下两个条件的积累率以及依据这种积累率所形成的积累、消费比例关系，是比较恰当的：第一，农户生活水平尽可能不至于下降；第二，积累应当是富有效益的。本书认为，上述两条标准固然是适用的，但过于笼统，不能准确衡量农户积累与消费的比例关系。按照前文所述，1980 年以来，中西部地区农户积累和消费水平是不断提升的，而且其积累率也是逐渐上升的，因而按照上述标准看中西部地区农户积累与消费的比例关系似乎是合理的。然而，事实并非如此。首先，中西部地区农户积累量与东部地区农户的差距整体上是不断扩大的，东中西部地区农户积累的比值由 1980 年的 1.53∶1.06∶1 扩大为 2010 年的 3.23∶1.88∶1，差距的不断扩大本身就是不合理的；其次，同一收入层次上的东中西部地区农户积累差距也同样呈扩大趋势。例如，1990 年时海南、湖北和内蒙古农户的人均纯收入为 950 元左右，其三省（自治区、直辖市）农户积累比值为 0.84∶0.77∶1，到 2010 年海南、湖北、内蒙古三省（自治区、直辖市）农户积累比值变化为 1.71∶1.63∶1。[①]

综上可见，如果任由农户经济行为遵循原路发展而不加以优化和整合，那么，最后的结果不仅是中西部贫困地区可持续发展受到严峻挑战，而且全国可持续发展战略目标的实现甚至全面建成小康社会宏伟目标的取得也将成为一纸空文。

8.6 本章小结

中西部地区既是我国贫困人口集中分布区又是生态脆弱区的特点，决定了

---

① 2010 年海南、湖北、内蒙古三省（区）农户人均纯收入有一定差别但不大，分别为 5275.4 元、5832.3 元和 5529.6 元。

其发展特别需要贯彻可持续发展战略，中西部贫困地区的可持续发展对全国可持续发展战略的实现，其意义是不言而喻的。基于这一认识，本书首先阐述了贫困地区可持续发展的内涵、目标与实施基础，指出农业是贫困地区可持续发展的优先领域。其次，结合前面章节的分析结论，本书重点从农户层面探讨了影响中西部地区农业可持续发展的障碍，并分析了其原因。再次，本书从理论上探讨了贫困地区可持续发展视角下，农户经济行为的微观决策表征。在上述分析的基础上，本书最后从积累与消费比例关系的角度，对中西部地区农户经济行为演进过程进行了剖析和评述。按照提出的三条评价准则，本书认为，无论是农户的具体行为还是农户的整体行为，从微观角度看是理性的经济行为，并没有导致宏观层面的高效益。在区域可持续发展战略和全面建设小康社会的宏观背景下，需要对农户经济行为进行优化和整合，最终确保家庭脱困和区域发展"双赢"目标的实现。

第 9 章
基于可持续发展目标的贫困
地区农户经济行为优化与整合

9.1 基于可持续发展目标的贫困地区发展思辨

基于前文分析，在中西部贫困地区可持续发展过程中，人们对一些共性问题基本达成共识：①区域发展的首要原则应为满足占人口大多数的农户的基本需求，致富于民；②区域发展方向首先应充分依托并利用当地资源，以农（业）养农（户）；其次，发展农业产业化，通过后续农产品加工带动农业发展；再次，待经济有所积累后再考虑发展其他非农产业；③区域发展的决策、组织应集中于农户这一基本单元，必须适应农户特点，调动农户的积极性。利用农户之间的非正式合作关系的有利一面，形成合作的力量和创新扩展的渠道；④客观对待不利于经济发展的农户行为。对于那些明显不利于经济发展的，可逐步引导改变。对于那些具有两面性的农户行为，则应认真研究，如家庭"孩子多"可能导致贫困发生与家庭"劳动力多"有助于增收致富的关系，对资源依赖的有利和不利等。

可见，与其他区域发展研究方法相比，从农户经济行为角度分析区域发展，具有如下特点：①抓住了贫困区域经济发展中的最基本单元——农户家庭，使区域分析细化；②反映了区域内统计数据所忽略的事实，以及在一些关键问题上农户实际行为与理性行为的差异；③揭示了农户经济行为与区域发展的矛盾和协调，便于提出符合区域发展实际的政策建议；④对区域开发的组织工作，从农户角度着手开展比从政府角度组织更易于落实。

上升到理论层面，农户在贫困区域经济发展中的作用，与企业在工商业占主导的区域中的作用，既具有相似之处，也有明显不同。与企业一样，农户利益与区域利益存在着矛盾（如农户利益最大化多与区域利益最大化不一致等）。但由于农户经济联系以区内为主，与企业尤其是多区位企业的跨区域联系有很大不同。因此，区域利益应更多的是农户利益的集合。区域发展政策研究者和制定者更应该从人文关怀的角度，来开展对农户经济的行为特征及其客观规律探索与揭示的研究（李小建，2002）。

9.2 引导农户自觉参与区域可持续发展的基本原则

农户参与区域农业可持续发展并不是自发的，需要有一系列政策措施作保障来引导其逐步走上自身家庭脱困和区域经济发展的"双赢"之路。在引导农户自觉参与区域农业可持续发展方面，需要坚持如下几条基本原则。

9.2.1 利益最大化原则

利益最大化原则是指通过实施农业可持续发展计划，使中央、地方、农户三者利益集合最大化。对中央政府来讲，其利益最大化目标是要达到水土流失和环境污染得到治理，农村生态环境得到改善，旱涝病虫等灾害明显减少，实现农业增效和农民增收等；对地方政府而言，其利益最大化目标应当是中央政府的主要目标在本地区范围内的贯彻和落实；而在农户层面上，其利益最大化则应当是在发展有机农业、生态农业、农牧结合型农业、节水农业、资源节约型农业的基础上，实现降低农业生产成本和增加家庭收入。应当指出，中央、地方、农户三者之间的利益是能够协调一致从而实现最大化的，关键在于防止任何一方通过损害他方利益获得超出该方在三方共同利益最大化格局中既得份额的利益。

9.2.2 责权利一致原则

贯彻利益最大化原则需要中央、地方和农户三方各自约束自己的非理性和非持续发展行为，即一方追求自身利益最大化时不能对他方造成损害。在某种情况下，损害并不是单一发生在上下之间，有时也会在同级之间发生。例如，某一乡镇发展的污染企业给下游乡镇承包户的农田造成了污染，某一农户在砍完自家承包山林后又去偷砍其他承包户山林，等等，这均损害农户参与可持续发展的积极性。因此，在结合实际实施农业可持续发展战略时，须贯彻责权利一致原则，即区别非持续发展责任，主导思想就是谁污染、谁治理，谁破坏、谁恢复，谁投资、谁受益。贯彻责权利一致原则，可以通过产权界定、强化行政管理和执法力度等途径来达到预期的效果。

9.2.3 生态效益补偿原则

促进农业可持续发展需要考虑实施生态效益价值补偿，对绿化荒山、水土保持作出贡献的县、乡（镇）、村甚至农户给予生态效益价值补偿，从而调动农户及各级地方政府自觉参与农业可持续发展的积极性。生态效益补偿有多种形式，可以是山外地区（周边平原县或乡镇）对山区（县或乡镇）植树造林、水土保持的生态效益价值补偿，也可以是上游污染发生地对下游污染受害地（县乡村及农户）的经济补偿。上级政府在生态效益价值补偿和污染损害赔偿中的作用是协调、管理和监督实施。这一工作做好了，政府即可通过制度约束将县、乡、村乃至农户的行为规范在合理、可控范围内。

9.2.4 全员参与、全民动员原则

农业可持续发展功在千秋，利在全民，是全社会全体公众共同的事业，只有发动广大农户共同参与才能得以实现。因此，区域农业可持续发展战略的贯彻和落实，需要坚持全员参与、全民动员的原则，一方面要向农户宣传和普及可持续发展的知识，让其提高认识，树立可持续发展的观念，另一方面要对农户进行教育和培训，让其掌握可持续发展的生产技术和技能，自觉地进行符合可持续发展要求的生产经济活动。同时，要对农户有所引导和约束，让其规范自己不合理的行为，以保证农业可持续发展成果的取得和延续。

9.3 优化农户经济行为、实现中西部地区可持续发展的路径选择

随着改革进程的加快，中国农业和农村经济的良性运行有赖于一个有序与协调的宏观经济环境，也有赖于构筑一个充满活力而且能自我约束的微观主体。农户经济行为的优化，实际上是对农户经济行为的激励与约束，这既是微观机制的重塑问题，又是宏观框架的重构问题。只有从微观到宏观进行深入把握，才能从根本上实现家庭脱困与区域发展的"双赢"目标。

9.3.1 宏观角度：以制度创新为基础提高农户经济行为的总体效率

1. 制度创新解析

对于农户的一系列看似与区域可持续发展背道而驰的行为，不能简单地用农户缺乏理性来概括和解释。问题的解决，需要首先从改变限制农户选择范围的外部条件着手。通常在资源禀赋客观给定的情况下，能够改变外部条件的主要是技术和制度（林毅夫，1998）。其中技术是基础，它决定了生产的可能性边界；制度具有相对的独立性，它决定了经济运行能否实际接近生产可能性边界和接近的程度。制度往往通过习惯和规则为处于其中的人提供奖励或制裁。人处在不同的制度环境中，会有不同的反应。因此，本书倾向于寻求建立一种"适宜制度"，即能达到这样一种均衡状态：在该制度下个体的最大化行为既与他的预期吻合，又同整个社会的资源有效配置并行不悖，这种制度相对于其他制度而言更优（卢现祥，1996）。在该制度下，农户的理性经济行为最优，最明显的表现就是可加大农户的供给行为。这里指的供给行为，不仅涉及农产品数量的增加和质量的提高，而且包括劳动的有效供给，即对农用资金、设施等增进土地生产力要素的投入及农业劳动生产率的提高。

新制度经济学家诺斯（1994）认为，制度的替代、转换与交易过程构成制度变迁或制度创新。他把制度和制度变迁纳入现代经济增长理论模式中，认为制度创新是经济增长的基础。诺斯运用交易成本这一分析工具指出：由于市场规模的扩大，生产技术的发展或人们对现存制度下的成本与收益的看法有了改变引起在现存制度下出现潜在的获利机会。但是，由于外部条件内在化的困难、厌恶风险、市场失灵与政治压力等原因，这些潜在的利润无法在现有的制度安排内实现。这样，总会有某些人为了获取潜在利润而率先来克服这些障碍，当潜在利润大于这些障碍所造成的成本（交易成本）时，一项新的制度安排就会出现。制度安排充斥农户行为的所有空间。第一，它决定农户决策和选择的权利集合。在特定的行为规则下，农户做什么和不做什么都由某种制度安排作出限定。第二，它通过影响农户生存的非正式规则空间（如文化、习惯等），决定农户的偏好，进而影响农户的心态和动机。第三，决定农户与农户之间、农户与其他经济行为主体之间的利益关系。总之，制度安排一方面直接影响农户的行为抉择；另一方面又通过影响农户赖以生存的外部环境间接制约农户的行为（张广胜，2002）。

改革开放以来中国经济制度变迁经历了一个由量的积累阶段向质的变迁阶

段的历史性跨越，这种历史性跨越决定了国家政策供给结构在前后两个阶段具有质上的差异（程保平，2000）。在量的积累阶段农户增收效应之所以富有弹性，其关键原因在于国家政策供给结构成功地诱发出现了与此阶段相适应的农户行为。在质的变迁阶段农户增收效应之所以变得越来越缺乏弹性，其关键原因在于国家政策供给结构并没有成功地诱发出现与此阶段相适应的农户行为。农户作为经济行为主体，同其他主体如非农企业一样有追求自身利益最大化的冲动和要求。如果说农户行为与现代化进程相悖离的话，那只是因为制约农户的某些政策、制度安排不合时宜，一旦消除不适当的制度安排，农户会很快做出理性的反应，调整其行为方式以实现自身利益的最大化（张广胜，2002）。更为重要的是，农户在宽松的制度背景下，有制度创新的冲动，并愿意承担风险将其付诸实施。

2. 制度创新内容

基于上述认识，针对农户参与区域农业可持续发展存在的障碍，以及前文对其原因的分析，本书认为，目前国家迫切需要在以下几方面进行制度创新，以提高农户参与区域农业可持续发展的热情和农户经济的总体运行效率。

1）户籍管理制度创新

新中国成立以来，我国一直推崇城乡二元结构，农户被禁锢和捆绑在农村，绝大多数以经营农业、耕作土地为生。农户不仅要从自己占有的有限土地中获取食物，还要从中获得经济利益。伴随人口日益增多，土地资源不但无法扩大，而且因工业化、城市化兴起，道路、建房等非农用地日益增加，为了获得食物和收益不减，就展开了一系列向山区要粮，向草原要粮，向森林要钱，乱砍滥伐的"挖掘资源潜力"的过激行为，直接阻碍农业的可持续发展（王雅鹏和雷海章，1998）。尽管改革开放以后，允许农民进城和农业劳动力向非农产业转移，但是受工业化、城市化水平及城市经济体制改革，大批职工下岗等因素制约，城市和非农产业吸纳农村劳动力的能力仍然十分有限。

从宏观制度背景看，适应经济发展阶段的要求，国家通过强制性的制度变迁提供城乡平衡发展的制度安排是优化农户经济行为的基础。从城乡经济平衡发展的要求出发，一方面要全面消除城乡隔离的户籍制度及与其相关的就业、社会保障、教育等制度。为此，关键是赋予农民真正的"国民待遇"。由于城市利益集团和行政利益集团的阻挠，因此，应该通过国家强制性的制度变迁，形成一种赋予农民国民待遇的"倒逼"机制，对相关部门的工作方式、内容、服务范围等进行全面改革，只有这样才能防止旧制度的反弹，促进劳动力的自由流动和居民的自由迁徙。另一方面，根据农业生产的特点及其在国民经济发展中的地位和作用，将有利于农业发展的政策措施制度化。消除城乡隔离的户籍制度使农民有了就业选择和居住的自由，但由于城乡隔离制度的滞后消极影响，大量农民失去了平等参与就业竞争的机会，就业空间只能局限在农业内部。同时，由于农业具有微观效益低下，宏观社会效益巨大的特点，因此，为适应公平发展和宏观经济稳定发展的需要，必须加大对农业的支持力度。

2）农业经营制度创新

我国目前实行的是农户家庭小规模分散经营制度，平均每户经营的耕地仅 $0.5hm^2$，属于小农经济范畴。这种农业经营制度的优点是农户对生产的关心照料程度较高，同一生产单位内部的生产经营者之间的协作精神无与伦比，且农户对生产经营拥有绝对的自主权，可以根据市场需求及时调整自己的生产行为和经营方向。但随着改革进程的推进和深入，这种经营制度的缺陷和问题也随之暴露。农户家庭小规模经营一方面造成农户农业生产性固定资产的重复购置和低效使用，一方面又在客观上阻碍了大中型农业机械的推广应用，农田水利基本建设、病虫害统一综合防治、品种搭配和轮作倒茬等现代集约经营技术难以实施。

因而，尽管还必须完善家庭承包经营责任制以便注入现代市场大生产的精髓，但是必须清醒地意识到，既不能够把它看做是适合中国国情的唯一的农业经营制度，也不能够把它看成是最后的农业经营制度。未来中国农业的经营制度，除了继续稳定并鼓励完善家庭承包责任制度外，还应该根据"三个有利于"标准，大胆地鼓励生成其他形式的新型农业经营制度。根据党的十八大报告精神和中国农业与农村发展实际，当前农业经营经营制度创新方面的工作重点有三个。一是不断提高农户家庭经营的集约化水平。通过创造良好的政策和法律环境，采取奖励和补助等方式，大力扶持专业大户、家庭农场、农民合作社等新型农业经营主体。调动各类培训资源，借助专业技能培训，提高新型农业经营主体的生产技能和经营管理综合水平。二是鼓励发展多种形式的新型农民合作组织。采取措施引导农民兴办专业合作和股份合作等多元化、多类型合作社。政府财政投资项目优先投向符合条件的合作社，完善合作社税收优惠政策，创新适合合作社生产经营特点的保险产品和服务，引导农民合作社以产品和产业为纽带开展合作与联合，探索合作社联社登记管理办法。三是充分发挥农业龙头企业的龙头带动作用。扶持龙头企业通过兼并、重组、收购、控股等方式组建大型企业集团，创建农业产业化示范基地，来培育壮大农业龙头企业。通过推动龙头企业与农户建立紧密型利益联结机制，采取保底收购、股份分红、利润返还等方式，让农户更多分享加工销售收益和产业链增值服务。

3）农地产权制度创新

在中国农村，作为土地所有者的集体和作为土地经营者的农户，是一种出租土地和承租土地的小商品生产关系。这种关系的实际运作事实上既不利于集体有效地行使对土地的所有权壮大集体经济，也不利于农户有效地行使对土地的使用权增加其收入。主要表现为所有权主体不明确，虽然法律规定集体的土地属集体成员所有，但现行制度对集体成员界区没有明确的规定。导致农户土地收益被任意侵占，农田基础设施建设无人理会，耕地大量流失，大大降低了农地自由配置效率。

按照现代产权理论的解释，上述情况实际上属于"产权界区模糊"并且有碍于资源的优化配置。因而为了保护集体和农户各自的产权及相应的利益，形成对农业资源的优化配置，需要对当前的农地产权制度进行创新。一是有序开展农村土地确权登记颁证工作。2013年中央一号文件对此项工作作了明确部署，重点是通过开展大规模地籍调查，妥善解决农户承包地块面积不准、四至不清等问题，进一步健全农村土地承包经营权登记制度，强化对农村耕地、林地等各类土地承包经营权的物权保护。二是推动土地使用权有偿转让和出租。允许土地使用权在农户间转移和流动，受让土地使用权的农户对让渡土地使用权的农户本户给予一定经济补偿，从而逐步促成土地使用权相对集中；同时探索土地使用权有偿出租，即在农民依然把土地作为一种重要的生活保障和就业退路的情况下，鼓励农户把土地使用权租赁给农业生产专业户或专门组织，通过土地的租赁使用达到土地的规模经营。三是探索土地承包经营权有序流转。在稳定农村土地承包关系的前提下，本着依法自愿有偿原则，引导承包土地向专业大户、家庭农场、农民专业合作社等新型农业经营主体集中，发展多种形式的适度规模经营。结合基本农田建设，支持农户采取互换并地等方式，解决承包地的细碎化问题。四是创新土地使用权入股经营。即土地使用权占有者之间以土地使用权作为股份建立合伙企业，共同经营土地，形成规模经营。这种农地合伙企业可以以集体所有制范围建立，也可以由几家农户组建；可以由其中某一农户负责经营，也可聘请专业农业经营人员或委托其他农业经营企业经营。土地使用权占有者（股东）依约定从合伙企业取得现金或实物形式的分红。

4）收入分配制度创新

随着农村经济市场化取向改革和产业分化进程的加快，农户收入来源呈现多元化，收入增长的个性化特征日益鲜明，收入分配差距也呈现扩大趋势。中国农村居民基尼系数由1978年的0.21扩大到2011年的0.39，按收入五等份分组的低收入农户与高收入农户的人均纯收入差距由2001年的6.8∶1（以低收入组农户的人均纯收入为1）扩大为2011年的8.4∶1，城乡居民收入差距由 1978 年的 2. 57：1（以农村居民收入为 1）扩大为 2011 年的 3. 13：1，地区间差距扩大主要反映在中部与东部地区农户收入差距上，由 1997 年的 1. 42：1（以中部地区农户的收入为 1）扩大为 2011 年的 1. 47：1。[①] 与世界水平比较，我国高收入人口的收入份额已高于世界平均水平，低收入人口的收入份额已低于世界平均水平，收入不良指数（收入最高 20% 人口的收入份额与收入最低 20% 人口收入份额之比）更是 3 倍于世界平均水平，出现了两极分化的征兆。

基于此，对我国收入分配制度进行改革和创新迫在眉睫。一是对农户之间收入分配差距的调节，可以在一省范围内，以中等收入户缴纳平均负担水平的税费作为参照，对从事种植业的农村低收入户和次低收入户少征或不征税费负担，同时由政府安排财政补助，按耕地面积或产量补贴农户，缩小其与中等收入户的收入差距；对于中等收入户征派平均水平的税费负担，对于次高收入户特别是高收入户，适用超额累进税，使其实际负担水平适度高于平均水平，因此而增加的税费收入用以抵补对低收入户减免税费的预算损失。二是对城乡居民收入差距的调节，主要应从提高农村公共服务水平入手，打破城乡二元制度结构，加快农村基础设施和社会公益设施建设，使公共财政覆盖农村，特别是应在省级预算的扶助下，按照政府、集体、农户共同负担的原则，尽快建立农村社会保障制度，对于农村特定困难群体（如失业人员、老年人、疾病伤残者等）的生活来源予以基本保障；三是对地区间收入差距的调节，可以通过调查研究，按照消费经济学原理，分大区分别设计农户基本生产和生活最低保障线。对低于保障线的农户予以专项补助，补到最低保障线水平，所需补助资金由中央财政筹集。同时，加大西部大开发力度，增加对欠发达省份的农村基础设施建设投资，改善其农业生产条件和产业结构，并对这些地区的义务教育进行专项投入，免除贫困农户的教育负担等。

5）农村金融制度创新

历经几十年的改革与发展，中国农村逐步形成了以农村信用社为主，商业银行分支机构、中国农业发展银行、邮政储蓄机构为辅，多层次、多渠道提供金融服务的农村金融体系。然而，一个不争的事实是，目前中国农村金融体系的运行，却难以适应农村经济的发展。突出反映在农业融资与农村储蓄问题上。长期以来，中国农村金融运行中的一个非常突出的现象是，农村资金通过现有的农村金融机构大量流出农村。根据国务院发展研究中心课题组（2001）的测算，1979 ~ 2000 年，通过农村信用社、邮政储蓄机构的资金净流出量为10 334 亿元，其中，农村信用社净流出 8722 亿元，邮政储蓄机构净流出 1612

基于农户行为逻辑与实证研究的区域反贫困理论

240

---

① 2011 年东部农户人均纯收入统计不包括辽宁省，中部农户人均纯收入统计不包括吉林省和黑龙江省。

亿元。从 2001 年起，净流出量更为惊人，2001~2002 年，仅邮政储蓄机构就从农村抽走超过 8000 亿元的资金。由此导致的严重后果是，农户的资金需求旺盛却难以满足，严重阻碍农业的可持续发展。农户的存款大都存进了正规金融机构，2009 年西部地区农户占 67.28%，中部地区农户占 72.37%，而从正规金融机构得到的贷款却十分有限，2009 年西部地区农户占 40.29%，中部地区农户占 26.38%。农户大量的资金需求只能寻求欠规范的民间借贷来解燃眉之急。

根据新制度经济学的观点，金融制度变革的最终目的在于建立一个能够降低交易费用、提高融资效率的金融体系。基于此，迫切需要加强国家对农村金融改革发展的扶持和引导，切实加大商业性金融支农扶农力度，充分发挥政策性金融和合作性金融的作用效力，确保持续加大涉农信贷投放比重，同时不断创新金融产品和服务类型，确保优先满足农户信贷需求，加大新型农业经营主体信贷支持力度。此外，需要对农村信用社、农业发展银行、邮政储蓄机构和民间金融进行变革和创新。①农村信用社。在稳定县（市）农村信用社法人地位的基础上，继续深化农村信用社改革。在职责定位上，农村信用社要立足于农村地区，认真履行为"三农"服务的职责，促进农业和农村经济结构的调整。在功能设定上，可考虑既有政策性业务功能，又有商业性业务功能，在寻求满足"三农"发展的金融工具的创新上有所发展。国家对政策性业务可适当给予财政补贴，这也是一般市场经济国家发展农业的基本做法；同时通过业务范围的界定，适当发展商业性业务，在国家补贴的基础上，通过商业性业务的盈利机制来弥补政策性业务的亏损。在资金运用上，通过制定严格的管制政策，坚决限制本地资金外地化，引导农村信用社的资金必须用于支持和发展"三农"。②中国农业发展银行。可以考虑将现有中国农业发展银行及其分支机构与中国农业银行的基层组织合并，成立"农村区域发展银行"，它将比现行的中国农业发展银行的运行机制更具效率。③邮政储蓄银行。最迫切的问题是要把这一农村资金大量流出的通道堵住。可以考虑规定邮政储蓄银行只能把从农村吸收的储蓄资金转存到人民银行，人民银行再通过定向贷款把某一县（市）邮政储蓄网点的转存款全额返还给该县（市）的信用联社，由后者统一调度，在本地区使用。④非正式的民间金融。既然民间金融是市场需求与供给共同要求的产物，对民间金融首先就要采取一种宽容的态度。关键是要建立起一种合理的经济机制来诱导民间金融的变迁。从法律上承认和规范民间借贷活动，通过制定和实施《民间借贷法》，对其形式、对象、原则、运作方式等用法律条文规定下来，以法律形式保护借贷双方的正当权益；同时坚决打击高利贷，使民间借贷趋于法制化、规范化，做到有法可依、有章可循，引导民间借贷向健康的方向发展，使之成为农村正规金融活动的补充。

6) 农业保险制度创新

我国是一个农业大国，农业灾害频繁，仅 2013 年中国农作物受灾面积 3135 万 hm^2，其中绝收 384 万 hm^2。全年因洪涝地质灾害造成直接经济损失 1884 亿元，因旱灾造成直接经济损失 905 亿元，因低温冷冻和雪灾造成直接经济损失 260 亿元，因海洋灾害造成直接经济损失 165 亿元。自然灾害尤其是旱灾和蝗灾，受损的主要是农业、农村和农民，我国目前主要的救灾措施除了国家财政支持外，就是发动社会支援，鼓励企业和个人募捐。而在国外，主要的救灾措施是发展农业保险。农业保险是指专为农户在从事种植、养殖业生产的过程中，对遭受自然灾害和意外事故造成经济损失提供保障的一种保险。其社会管理功能极为突出，可以参与农业生产、防灾、销售等各个环节的风险管理和灾后的经济补偿管理。我国虽然也开展了农业保险，但在实际运作中面临许多难题，尤其是近几年来，农业保险非但没有发展，反而出现了大幅度滑坡。与全国保险业高速发展态势相比，2004 年之前的很长一个时期，中国农业保险一直处于持续萎缩的状态。之后在国家密集出台一系列强农惠农政策的推动下，中国农业保险业务逐渐回暖。但与中国现代农业发展的现实需求相比，农业保险的有效供给和需求仍然不足，农业保险并未真正起到为农户生产经营"排忧解难"的作用。这种趋势是与国家新时期增加农民收入、城乡统筹发展、加强农业支撑的大方向背道而驰的。

在农业高风险、农户收入和国家财力支撑的有限约束下，商业保险的保险费率就难以降低到农户可以承受的水平上，这决定了商业保险在农业生产中难有大作为。所以，我国的农业保险应以政府的政策性和财政性扶持为主，以商业保险为辅。当务之急是健全政策性农业保险制度，完善农业保险保费补贴政策，加大对中西部地区和农牧渔业生产大县农业保险保费补贴力度，适当提高部分险种的保费补贴比例，试点开展农作物制种、渔业、农机、农房保险保费补贴的有益探索，尽快推进建立财政支持的农业保险大灾风险分散机制。从实践操作层面看，考虑建立以农户合作保险为主的农业政策性保险组织体系。县以下成立农户互助保险合作组织，省成立农户合作保险联社，对全省农户合作保险组织进行业务指导和必要的管理，保证基本政策的统一和运作的规范。农户保险合作组织是不以盈利为目的的农民互助保险组织，专门从事农业保险业务，以收定支，节余作为风险基金。地方政府对农户提供保费补贴和为农业险经营主体提供政策服务。中央政府委托中国再保险公司为农业险经营主体提供再保险业务支持。放宽农户合作保险组织的经营范围，允许其承办县以下的农村加工企业、农业建筑和农户家庭的财产保险、农户车辆与农业活动有关的各种衍生农业活动应承担的责任险和人身保险。通过业务帮助，实现以盈补亏，以强补弱。

7）农技推广制度创新

作为世贸组织鼓励投资的"绿箱政策"之一，农技推广被多数国家政府用于提高农业生产率的重要政策措施。作为世贸组织的新成员，入世对我国农业生产的冲击正在逐渐显现，未来我国农业增长的原动力将主要依靠科技。然而，自从 20 世纪 90 年代中期以来，我国的农业科技体系受到了前所未有的冲击，许多地方的农技推广组织已名存实亡。农业推广体制运行不畅是其主要原因。由于科技供给系统与应用系统之间缺乏足够的信息交流，农业科研成果与农户实际经济利益脱节问题突出，使农业科技研究、推广和应用主体都缺乏积极性。农科教三驾马车缺乏合力，表现为：一是科研单位与推广部门没有直接联系，使一大部分科研项目变成了以获奖为研究目的，不能适应农村经济发展的需要，造成大量农业科研成果的无效供给。二是农协组织、企业与农业科研、教育、推广部门都难以对农户形成有效的技术指导服务，没有形成紧密的利益合作机制。

新形势下农技推广制度尤其需要在方式、方法上创新，特别重视农户的技术需求。要积极引入人性化思维，体现农户至上，能充分尊重农户意愿，有利于及时深入细致了解农户的技术需求。要变单向行政命令式、说教式为双向的技术信息交流式、思想观念沟通式，达到农技人员与农户间双向互动；变过去"浮在面上"、"重在线上"为广泛深入点上；继续重视和发挥讲座、培训班等传统方法和固定电话、广播、电视、报纸、杂志等传统传媒的作用，讲给农户听、教给农户学，使农户"活脑子""有点子""得金子"；大力兴办农业科技示范场，做给农户看，带着农户干，让农户看到样子、摸着路子，彻底改变"一张嘴光说不会，两只手光比划不干"的旧形象；积极应用无线电寻呼、移动电话、计算机、互联网等现代化的信息处理、传播手段，实施远距离广域即时服务，彻底改变"磨破一张嘴、跑断两条腿"的旧方式；建立农业和农村信息数据库，根据需要随时提供各方面信息；逐步把广泛培训、非常规教育作为今后农技推广的主要方式。

8）后农业税时代农村公共服务机制改革

我国农村税费改革是从 2000 年开始进行的，改革的主要内容是"三个取消，两个调整，一项改革"，即取消乡统筹费、农村教育集资、行政事业性和政府性基金、集资，取消屠宰税，取消统一规定的劳动积累和义务工；调整农业税和农业特产税政策；改革村提留征收使用办法。改革后，农民只需交三笔钱：农业税正税及附加；"一事一议"的筹资；村内统一组织的抗旱排涝、防虫治病、恢复水毁工程等共同生产费。这一改革使农民平均负担额下降了30%以上。为了从源头和制度上防止农民负担反弹，党中央和国务院又于2004年年初出台了减免农业税政策。全国各地区、各部门正在有计划地推进免征农业税改革工作，全面落实减免农业税的各项政策，积极稳妥地推进乡镇机构、农村义务教育管理体制和县乡财政体制等相关配套改革。中央和地方财政增加了对基层的转移支付，公共财政继续向农村倾斜，保证基层政权正常运转和农村教育、卫生等社会事业健康发展。2005年12月29日，第十届全国人民代表大会常务委员会第十九次会议通过决定：第一届全国人民代表大会常务委员会第九十六次会议于1958年6月3日通过的《中华人民共和国农业税条例》自2006年1月1日起废止，在中国延续了两千多年的农业税正式成为历史，从此中国进入后农业税发展的新时代。

毫无疑问，中国全面取消农业税，对于减轻农民负担，增加农民收入，调动农民生产积极性，巩固农业基础地位，促进城乡统筹发展具有重要的意义。需要指出的是，农村税费改革甚至全国取消农业税的一个重要目标，是为了减轻农民负担，创造一个有利于提高农民收入水平、推动农民增收致富的外部条件。这种分配关系的调整，虽然可能在一定程度上促进农村生产力的发展，但它并不能直接增加社会总财富，对增加农民收入的作用也是有限的。从根本和长远上看，要解决农民收入水平低下、增收缓慢的问题，还要进一步寻求农业增效、农村发展的新思路和大出路，为此创新并完善农村公共服务机制就显得尤为重要。当务之急是按照提高水平、完善机制、逐步并轨的要求，大力推动社会事业发展和基础设施建设向农村倾斜，努力缩小城乡差距，加快实现城乡基本公共服务均等化。一是加强农村基础设施建设。重点是农村安全饮水工程建设、农村电网升级改造以及西部地区和连片特困地区乡镇、村庄通沥青（水泥）路建设，同时加强宽带网络等农村信息技术普及方面的基础设施建设。二是大力发展农村社会事业。以推进农村教育、医疗和养老工作为重点，探索完善农村中小学校舍建设与改造的长效机制，通过设立专项资金，对在连片特困地区乡村学校和教学点工作的教师给予适当的生活补助。继续提高新型农村合作医疗的政府补助标准，增加新农合的覆盖面，探索新农合异地结算工作。健全新型农村社会养老保险政策体系，建立科学合理的保障水平调整机制，探索与其他养老保险制度衔接整合的政策措施。三是推进农村生态文明建设。从农村生态建设、环境保护和综合整治为重点，不断推进美丽乡村建设进程。继续加大三北防护林、天然林保护等重大生态修复工作实施力度，推进荒漠化、石漠化和水土流失综合整治工作。继续完善"一退两还"生态补偿机制，实施草原生态保护补助奖励政策。推进作物秸秆和畜禽粪尿的循环利用与

基于农户行为逻辑的区域反贫困理论与实证研究

综合整治，做好农村垃圾、污水处理和土壤环境治理，加快实施乡村清洁工程。

9.3.2 微观视角：以能力培育为核心促进农户经济行为规范和优化

1. 关于农户能力培育

区域农业的可持续发展要求农户合理和永续利用农业资源，使农业生产满足国民经济发展和人民生活及子孙后代生存的需要。同时，农户要保护和改善农业生态环境，采用实用先进技术，提高劳动生产率和土地生产率，促进农业发展和提高人民生活水平。这些目标和要求的实现，从根本上讲有赖于农户自身能力和素质的不断提升作后盾和支撑，当前最重要的就是要加强农户特别是贫困农户自身的能力培育，以此促进农户经济行为的规范和优化。在反贫困领域，强调贫困人口的参与已成为目前世界各国减贫行动的共同趋势。樊怀玉等（2002）指出，提高参与程度有利于反贫困资源的传递和接受，但贫困人口的参与程度是受制于其参与能力的。因此，促进穷人主动参与的过程就被归结为加强其能力建设的过程。"参与"一词目前频繁出现在许多国际支农项目和发展项目的决策、实施和评价中。由此而带来的参与式发展理论与方法也受到许多研究人员的关注。参与式的思想和方法起源于 20 世纪 50 年代，国际发展领域在对一些发展中国家的城乡社区进行基础设施建设的实践中广泛应用，并伴随着国际合作项目引入中国。

参与式发展思想的核心是：强调了发展的焦点是人的发展，人并不是一个被动和消极的客体，而是发展过程的主体。只有人的发展在项目的实施过程中得到强化，这种发展才是可持续的。参与不是简单的介入，而是要求项目执行人从项目决策选择、项目操作执行、项目利益分享参与整个过程的全方位运行。参与式发展体现了寻求多元化发展途径的取向，并重点强调：第一，对弱势群体赋权；第二，社会角色在发展过程中平等参与。目前，参与式发展方式已在我国资源管理、农村社会经济评估、社区发展与管理、社会林业、小流域治理等领域被广泛采用，并形成一套理论、方法较系统的科学体系（雷锦霞和樊军亮，2002）。

基于已有的研究成果和发展中国家的经验，农户尤其是贫困地区农户的能力建设和培育由下列相关因素和过程组成。

（1）建立主体意识。能力培育的首要任务，就是要激励贫困农户，使他们觉悟，树立起对现实的批判意识，使其明白造成贫困的原因不是超出他们所能控制的"命运"或"天意"，自己才是主宰自己命运的主体。主体意识标志着对贫困的认识由感性、宿命转变为批判反省，并开始把贫困和社会、自然环境联系起来进行思考。贫困农户有了主体意识和觉悟，就会更好地领会变革的可能性，并为此付出行动。在许多微观层次的经验中，贫困农户主体意识的形成还没有作为一种自发的过程出现。推动力量首先来自外部，是外部力量与贫困农户目标群体相互作用的结果。这种过程是非正式的，非官僚化的，外部力量不是居高临下，而是作为鼓动者、推动者、刺激因素、变革力量，通过志愿工作人员进行组织推动发挥作用。这是贫困农户能力培育启蒙和内在动因的形成，是整个能力培育的基础。

（2）建立参与组织。组织意识常常作为主体意识发展过程的逻辑结果。最初组织形式是小团体，其成员由社会、经济利益大体一致及从事经济活动基本相同、同处一村又具有相邻、亲属关系的家庭组成。小团体具有分享制特点，加强了组织凝聚力。有组织的活动加强了小农的集体意识和民主观念，成为锻炼贫困者领导人的重要训练场所。同时，稳定的组织形态还可以促进与现有援助方式建立联系，以确保资源流入贫困农户手中。总之，建立参与组织是贫困农户改变自己命运，实施变革行动的重要手段和工具。

（3）进行资源动员。建立组织为有效地进行内部资源动员提供了组织保证。集体活动可以组织劳力投入，进行劳动积累，可以将有限的资金集中起来，发挥集聚规模的作用。自我动员是组织活动的一个重要的准备阶段，它为组织的进一步扩展和管理积累了经验。随着组织资历的延长，贫困农户可以逐渐增强共同创造更大变革能力、取得更大发展的信心。开始只是依靠小规模的、使用操作简单的技术力量和资源向外发展，以获得外来资源。在外部力量的帮助下，贫困农户学会掌握更复杂的技术，并有了更多的资源推动社会、经济更快的进步。

（4）获得技术和管理的技能。贫困农户获得基本活动技能是能力建设的重要内容。这些技能通常分为一般能力和特定技能。一般能力包括识字、基本家计管理（如账簿的记录、保管）、家庭卫生、计划生育等；特定技能包括农林牧渔的生产技能、加工增值、市场营销等技能。通过不断提高对资金、物资、技术的使用效果，不仅实现了能力的塑造，而且增加了农户的收入，增强了农户改善生活条件的自信心。需要补充说明的是，加强贫困人口的能力建设和培育，形成主体意识，提高从业技能，特别需要培训。培训是保证反贫困努力取得成功的主要手段，因而也受到众多发展中国家的普遍重视，在反贫困行动中占有极为重要的位置。

2. 政策措施保障

从根本上讲，农户能力建设和培育有赖于农户人力资本水平的提高，属于农户人力资本积累的范畴，主要涉及教育、健康两个方面。此外，组织化程度的提高是农户能力培育的一个重要外部条件和力量，需要予以着重强化和提高。

1）加强贫困地区农村基础教育

一是国家在扶贫资金中使出一定比例投入农村基础教育。同时，鼓励社会各界、爱国侨胞捐资助学或集资办学。还可以争取国际借款，大胆引进外资兴办贫困地区教育。二是国家要提高从事农村教育工作人员的待遇，在其工资待遇、晋升职务、子女就业上学等问题上实施优惠政策，鼓励他们安心农村教育工作。特别是对贫困地区的民办教师的转正、劳务负担等问题也要优先给予照顾，为贫困农村留住培养人才的"园丁"。三是改革现行的农村教育体制，把片面追求"入学率"转变为为农村培养适用人才。同时，在课程设置上要增加农业种植、养殖、园艺、农机、电气等技术课程。四是兴办农村职业学校、农民夜校和函授学校，利用农闲扫盲，传授农业技术，多途径、多渠道提高农民文化素质，特别需要在老、少、边、穷地区贯彻落实普及九年制义务教育的政策。

2）注重贫困地区女性教育

多项研究表明，对女性的人力资本投资的收益率要普遍高于男性。也就是说，提高贫困地区女性的人力资本含量，能够使贫困家庭获得更高的收入增长率，从而更快地摆脱贫困境地。不仅如此，女性的人力资本低下还会对男性的人力资本的社会收益起着一定的制约作用。据世界银行的一项调查表明，要使儿童的营养获得一定程度的改善，当收入来自父亲时，所需要的开支是收入来自母亲的15倍，这是因为男性收入中的相当一部分用于无效益甚至负效益的消费，如酗酒、吸烟等。因此，如果贫困地区妇女的人力资本含量总是不能提高到男性的水平，那么，由于片面地提高男性的人力资本含量而取得的社会效益就会被抵消掉。一是在贫困地区要消除重男轻女的陈旧观念，使女孩和男孩一样都拥有上学读书的权利；二是利用农闲组织妇女进行家政教育，如文化基础知识，道德法制教育，家庭经济与管理，食物营养与卫生健康及缝纫、烹调、养殖、花卉、果树栽培等专业技术。

3）强化贫困地区农户卫生投资

人口身体素质状况直接影响着劳动力资源总量及其发展，并且健康投资是其他人力资本投资的前提与基础。当前最重要的是完善贫困地区农村医疗保健制度。一是加强政府对药品生产、销售和医疗机构的监管，纠正医疗机构不合理的收费，控制医疗费用的过度上涨；二是重建村级公立卫生室，完善农村县、乡、村三级卫生服务网络；三是增加对贫困地区卫生基础设施的经费补助，提供专项资金用于教育和培训医务人员；四是增加对农村防疫防病、健康教育等项目的投资，严格控制贫困地区人口过快增长，加强贫困地区地方病的防治工作；五是建立健全以大病统筹为主的农村医疗保险制度，保险基金由政府、集体和农户三者合理负担，以政府投入为主。

4）创新农民合作经济组织

组织化程度低是农户进入市场的严重制约。建立农民组织，可以加强农业自我保护的能力，农业和农民地位的维系便有了保障。在这方面，国外经验可以借鉴。国外农民组织主要有两种形式：一是以专业性合作经济组织为主的欧美型，它是随着农牧业的分工按单一产品或行业来组织的，如美国农村的供销合作社、电力合作社等；二是以综合性合作组织为主的东亚国家型，如日本、韩国的农协或农会，这种形式的农民组织经营范围不但涉及生产，而且也涉及生活服务。如日本的农业协同组合就是采取综合经营方式，它的经营范围不但涉及信用、购买、贩卖、共济（保险）、设施利用，而且包括生活指导。这种农业协同组织既是合作经济组织，又是行政辅助机构和政治团体，成员对经济组织和政治组织的依赖性很强。我国人多地少，农业经营规模小而分散。在此情况下，农户抵御风险能力低，因而对组织化的需求大，一旦组织起来，其对组织的依赖程度会很深。因此，我国农民的组织形式应以综合性的为主、专业协作性的为辅，建立以类似农会形式为核心的农民组织应该是一个有效选择。当然对这样的组织，政府应加以扶持和引导，从而真正提高农民的经济地位和组织意识与能力，为农会综合化发展和农民政治地位的提高打下基础。

9.4　本章小结

本章是全书的对策部分。通过前文分析，中西部地区农户无论是具体行为还是整体行为，存在着诸多与区域可持续发展背道而驰的因素，迫切需要对其进行优化和整合。本书从基于可持续发展目标的贫困地区发展思辨入手，提出了引导农户自觉参与区域可持续发展的四条基本原则，从宏观与微观角度概括了优化和整合农户经济行为的政策措施。宏观角度，本书认为，需要以制度创新为基础提高农户经济行为的总体效率，制约农户经济行为效率提高的制度主要包括户籍管理制度等八个方面。微观视角，本书认为，需要以能力培育为核心促进农户经济行为的优化和规范，并从教育、健康和农户组织程度等方面提出了相应的政策措施保障。

参 考 文 献

J·W·米勒.1993.农村变革与乡村贫困：讨论综述//国务院贫困地区经济开发领导小组
  办公室.国外贫困研究文献译丛（第2辑）.北京：改革出版社.

Park A，任常青.1995.自给自足和风险状态下的农户生产决策模型——中国贫困地区的实
  证研究.农业技术经济，（5）：22-26.

阿尔弗雷德·韦伯.1997.工业区位论.北京：商务印书馆.

奥古斯特·勒什.1995.经济地域空间秩序——经济财货与地理间的关系.北京：商务印书
  馆.

保罗·克鲁格曼.2000.地理和贸易.北京：北京大学出版社.

毕宝德.1997.我国农业投资的现状：问题与对策.农业经济问题，（1）：55.

蔡昉，都阳.2000.中国地区经济增长的趋同与差异——对西部开发战略的启示.经济研
  究，（10）：30-38.

蔡立旺.2004.农户决策影响因素的实证研究.中国农业大学硕士学位论文.

曹芳，杨友孝.2004.中国农村贫困地区可持续发展的制度分析.中国人口·资源与环境，
  14（4）：45-49.

曹和平.2002.中国农户储蓄行为.北京：北京大学出版社.

曹洪民.2003.中国农村开发式扶贫模式研究.北京：中国农业大学博士学位论文.

曹力群，庞丽华.2001.中国农户消费行为研究.经济研究参考，（38）：16-23.

曹廷贵，刘博.2013.多样与适配：民族地区的金融支持与反贫困.经济学家，（7）：
  103-104.

曹轶英.2001.开放贸易背景下农户粮食销售行为与我国粮食安全的关系.中国农业大学硕
  士学位论文.

查尔斯·P.金德尔伯格，布鲁斯.赫里克.1986.经济发展.上海：上海译文出版社.

柴效武.2003.关于家庭经济研究的构想.浙江万里学院学报，16（3）：79-81.

陈传波，丁士军.2003.对农户风险及其处理策略的分析.中国农村经济，（11）：66-71.

陈凡.1998.贫困地区农户经济行为与贫困机理分析.中国农村观察，（5）：1-7.

陈凡.1998.中国反贫困战略的矛盾分析与重新构建.中国农村经济，（9）：11-21.

陈风波，柳鹏程，丁士军.2004.农户对水稻品种的采用和认知——来自三省农户的调查.
  中国稻米，（2）：43-46.

陈汉圣，武志刚.1996.农户生产意向：趋势、成因、问题——1996年农户生产意向调查汇
  总分析.农业经济问题，（8）：19-23.

陈和午.2004.农户模型的发展与应用：文献综述.农业技术经济，（3）：2-10.

陈会营，郑强国.2001.中国农户科技水平影响因素与对策研究.农业技术经济，（2）：
  21-26.

陈克文.1998.论风险及其与信息和不确定性的关系.系统辩证学报,6(1):83-86.

陈立双,张谛.2004.对我国改革开放以来农业投资的实证分析.中国农村经济,(4):40-46.

陈铭恩,温思美.2004.我国农户农业投资行为的再研究.农业技术经济,(2):24-27.

陈文科,林后春.2000.农业基础设施与可持续发展.中国农村观察,(1):9-22.

陈文科.2004.地区协调发展政策思路与中部发展的政策安排.学习与实践,(12):17-24.

陈佑启.1998.从可持续发展看我国农民土地利用行为的影响因素.农业现代化研究,19(3):162-165.

陈玉光.1996.我国居民高储蓄及其向投资转化机制研究.中国社会科学,(5):4-17.

成新华.2001.农户投资行为与农业经济结构调整.经济问题,(5):51-53.

程保平.2000.论中国农户行为的演化及校正思路.经济评论,(3):53-58.

程厚思.1997.生存环境、技术进步与区域贫困.中国农村观察,(4):1-6.

池泽新.2003.农户行为的影响因素、基本特点与制度启示.农业现代化研究,24(5):368-371.

戴星翼.1998.走向绿色的发展.上海:复旦大学出版社.

邓久根.2004.中国农户借贷行为:研究现状、基本思路与初步的观点.江西金融职工大学学报,(1):4-6.

邓小平.1994.邓小平文选.第1、2、3卷.北京:人民出版社.

刁怀宏.2001.西部地区农业技术进步率:1979-1998年的考察——以四川为例.软科学,15(6):66-71.

刁永祚.2001.论以消费为主导的经济增长.经济学家,(3):20-26.

丁军,陈标平.2010.新中国农村反贫困的制度变迁与前景展望.农业经济问题,(2):52-57.

丁士军,陈传波.2001.农户风险处理策略分析.农业现代化研究,22(6):346-349.

都阳.1999.贫困地区农户参与非农工作的决定因素研究.农业技术经济,(4):32-36.

杜受祜,葛家瑜.1998.试论我国贫困地区的可持续发展.农村经济,(1):12-14.

樊怀玉等.2002.贫困论:贫困与反贫困的理论与实践.北京:民族出版社.

樊胜根,张林秀,张晓波.2002.中国农村公共投资在农村经济增长和反贫困中的作用.华南农业大学学报(社会科学版),1(1):1-13.

范从来,李福生.1988.乡镇经济组织系统的重新构造.中国农村经济,(6):1-7.

范建刚.2002.西部地区农户经济的空间差异及其发展对策.人文地理,17(3):64-65.

费广胜,陈伟.2004.消除贫困:可持续发展的必由之路.兰州学刊,(1):149-150.

费孝通.1986.江村经济——中国农民的生活.南京:江苏人民出版社.

冯继康,綦映红.1996.论市场经济条件下农户投资行为的规范.齐鲁学刊,(4):27-31.

冯兴元,何梦笔,何广文.2004.试论中国农村金融的多元化——一种局部知识范式视角.中国农村观察,(5):17-29.

傅晨,狄瑞珍.2000.贫困农户行为研究.中国农村观察,(2):39-43.

傅新红.2004.农业品种技术创新中的政府与市场.农业技术经济,（6）：35-39.

高启杰.1999.农业技术推广中的农民行为研究.南方农村,（5）：47-50.

高强.1999.我国三大地带农户兼业形态研究.经济地理,19（1）：73-76.

高强.2001.市场经济下小规模农户经营的演变及调控.乡镇经济,（7）：15-16.

高山晟.2001.经济学中的分析方法.北京：中国人民大学出版社.

庚德昌.1996.农民贫富探源：农户经济行为分析.北京：中国财政经济出版社.

耿奎,易丹辉,杭斌.2001.中国农户消费行为混合性特征的统计研究.统计研究,（10）：
 38-45.

龚晓宽.2004.新时期扶贫思路创新.经济学动态,（5）：64-66.

顾海兵.2002.非主流经济学研究.天津：天津人民出版社.

顾焕章,张景顺.1997.完善农业科技成果转化的供求机制.农业技术经济,（2）：21-23.

顾六宝等.2009.西部大开发中"贫困陷阱"问题的经济计量模型及实证研究.北京：人民
 出版社.

郭沛.2004.中国农村非正规金融规模估算.中国农村观察,（2）：21-25.

韩俊.1988.我国农户兼业化问题探析.经济研究,（4）：38-43.

韩喜平.2003.中国农户经营系统分析.北京：中国经济出版社.

何大安.2002.市场体制下的投资传导循环及其机理特征.中国社会科学,（3）：63-74

何帆.2000.21世纪的中国仍然是小农经济——农业部农村经济研究中心研究员温铁军专访.
 国际经济评论,（11-12）：26-29.

何广文.1999.从农村居民资金借贷行为看农村金融抑制与金融深化.中国农村经济,
 （10）：42-48.

何蒲明,魏君英.2003.试论农户经营行为对农业可持续发展的影响.农业技术经济,（2）：
 24-27.

何子阳.1989.我国农户家庭之比较研究.人口研究,（5）：1-7.

贺维.2000.家庭的三种基本经济行为.湖南纺织高等专科学校学报,10（2）：27-29.

赫晓霞,栾胜基.2006.农户经济行为方式对农村环境的影响.生态环境,15（2）：
 377-380.

洪保民,陈会兰.2001.个体经济行为研究范式与市场经济的制度安排.唐都学刊,17
 （1）：16-18.

洪凯等.2004.农户金融资产：增长、结构变迁与形成机理.CCER学刊,（3）：111-125.

洪民荣.1997.农户行为与农户政策.中国经济问题,（3）：27-31.

侯军歧.1997.中国农户经济增长研究.西北农业大学学报,25（增刊）：58-61.

侯军歧.1999.中国西部地区农户经济增长与发展条件研究.农业技术经济,（2）：41-44.

侯永志.2002.中国的人力资本与地区协调发展.http://www.drc.gov.cn/gzzlhqyjjyjb/
 20020723/144-224-30391.htm［2013-03-01］.

胡鞍钢,李春波.2001.新世纪的新贫困：知识贫困.中国社会科学,（3）：70-81.

胡伯龙,吕文阁,宋波.1997.论农民经济行为.吉林省经济管理干部学院学报,（5）：

27-31.

胡熳华，王东阳．2004. 贫困地区技术创新的障碍因素和动力分析．农业技术经济，（5）：
38-41.

胡瑞法．1998. 粮食作物常规种子更换模型及其应用．农业技术经济，（3）：33-45.

胡瑞法等．1996. 中国农业科研体制与政策问题的调查与思考．管理世界，（3）：167-172.

胡雪萍．2003. 优化农村消费环境与扩大农民消费需求．农业经济问题，（7）：24-28.

黄承伟，沈洋．2013. 完善我国新型农村扶贫开发战略的思考——论"三维资本"协同下的
反贫困机制．甘肃社会科学，（3）：139-142.

黄承伟．2001. 中国反贫困：理论、方法、战略．北京：中国财政经济出版社．

黄季焜，胡瑞法，罗斯高．1999. 迈向二十一世纪的中国种子产业．农业技术经济，（2）：
14-22.

黄季焜，胡瑞法，孙振玉．2000. 让科学技术进入农村的千家万户——建立新的农业技术推
广创新体系．农业经济问题，（4）：17-25.

黄季焜，罗斯高．1996. 中国水稻的生产潜力、消费与贸易．中国农村经济，（4）：21-27.

黄季焜，马恒运，罗泽尔．1998. 中国的扶贫问题和政策．改革，（4）：72-83.

黄绮芬．2003. 试论投资在经济增长中的作用．中山大学学报论丛，23（2）：43-45.

黄宗智．1986. 华北的小农经济与社会变迁．北京：中华书局．

黄宗智．1990. 长江三角洲小农家庭与乡村发展．北京：中华书局．

黄宗智．2000. 长江三角洲小农家庭与乡村发展．北京：中华书局．

季明，徐松，廖雷，等．2004. 关注扶贫：中国扶贫攻坚二十五年．http：//www. sh.
xinhuanet. com/zhuanti/2004-05/24/content_ 2184913. htm［2013-03-01］．

加里·S. 贝克尔．1987a. 家庭经济分析．北京：华夏出版社．

加里·S. 贝克尔．1987b. 人力资本．北京：北京大学出版社．

加里·S. 贝克尔．1987. 家庭经济分析．北京：华夏出版社．

贾定良，陈秋霖．2001. 消费行为模型及其政策含义．经济研究，（3）：86-92.

蒋中一．1999. 数理经济学的基本方法．北京：商务印书馆．

靳涛．2004. 农民贫困的制度滞后分析．人文杂志，（1）：186-191.

康晓光．1995. 中国贫困与反贫困理论．南宁：广西人民出版社．

康云海．1997. 扶贫攻坚阶段农村区域扶贫与扶贫到户的关系．云南社会科学，（4）：
32-37.

柯炳生．1997. 中国农户粮食储备及其对市场的影响．中国软科学，（5）：22-26.

科斯（Cose R.），阿尔钦（Alchain A.），诺斯（North D.）．1994. 财产权利与制度变迁：
产权学派与新制度经济学派译文集．上海：上海人民出版社．

孔祥智，马九杰．1998. 中西部地区农民贫困的机理分析．中国农村经济，（2）：57-62.

孔祥智．1997. 中西部地区农民贫困的微观解理——兼论中西部地区反贫困的政策着眼点．
理论研究，（2）：4-6.

孔祥智．2004. 西部地区农户禀赋对农业技术采纳的影响分析．经济研究，（12）：85-95.

雷海章 . 1997. 正视东西差距：加速中西部农村经济发展 . 农业现代化研究，18（6）：
337-341.

雷海章 . 2002. 中西部地区农业可持续发展支撑体系研究 . 北京：中国农业出版社 .

雷海章 . 2003. 中西部地区农业水土资源保护与永续利用问题研究 . 北京：中国农业出版社 .

雷锦霞，樊军亮 . 2002. 参与式区域农业可持续发展探析 . 河北学刊，22（3）：69-71.

雷纳（Rayner A J），科尔曼（Colman D）. 2000. 农业经济学前沿问题 . 北京：中国税务出
版社，北京腾图电子出版社 .

黎东升，史清华 . 2003. 湖北监利县农户家庭储蓄与借贷行为的实证分析 . 湖北农学院学
报，23（3）：196-200.

黎洁 . 2011. 西部贫困山区农户的采药行为分析——以西安周至县为例 . 资源科学，33
（6）：1131-1137.

李秉龙 . 2004. 中国农村贫困、公共财政与公共物品 . 北京：中国农业出版社 .

李伯华等 . 2011. 欠发达地区农户消费行为空间结构演变特征——以湖北省黄冈市为例 . 地
理科学进展，30（4）：452-462.

李德水 . 2004. 反贫困斗争任重而道远（代序）. 中国农村贫困监测报告（2004）. 北京：
中国统计出版社 .

李东升 . 2003. 中国农村居民非持续消费行为的矫正分析 . 江苏商论，(9)：6-8.

李恩平 . 1999. 影响农民储蓄的三个因素 . 经济学家，(5)：12-16.

李建新 . 2003. 投资率和消费率的演变规律及其与经济增长的关系 . 经济学动态，(3)：
9-13.

李景春 . 2001. 家庭经济行为的心理剖析 . 经济师，(6)：35.

李乐为，岑乾明 . 2011. 区域公共产品协同供给：西部连片贫困区反贫困新思路——以湘鄂
龙山、来凤"双城一体"的观察与思考 . 农业经济问题，(12)：91-96.

李南田等 . 2004. 农业技术传播模式分析 . 农业科技管理，23（1）：10-13.

李锐，李宁辉 . 2004. 农户借贷行为及其福利效果分析 . 经济研究，(12)：96-104.

李锐，李子奈，项海容 . 2004. 基于截取回归模型的农户消费需求分析 . 数量经济技术经济
研究，(9)：29-37.

李实，John Knight. 2002. 中国城市中的三种贫困类型 . 经济研究，(10)：47-59.

李同明 . 1999. 可持续发展的哲学内涵 . 重庆环境科学，21（2）：1-3.

李同明 . 2000. 关于加速中国中西部开发问题的讨论 . 江汉石油学院学报（社会科学版），
2（2）：1-6.

李同明 . 2003. 论新阶段中国山区农村经济制度的创新 . 经济问题，(6)：38-40.

李伟毅，胡士华 . 2004. 农村民间金融：变迁路径与政府的行为选择 . 农业经济问题，
(11)：28-31.

李小建 . 2002. 欠发达农区经济发展中的农户行为——以豫西山地丘陵区为例 . 地理学报，
57（4）：459-468.

李晓西 . 1998. 转轨经济中的消费行为及理论假说 . 经济科学，(4)：25-35.

廖西元等.2004. 农户对水稻科技需求优先序. 中国农村经济,(11):36-43.

林海.2003. 农民经济行为的特点及决策机制分析. 理论导刊,(4):28-29.

林晖.2011. 深入推进扶贫开发 共享改革发展成果——解读《中国农村扶贫开发纲要(2011-2020 年)》. http://news.xinhuanet.com/politics/2011-12/01/c_111210074.htm〔2013-03-01〕.

林聚任,刘玉安.2004. 社会科学研究方法. 济南:山东人民出版社.

林毅夫.1988. 小农与经济理性. 农村经济与社会,(3):31-33.

林毅夫.1992. 制度、技术与中国农业发展. 上海:上海三联书店.

林鹰漳.2002. 农村市场化进程测度与实证分析. 调研世界,(6):26-29.

凌远云,郭犹焕,魏小梅.1997. 对 CD 生产函数测度农业技术进步贡献率的质疑和改进思路. 中国农村经济,(2):24-29.

刘彩华,周艳波,扈立家.2000. 农业技术进步与农民决策行为研究. 农业技术经济,(4):34-36.

刘承芳,张林秀,樊胜根.2002. 农户农业生产性投资影响因素研究——对江苏省六个县市的实证分析. 中国农村观察,(4):34-43.

刘纯彬.2004. 中国的贫困人口比美国少得多吗? 北京大军经济观察研究中心. http://www.dajunzk.com/zhongmeichaju.htm〔2013-03-01〕.

刘冬梅.2001. 对中国二十一世纪反贫困目标瞄准机制的思考. 农业技术经济,(5):56-59.

刘方棫.2000. 我国居民消费的巨变、问题及解决思路. 铁道学院学报(社会科学版),(1):21-27.

刘惠英,周曙东.2001. 东中西部农民消费差异及缩小差异的对策. 南京农业大学学报(社会科学版),1(4):5-11.

刘娟.2012. 扶贫新挑战与农村反贫困治理结构和机制创新. 探索,(3):110-114.

刘丽敏,李秉龙.2002. 中国农村居民储蓄现状及其成因研究. 调研世界,(12):9-11.

刘丽敏.2004. 中国农村居民储蓄行为研究. 中国农业大学博士学位论文.

刘茂松.2002. 论市场经济条件下的现代家庭消费行为. 湖南商学院学报,9(1):13-22.

刘宁等.2013. 退牧还草政策下农村住户的违约行为分析. 中国沙漠,33(4):1217-1224.

刘思华.1997. 对可持续发展经济的理论思考. 经济研究,(3):46-54.

刘文璞,吴国宝.1997. 地区经济增长和减缓贫困. 太原:山西经济出版社.

刘晓昀,辛贤,毛学峰.2003. 贫困地区农村基础设施投资对农户收入和支出的影响. 中国农村观察,(1):31-37.

刘延风.1996. 宏观技术需求与农户技术采用的差异及纠正. 农业技术经济,(2):16-19.

刘钟钦,陈驰,钟曼.2002. 农户储蓄行为理论探讨. 沈阳农业大学学报(社会科学版),4(1):25-27.

龙志和,杨建辉,王晓辉.2003. 关于消费习惯形成的研究进展. 经济学动态,(5):75-77.

卢迈，戴小京．1987．现阶段农户经济行为浅析．经济研究，（7）：68-74．

卢荣善．1996．市场经济中农业家庭经营一般特征探析．农业经济问题，（9）：26-30．

卢现祥．1996．西方新制度经济学．北京：中国发展出版社．

陆立军，等．2002．区域经济发展与欠发达地区现代化．北京：中国经济出版社．

陆小华．2000．西部对策：抑制返贫与中西部发展．北京：新华出版社．

吕雁琴．2003．提高贫困农户持续发展能力的制度创新研究．生产力研究，（6）：33-35．

吕勇斌，赵培培．2014．我国农村金融发展与反贫困绩效：基于 2003-2010 年的经验证据．
    农业经济问题，（1）：54-61．

洛兰·科纳．1995．缓解贫困和人力资源开发．//国务院贫困地区经济开发领导小组办公室．
    国外贫困研究文献译丛（第 3 辑）．北京：改革出版社．

马成文，司金銮．1997．中国农村居民消费结构研究．中国农村经济，（11）：61-64．

马鸿运．1993．中国农户经济行为研究．上海：上海人民出版社．

马若孟．1999．中国农民经济：河北和山东的农业发展：1890-1949．南京：江苏人民出版
    社．

么振辉．2000．规范借贷行为，拓展投资领域——关于我国农户借贷行为的调查报告．调研
    世界，（5）：25-28．

缪尔达尔（Myrdal G）．2001．亚洲的戏剧：南亚国家贫困问题研究．北京：首都经济贸易
    大学出版社．

奈尔斯·罗林．1991．推广学．北京：北京农业大学出版社．

彭文平．2002．农民理性行为与农村经济可持续发展．江西财经大学学报，（6）：23-26．

恰亚诺夫．1996．农民经济组织．北京：中央编译出版社．

秦晖，苏文．1996．田园诗与狂想曲．北京：中央编译出版社．

秦岭．2004．现阶段农户经济发展研究：背景、基础与理论分歧．哈尔滨市委党校学报，
    （2）：26．

邱东，宋旭光．1999．可持续发展层次论．经济研究，（2）：64-70．

屈艳芳，郭敏．2002．农户投资行为实证研究．上海经济研究，（4）：17-27．

饶旭鹏．2011．国外农户经济理论研究述评．江汉论坛，（4）：43-48．

任秀梅，张广宝，王维．2004．我国现阶段居民储蓄行为探究．商业时代（理论版），
    （21）：39．

戎刚，姚勇．2000．农户消费行为分析．农业技术经济，（2）：16-20．

沈红等．1992．边缘地带的小农——中国贫困的微观解理．北京：人民出版社．

沈小波，林擎国．2003．反贫困：认识的转变与战略的调整．中国农村观察，（5）：10-17．

沈月琴．1996．山区农户投资行为评析．林业经济问题，（4）：9-13．

史清华，万广华，黄珺．2004．沿海与内地农户家庭储蓄借贷行为比较研究——以晋浙两省
    1986-2000 年固定跟踪观察的农户为例．中国农村观察，（2）：26-34．

史清华，卓建伟．2003．农户家庭储蓄借贷行为的实证分析——以山西农村 203 个农户的调
    查为例．当代经济研究，（8）：52-59．

史清华．2001．农户经济活动及行为研究．北京：中国农业出版社．

斯科特（Scott J C）．2001．农民的道义经济学：东南亚的反叛与生存．南京：译林出版社．

宋金平．2001．中国农业与农村可持续发展的障碍与对策．中国软科学，（2）：17-21．

宋军，胡瑞法，黄季焜．1998．农民的农业技术选择行为分析．农业技术经济，（6）：36-40．

宋世方．2003．西方家庭经济理论的最新发展．经济评论，（5）：75-80．

孙振玉．1993．农业科技成果推广研究．北京：中国农业科学技术出版社．

孙中华．1992．农户经济面临的新情况——全国农村固定观察点农户情况调查分析．农业经济问题，（11）：9-12．

谭英，王德海，谢咏才．2004．贫困地区农户信息获取渠道与倾向性研究——中西部地区不同类型农户媒介接触行为调查报告．农业技术经济，（2）：28-33．

汤吉军，郭砚莉．2004．农民投资、沉淀成本与制度安排．经济经纬，（2）：114-116．

陶建平，雷海章．2004．长江中游平原农业水灾风险管理的制度建设．长江流域资源与环境，13（6）：621-625．

陶浪平．2002．农村居民生活消费支出的区域特征研究．财贸研究，（6）：33-37．

田春生．2001．经济增长方式的国际比较与中国的选择//经济活页文选（第11期）．北京：中国财政经济出版社．

万广华，史清华，汤树梅．2003．转型经济中农户储蓄行为：中国农村的实证研究．经济研究，（5）：3-12．

汪三贵，刘晓展．1996．信息不完备条件下贫困农民接受新技术行为分析．农业经济问题，（12）：31-36．

王帮俊，周勇．2004．居民储蓄与经济增长的关系实证．统计与决策，（3）：65-67．

王必达．2004．后发优势与区域发展．上海：复旦大学出版社．

王春超．2011．转型时期中国农户经济决策行为研究中的基本理论假设．经济学家，（1）：57-62．

王端．2000．现代宏观经济学中的投资理论及其最新进展．经济研究，（12）：54-66．

王改弟．2000．反贫困与可持续发展．经济问题，（4）：41-44．

王红玲，柏振忠．2003．我国农村居民消费倾向偏低的影响因素分析．理论月刊，（9）：137-139．

王宏伟．2000．中国农村居民消费的基本趋势及制约农民消费行为的基本因素分析．管理世界，（4）：163-174．

王济民．1995．我国贫困地区农户技术应用行为的实证分析．农业技术经济，（3）：20-24．

王平达．2000．农业可持续发展和农户经济行为．哈尔滨：东北农业大学硕士学位论文．

王闰平，陈凯．2006．资源富集地区经济贫困的成因与对策研究——以山西省为例．资源科学，28（4）：158-165．

王晓丹．2003．我国居民消费心理对经济增长的影响研究．长春：东北师范大学硕士学位论文．

王雅鹏，雷海章．1998．缩小差距农为先——东中西部地区差距问题的一家之言．农业经济问题，(9)：41-44.

王雅鹏．1998．我国农业可持续发展的障碍因素分析．经济问题，(5)：42-44.

韦伯．1915．儒教与道教．南京：江苏人民出版社．

文峰，冯先宁．2004．破解农户经济行为悖论．电子科技大学学报，6(4)：22-26.

沃尔特·克里斯塔勒．1998．德国南部中心地原理．北京：商务印书馆．

吴国宝．1996．对中国扶贫战略的简评．中国农村经济，(8)：26-30.

吴理财．2001．"贫困"的经济学分析及其分析的贫困．经济评论，(4)：3-9.

吴忠群．2002．中国经济增长中消费和投资的确定．中国社会科学，(3)：49-63.

武剑．1999．储蓄、投资和经济增长——中国资金供求的动态分析．经济研究，(11)：29-38.

西奥多·W. 舒尔茨．1964．改造传统农业．北京：商务印书馆．

西奥多·W. 舒尔茨．1992．论人力资本投资．北京：北京经济学院出版社．

西奥多·W. 舒尔茨．2001．对人进行投资——人口质量经济学．北京：首都经济贸易大学出版社．

肖富群．2010．中西部地区农户经济合作的特征——以广西为例．华南农业大学学报（社会科学版），9(1)：15-20.

谢培秀．1998．论农业可持续发展中的农户参与．江淮论坛，(6)：52-58.

熊理然，成卓．2008．中国贫困地区的功能定位与反贫困战略调整研究．农业经济问题，(2)：76-80.

徐锋．2000．农户家庭经济风险的处理．农业技术经济，(6)：14-18.

徐宇阳等．2014．南方沙化土地治理中的农户行为实证研究——以鄱阳湖沙区为例．长江流域资源与环境，23(3)：441-448.

严奉宪．2001．中西部地区农业可持续发展的经济学分析．华中农业大学博士学位论文．

严瑞珍．1998．当前反贫困的紧迫任务是向市场机制转换．改革，(4)：95-98.

严瑞珍等．1997．转轨时期农民行为与政府行为的轨迹．经济学家，(5)：63-70.

阎文圣，肖焰恒．2002．中国农业技术应用的宏观取向与农户技术采用行为诱导．中国人口·资源与环境，12(3)：27-31.

颜廷武，唐秀宋．2004．喀斯特贫困地区可持续农业发展战略研究．科学·经济·社会，22(3)：3-6.

颜廷武，王原雪．2013．小农户对接大市场亟需跨越制度与法律障碍．中国海洋大学学报（社会科学版），(3)：67-71.

颜廷武，张俊飚．2001．试论实现我国东西部地区生态经济协调发展．生态经济，(12)：17-19.

颜廷武，张俊飚．2002．库区 PREE 协调发展的障碍因素及对策探讨．中国人口·资源与环境，12(5)：114-116.

颜廷武，张俊飚．2002．西部县域 PREE 系统特征及可持续发展模式构建．科学·经济·社会，20（4）：12-16.

颜廷武，张俊飚 . 2003. 可持续发展战略的国际比较与借鉴 . 世界经济研究，（1）：8-13.

颜廷武 . 2004. 农产品质量安全：农村小康社会建设绕不过的门槛 . 生态经济，（11）：
95-98.

颜廷武 . 2005. 返贫困：反贫困的痛楚与尴尬 . 调研世界，（1）：37-39.

杨春学，朱立 . 2004. 关于积累与消费比例问题的主要理论框架 . 经济学动态，（8）：
25-28.

杨颖 . 2012. 从中国农村贫困的特征分析看反贫困战略的调整 . 社会科学家，（2）：62-65.

叶普万 . 2004. 贫困经济学研究 . 北京：中国社会科学出版社 .

尤小文 . 1999. 农户：一个概念的探讨 . 中国农村观察，（5）：17-21.

于文峰，杨旸，徐延辉 . 2002. 居民储蓄行为的经济心理分析 . 辽宁教育学院学报，19
（1）：26-27.

余海鹏，孙娅范 . 1998. 农户科技应用的障碍分析与对策选择 . 农业经济问题，（10）：
23-25.

余维祥 . 2003. 中国农户积累消费问题研究 . 北京：科学出版社 .

约翰·冯·杜能 . 1997. 孤立国同农业和国民经济的关系 . 北京：商务印书馆 .

臧旭恒 . 1996. 消费经济理论与实证分析 . 济南：山东大学出版社 .

战明华 . 2004. 我国居民消费行为的实证研究——总量分析与地区比较 . 中国软科学，（6）：
49-52.

张安录 . 2000. 论中西部农业可持续发展的生态环境支持体系建设 . 农业技术经济，（6）：
54-58.

张德贤等 . 1999. 可持续发展的家庭行为经济探讨 . 青岛海洋大学学报（社会科学版），
（1）：54-61.

张改清，冉维龙 . 2003. 我国农户投资行为及其制度环境建设研究 . 山西农业大学学报（社
会科学版），2（2）：118-120.

张改清，王孟欣 . 2004. 重视人力资本投资 促进经济持续增长 . 经济师，（7）：119-120.

张改清 . 2009. 粮食主产区农户农资投入行为及政策评价——基于河南省农户的实证研究 .
农业经济问题，（6）：20-28

张广胜 . 1999. 市场经济条件下的农户经济行为研究 . 调研世界，（3）：25-27.

张广胜 . 2002. 农村市场发育对农户消费行为影响的实证研究 . 中国农村观察，（4）：
43-47.

张国华，杨秋林 . 2002. 我国农业投资现状评价及政策建议 . 经济与管理研究，（5）：
53-56.

张惠远，蔡运龙，赵昕奕 . 1999. 环境重建——中国贫困地区可持续发展的根本途径 . 资源
科学，21（3）：63-67.

张杰 . 2005. 农户、国家与中国农贷制度：一个长期视角 . 金融研究，（2）：1-12.

张俊飚 . 2000. 中西部农村经济发展的障碍因素分析 . 经济问题，（10）：33-36.

张俊飚, 雷海章. 2002. 中西部贫困地区可持续发展问题研究. 北京: 中国农业出版社.

张俊飚, 颜廷武. 2001. 喀斯特贫困地区社会经济与生态环境协调发展问题的研究. 中国农学通报, 17 (6): 67-69.

张俊飚, 易法海. 1997. 试析我国极贫人口问题. 人口学刊, (4): 23-26.

张亮晶, 杨瑚, 尚明瑞. 2011. 西部少数民族地区生态环境与反贫困战略研究——从肃南裕固族自治县为例. 干旱区资源与环境, 25 (3): 53-58.

张林秀, 徐晓明. 1996. 农户生产在不同政策环境下行为研究——农户系统模型的应用. 农业技术经济, (4): 27-32.

张清慧, 唐萍. 2002. 农户短期农业生产投资的特征与效益评价. 华中农业大学学报 (社会科学版), (3): 29-31.

张卫红. 2001. 中国居民储蓄行为计量研究. 经济与管理研究, (1): 50-53.

张五常. 2000. 佃农理论: 应用于亚洲的农业和台湾的土地改革. 北京: 商务印书馆.

张晓辉. 2001. 全国农村社会经济典型调查数据汇编. 北京: 中国农业出版社.

张新伟. 2001. 市场化与反贫困路径选择. 北京: 中国社会科学出版社.

张新文. 2010. 我国农村反贫困战略中的社会政策转型研究——发展型社会政策的视角. 公共管理学报, 7 (4): 93-99, 127.

张学鹏. 2003. 中国居民储蓄的决定: 理论与实证. 兰州大学学报 (社会科学版), 31 (1): 112-116.

张岩松. 2004. 发展与中国农村反贫困. 北京: 中国财政经济出版社.

张永丽, 王虎中. 2007. 新农村建设: 机制、内容与政策——甘肃省麻安村 "参与式整村推进" 扶贫模式及其启示. 中国软科学, (4): 24-31.

张玉清等. 1997. 政府调控与农户行为研究. 农业经济, (5): 22-23.

赵昌文. 2001. 贫困地区可持续扶贫开发战略模式及管理系统研究. 成都: 西南财经大学出版社.

赵春艳, 叶普万. 2003. 中国反贫困战略简评. 西南交通大学学报 (社会科学版), 4 (3): 53-56.

赵冈. 2001. 农业经济史论集——产权、人口与农业生产. 北京: 中国农业出版社.

赵俊臣. 2003. 论几种 "农民致贫说" 的荒谬性. 红旗文稿, (18): 15-18.

赵妮娅. 2004. 人力资本投资: 西部大开发新的战略选择. 安康师专学报, 16 (4): 20-22.

郑宝华. 1997. 风险、不确定性与贫困农户行为. 中国农村经济, (1): 66-69.

周民良. 1999. 反贫困与中国的可持续性发展. 中国软科学, (10): 8-13.

周起业等. 2001. 区域经济学. 北京: 中国人民大学出版社.

周小斌, 耿洁, 李秉龙. 2004. 影响中国农户借贷需求的因素分析. 中国农村经济, (8): 26-30.

周衍平, 陈会英. 1998. 中国农户采用新技术内在需求机制的形成与培育——农业踏板原理及其应用. 农业经济问题, (8): 9-12.

周毅. 1999. 中国东西均点: 中国治贫反困新思路. 广州: 广东经济出版社.

周毅．2001. 西部反贫困研究．兰州：甘肃人民出版社．

朱春燕，臧旭恒．2001. 预防性储蓄理论——储蓄（消费）函数的新进展．经济研究，
（1）：84-92.

朱方明，屈恩义，王弘．2013. 我国山区贫困与反贫困状况的调查与思考——以四川通南巴
地区为例．经济学家，（12）：84-92.

朱玲．1994. 贫困地区农户的收入、资产和负债．金融研究，（3）：28-37.

朱玲．1996. 制度安排在扶贫计划实施中的作用——云南少数民族地区扶贫攻坚战考察．经
济研究，（4）：49-55.

朱玲．2001. 后发地区的发展路径和治理结构选择——云南藏区案例研究．经济研究，
（10）：86-94.

朱明芬，陈文华，李南田．2001. 农户科技行为与调控对策．农业科技管理，（4）：48-51.

朱明芬，李南田．2001. 农户采用农业新技术的行为差异及对策研究．农业技术经济，（2）：
26-29.

朱琪．2000. 贫困地区农户技术选择与扩散问题探析．农业经济，（2）：26-27.

朱希刚，赵绪福．1995. 贫困山区农业技术采用的决定因素分析．农业技术经济，（5）：
18-22.

朱信凯，王红玲，吕亚荣．2004. 金字塔模型：启动农村消费市场的新思路．中国软科学，
（3）：11-15.

朱信凯．2000. 改革以来我国农村居民消费行为的实证分析．中国经济问题，（6）：32-39.

朱信凯．2003. 中国农户消费函数研究．北京：中国农业出版社．

朱信凯．2005. 流动性约束、不确定性与中国农户消费行为分析．统计研究，（2）：38-42.

朱信凯．2005. 中国农户消费问题研究方法论分析．统计与决策，（2）：26-28.

朱舟．1999. 人力资本投资的成本收益分析．上海：上海财经大学出版社．

左停，齐顾波，钟兵仿．2003. 农民参与式技术发展以及其中一些问题的讨论．农业技术经
济，（1）：36-40.

左停，杨雨鑫．2013. 重塑贫困认知：主观贫困研究框架及其对当前中国反贫困的启示．贵
州社会科学，（9）：43-49.

African Developmnet Bank. 1999. African Development Report：Infrastructure Development in
Africa. Oxford：Oxford University Press.

Albelda, et al. 1999. Women and poverty：beyond earnings and welfare. The Quarterly Review of
Economics and Finance, 39（5）：723-742.

Apps P, et al. 1997. Collective labour supply and household production. Journal of Political
Economy, 105（1）：178-190.

Barnett B J, et al. 2008. Poverty traps and index-based risk transfer products. World Development,
36（10）：1766-1785.

Becker G. 1983. A theory of competition among pressure groups for political influence. Quarterly
Journal of Economics, 98：234-276.

Beckman M J. 1968. Location Theory. New York: Random House.

Bridge J C, et al. 1999. Toward an interactional approach to sustain community development. Journal of Rural Studies, 15 (4): 377-387.

Brown T M. 1958. Habit persistence and lags in consumer behavior. Econometrica, 20 (3): 355-371.

Byung-Yeon K. 2003. Informal economy activities of Soviet household: size and dynamoics. Journal of Comparative Economics, 31: 532-551.

Carletto C, et al. 2010. Globalization and smallholders: the adoption, diffusion, and welfare impact of non-traditional export crops in Guatemala. World Development, 38 (6): 814-827.

Carroll C. 1994. How does future income affect current consumption. Quarterly Journal of Economics, 109 (2): 111-148.

Castroleal F, et al. 2000. Public spending on health care in Africa: does the poor benefit. Bulletin of the World Health Organization, 78 (1).

Chen S H, et al. 2001. How did the world's poorest fare in the 1990s. Review of Income and Wealth, 47 (3): 283-300.

Davidson R et al. 1993. Estimation and Inference in Econometrics. Oxford: Oxford University Press.

Deaton A. 1992. Understanding Consumption. Oxford: Oxford University Press.

Defina R H. 2002. The impact of macroeconomic performance on alternative poverty measures. Social Science Research, 31 (1): 29-48.

Dixit A K, Stiglitz J E. 1977. Monopolistic competition and optimum product diversity. The American Economic Review, 67 (3): 297-308.

Ellis F. 1998. Peasant Economics. London: Cambridge University Press.

Galor O, Tsiddon D. 1997. The distribution of human capital and economic growth. Journal of economic growth, (2): 93-124.

Geertz C. 1963. Agriculture involution: the process of ecological change in Indonesia. Berkely: University of California Press.

Gershon F, et al. 1985. Adoption of agricultural innovations in developing countries: a survey. Economic Development and Cultural Change, 33 (2): 255-298.

Gertler M S, et al. 2004. Local social knowledge management: community actors, institutions and multilevel government in regional foresight exercises. Future, 36 (1): 45-65.

Gong J H, et al. 2000. Sustainable development for agricultural region in china: case studies. Forest Ecology and Management, 128 (2): 27-38.

Griliches Z. 1957. Research costs and social returns: Hybrid corn and related innovations. Journal of Political Economy, 66 (5): 419-431.

Guiso L J, et al. 1992. Earnings uncertainty and precautionary savings. Journal of Monetary Economics, 30: 307-337.

Haffmam W E. 1980. Farm and off-farm work decisions: the role of human capital. Review of

Economics and Statistics, 62: 14-23.

Hare D, et al. 1999. Spatial patterns in China's rural industrial growth and prospects for the alleviation of regional income inequality. Jouranl of Comparative Economics, 27 (3): 475-497.

Hayek F A. 1948. The socialist calculation Ⅱ: the state of the debate//Individualism and Economic Order. Chicago: Chicago University Press.

Hu D P. 2002. Trade, rural- urban migration, and regional income disparity in developing countries: a spatial general equililbrium model inspired by the case of China. Regional Science and Urban Economics, (32): 311-338.

Huang J K, et al. 1999. China's food economy to the twenty- first century: supply, demand, and trade. Economic Development and Cultural Change, 47 (4): 737-766.

Jalan J, et al. 1998. Transient poverty in post- reform rural China. Journal of Comparative Economics, (26): 338-357.

Jappelli T, et al. 1994. Consumption and capital market imperfections: an international compari- on. American Economic Review, 84 (12): 1088-1104.

Kawaguchi D, et al. 2009. Is minimum wage an effective anti- poverty policy in Japan? Pacific Economic Review, 14 (4): 532-554.

Laumas P S, et al. 1992. Wealth, income, and consumption in a developing economy. Journal of Macroeconomics, 14 (2) : 349-358.

Lin J Y. 1992. Rural reforms and agricultural growth in China. American Economic Review, 82 (1): 34-51.

Lois B. 1996. Revaluing the household economy. Women's Studies International Forum, 19 (3): 207-219.

Luc A A, et al. 2004. Evaluating strategies for sustainable development: fuzzy logic reasoning and sensitivity analysis. Ecological Economics, 48 (2): 149-172.

Lucas Robert E Jr. 1988. On the mechanics of economic development. Journal of Monetary Economics, (22): 3-42.

Marcel F. 1999. Rural Poverty, Risk and Development. Oxford: Oxford University Press.

Mcdermott G A, et al. 2009. Public-private institutions as catalysts of upgrading in emerging market societies. Academy Of Management Journal, 52 (6): 1270-1296.

Meenakshi J V, et al. 2002. Impact of household size and family composition on poverty in rural In- dia. Journal of Policy Modeling, (24): 539-559.

Milanovic B. 2002. True world income distribution, 1988- 1993: first calculation based on household surveys alone. The Economic Journal, 112: 51-92.

Narrod C, et al. 2009. public- private partnerships and collective action in high Value Fruit and Vegetable Supply Chains. Food Policy , 34: 8-15.

Parikh A, et al. 1988. Impact of risk on HYV adoption in Bangladesh. Agricultural Economics, 64 (4): 783-784.

Park A, et al. 2001. China's poverty statistics. China Economic Review, 12 (4): 384-398.

Popkin S. 1979. The rational peasant: the political economy of rural society in Vietnam. Berkeley: University of California Press.

Popova D. 2002. The impact of the gender composition of households on inequality and poverty: a comparison across Russia and Eastern Europe. Communist and Post-Communist Studies, 35 (4): 395-409.

Ramsy F P. 1928. A mathematical theory of saving. The Economic Journal, 38 (152): 543-559.

Richard T F. 1993. Macroeconomics, theory and policies. New York: Macmillan Publishing Company.

Robert T. 2001. Seed provision and agricultural development: the institutions of rural change. London: Overseas Development Institute.

Roets G, et al. 2012. Pawns or pioneers? the logic of user participation in anti- poverty policy-making in Pubbic Policy Units in Belgium. Social Policy and Administration, 46 (7): 807-822.

Rogers E M. 1982. Diffusion of Innovations. New York: The Free Press.

Romer D. 1996. Advanced Macroeconomics. New York: McGraw-Hill Companies, Inc.

Romer P M. 1990. Endogenous technological change. Journal of Political Economy, 98 (5): 71-102.

Rozelle S, et al. 2000. China's War on Poverty. Center for Research on Economic Development and Policy Reform. Stanford University, Working Paper No. 60.

Ruan J, et al. 2009. Finance and cluster- based industrial development in China. Economic Development and Cultural Change, 58 (1): 143-164.

Samuel P. 2001. The Rational Peasant. California: University of California Press.

Shuai C M, et al. 2012. Anti- poverty project sustainability in rural China: an empirical analysis. Outlook on Agriculture, 41 (3): 153-161.

Stern N. 1991. The determinants of growth. Economic Journal, 101: 122-133.

Stiglitz J, et al. 1981. Credit rationing in markets with imperfect information. American Economic Review, 71: 393-410.

Swanson B E, Bentz R P, Sofranko A J. 1997. Improving Agricultural extension: A Reference Manual. Rome: Food and Agriculture Organization of the United Nations.

Tang Z G et al. 2011. Determining socio-psychological drivers for rural household recycling behavior in developing countries: a case study from Wugan, Hunan, China. Environment and Behavior, 43 (6): 848-877.

Topel R. 1999. Labor markets and economic growth. Discussion paper at University of Chicago.

UNDP, World Bank. 2000. China: overcoming rural poverty. Joint Report of the Leading Group for Poverty Reduction, Report No. 21105-CHA.

Vinod T, et al. 2000. The Quality of Growth. Oxford: Oxford Press Published for the World Bank.

Wang Y. 1995. Permanent income and wealth accumulation: a cross- sectional study of Chinese

参考文献

urban and rural households. Economic Development and Cultural Change, 43 (3): 523-550.

Warr P G. 2000. Poverty incidence and economic growth in Southeast Asia. Journal of Asian Economics, 11 (4): 431-441.

Welford R. 1996. Regional development and environment management: new opportunities for cooperation. Scandinavian Journal of Management, 12 (3): 347-357.

Wilson B K. 1998. The aggregate exitence of precautionary savings: time- series evidence from expenditure on nondurable and durable goods. Journal of Macroeconomics, 20 (3): 309-323.

World Bank. 2001. Attacking Poverty. Oxford: Oxford University Press.

Zeldes S P. 1989. Optimal consumption with stochastic income: deviations from certainty equivalence. Quarterly Journal of Economics, 104 (5): 275-298.